中国轻工业"十四五"规划教材

面向新工科普通高等教育系列教材

数据结构（C语言实现）

第 2 版

张建伟　陈　锐　马军霞　等编著

机械工业出版社

本书共 8 章，内容包括绪论，线性表，栈与队列，串、数组与广义表，树和二叉树，图，查找，排序。全书采用 C 语言作为数据结构和算法的描述语言。本书内容编排符合当前高等院校"数据结构"课程的现状和发展趋势，知识点涵盖全面，案例和课后习题丰富，每章均有案例以巩固读者对知识点的掌握，突出实用性和实践性。

本书可作为高等院校计算机科学与技术、软件工程等相关专业"数据结构"课程的教材，也可作为从事计算机软件开发、准备考取计算机专业研究生和参加计算机软件与技术资格考试人员的参考用书。

本书配有授课电子课件，需要的教师可登录 www.cmpedu.com 免费注册，审核通过后下载，或联系编辑索取（微信：13146070618，电话：010-88379739）。

图书在版编目（CIP）数据

数据结构：C 语言实现／张建伟等编著 . — 2 版 . — 北京：机械工业出版社，2024.6
面向新工科普通高等教育系列教材
ISBN 978-7-111-75762-7

Ⅰ . ①数… Ⅱ . ①张… Ⅲ . ①数据结构-高等学校-教材②C 语言-程序设计-高等学校-教材 Ⅳ . ①TP311.12②TP312.8

中国国家版本馆 CIP 数据核字（2024）第 092302 号

机械工业出版社（北京市百万庄大街 22 号 邮政编码 100037）
策划编辑：郝建伟 责任编辑：郝建伟 张翠翠
责任校对：张慧敏 杨 霞 景 飞 责任印制：单爱军
保定市中画美凯印刷有限公司印刷
2024 年 7 月第 2 版第 1 次印刷
184mm×260mm · 21.25 印张 · 553 千字
标准书号：ISBN 978-7-111-75762-7
定价：89.00 元

电话服务 网络服务
客服电话：010-88361066 机 工 官 网：www.cmpbook.com
　　　　　010-88379833 机 工 官 博：weibo.com/cmp1952
　　　　　010-68326294 金 书 网：www.golden-book.com
封底无防伪标均为盗版 机工教育服务网：www.cmpedu.com

前言

"数据结构"是高等院校计算机科学与技术、软件工程等相关专业的一门重要的专业基础课程，也是研究计算机科学与工程问题的基础，它对软件设计的发展起着举足轻重的作用。当用计算机来解决实际问题时，会涉及数据与数据之间关系的表示与处理，而这正是数据结构研究的对象。通过对数据结构的学习，读者可为后续课程，特别是算法设计和软件开发等课程的学习打下坚实的基础。

本书较系统地介绍了数据结构中的线性结构、树形结构、图结构及查找、排序技术，阐述了各种数据结构的逻辑关系，讨论了它们在计算机中的存储表示及其运算。本书理论与技术并重，结合工作实际对数据结构中的抽象概念和知识点进行详细讲解，通过丰富的图表和实例、完整的代码帮助读者理解算法思想，学会运用数据结构知识解决日常工作生活中的实际问题并能用算法实现。本书选取的案例丰富、典型，多数章节提供了涵盖所有知识点的综合应用实例，课后习题题型多样，所涵盖的知识点丰富，选取了部分考研试题，以巩固所学知识点。全书采用 C 语言作为描述语言，并配有详细的讲解和注释，所有代码均已上机调试通过，并给出程序的运行结果。

在第 1 版的基础上，结合现行《硕士研究生入学考试大纲》要求及对近年考研试题的分析，增加了并查集、红黑树、外排序等内容。由于篇幅所限，有些内容无法展开讲解，因此删除了静态链表、堆串、链串、十字链表的基本操作等内容。更多的算法实现内容，感兴趣的读者可以参阅《数据结构与算法详解》。

本书共 8 章，分别为绪论，线性表，栈与队列，串、数组与广义表，树和二叉树，图，查找，排序。

第 1 章：如果读者刚接触数据结构，这一章将介绍数据结构是什么，以及本书的学习目标、学习方法和学习内容。另外，还介绍了本书对算法的描述方法。

第 2 章：主要介绍线性表。首先讲解线性表的逻辑结构，然后介绍线性表的各种常用存储结构。

第 3 章：主要介绍操作受限的线性表——栈与队列，内容包括栈的定义、栈的基本操作及栈与递归的转化、队列的概念、顺序队列和链式队列的运算。

第 4 章：主要介绍特殊的线性表——串、数组与广义表。首先介绍串的概念、串的各种存储表示，以及串的模式匹配算法；然后介绍数组的概念、数组（矩阵）的存储结构、特殊矩阵；最后介绍广义表的概念、广义表的两种存储方式、广义表的操作实现。

第 5 章：主要介绍非线性数据结构——树和二叉树。首先介绍树和二叉树的概念，然后介绍树和二叉树的存储表示，二叉树的性质，二叉树的遍历和线索化，并查集，树、森林与二叉树的转换及哈夫曼树。

第 6 章：主要介绍非线性数据结构——图。首先介绍图的概念和存储结构，然后介绍图的遍历、最小生成树、拓扑排序、关键路径及最短路径。

第 7 章：主要介绍数据结构的常用技术——查找。首先介绍查找的概念，然后结合具体实例介绍各种查找算法，包括顺序表查找、有序顺序表查找、索引顺序表查找、二叉排序树、平衡二叉树、红黑树、B-树、B+树及哈希表。

第 8 章：主要介绍数据结构的常用技术——排序。首先介绍排序的相关概念，然后介绍各种排序技术，并给出了具体实现算法。最后介绍了外排序技术。

本书提供配套的教学资源，包括电子课件、例题源代码、课后习题答案等。读者可通过机械工业出版社教育服务网（www.cmpedu.com）下载，也可与作者联系索取。邮件地址：235668080@ qq. com。

参与本书编写的有张建伟、陈锐、马军霞、马欢、谷培培、张亚洲、张晓梅、蒋昌猛。张建伟负责统稿，耿国华负责审定全书。

在本书的出版过程中，得到了郑州轻工业大学、山西大学和机械工业出版社的大力支持，在此表示衷心感谢。

在本书编写的过程中，作者参阅了大量相关教材、著作，个别案例也参考了网络资源，在此向各位原著者致敬！

由于作者水平有限，书中难免存在一些不足之处，恳请读者批评指正。

编著者

目录

V

数据结构是计算机、软件工程及相关专业的专业基础课之一，主要研究数据的各种逻辑结构和存储结构，以及数据的各种操作，是继续深入学习后续课程（如算法设计与分析、操作系统、编译原理、软件工程等）的重要基础。随着计算机应用领域的不断发展和延伸，非数值计算成为计算机应用领域处理的主要问题，简单的数据类型已经不能满足需要。无论是系统软件设计还是应用软件设计，均涉及复杂数据结构的处理。此外，面对与日俱增的海量数据信息，算法的效率成为决定软件系统成败的关键因素之一，而好的算法是对解决实际问题过程中数据结构的描述。因此，掌握扎实的数据结构的基本知识和技能，对于今后的专业学习和软件开发是十分必要的。本章主要介绍数据结构的基本概念、抽象数据类型、数据的逻辑结构和存储结构、算法的特性与算法的描述等。

1.1 数据结构的基本概念

本节主要介绍与数据结构有关的一些基本知识和概念。

1. 数据

数据（Data）是能被计算机识别并输入计算机中的能被处理的符号集合。换言之，数据就是计算机化的信息。

数据的概念经历了与计算机发展类似的发展过程。计算机一问世，数据作为程序的处理对象随之产生。早期的计算机主要应用于数值计算，数据量小且结构简单，数据只包括整型、实型和布尔型，仅能用于算术运算与逻辑运算。那时的程序设计人员把主要精力放在程序设计的技巧上，并不重视计算机中数据的组织。

随着计算机软件、硬件的发展与应用领域的不断扩大，计算机应用领域也发生了战略性转移，非数值运算处理所占的比例越来越大，现在几乎达到 90% 以上，数据的概念被大大拓展了。数据不仅包括整型、实型等数值类型，还包括字符及声音、图像、视频等非数值类型。多种信息通过编码被归到数据的范畴，大量复杂的非数值数据需要处理，数据的组织显得越来越重要。例如，王鹏的身高是 172 cm，"王鹏"是对一个人姓名的描述数据，"172 cm"是关于身高的描述数据；一张照片是图像数据，一部电影是视频数据。

2. 数据元素

数据元素（Data Element）是组成数据的有一定意义的基本单位，在计算机中通常作为整体进行考虑和处理。例如，一个数据元素可以由若干个数据项组成，数据项是数据不可分割的最小单位。在表 1.1 所示的教职工基本情况表中，数据元素包括工号、姓名、性别、所在院系、出生日期、职称等数据项。这里的数据元素也称为记录。

表 1.1　教职工基本情况表

工　号	姓　名	性　别	所在院系	出生日期	职　称
2015026	张庆辉	男	软件学院	1984.11	副教授
2018019	刘　娜	女	软件学院	1989.08	讲　师
2006033	吴艳辉	女	计算机学院	1978.10	教　授

3. 数据对象

数据对象（Data Object）是具有相同性质的数据元素的集合，是数据的一个子集。例如，集合{1,2,3,4,5,…}是自然数的数据对象，{'A','B','C',…,'Z'}是英文字母表的数据对象。可以看出，数据对象可以是有限的，也可以是无限的。

4. 数据结构

数据结构（Data Structure）是指相互之间存在的一种或多种特定关系的数据元素集合，是带有结构的数据元素结合，它是指数据的组织形式。计算机所处理的数据并不是孤立的、杂乱无序的，而是具有一定联系的数据集合，如表结构（如表 1.1 所示的教职工基本情况表）、树形结构（如图 1.1 所示的学校组织结构图）、图结构（如图 1.2 所示的城市之间的交通路线图）。

图 1.1　学校组织结构图　　　　　图 1.2　城市之间的交通路线图

5. 数据类型

数据类型（Data Type）是用来刻画一组性质相同的数据及对其操作的总称。数据类型中定义了两个集合：数据类型的取值范围和该类型中可允许的一组运算。例如，高级语言中的数据类型就是已经实现了的数据实例。在高级语言中，整型类型可能的取值范围是 $-32768 \sim 32767$，允许的运算集合包括加、减、乘、除、取模等。字符类型对应的 ASCII 码取值范围是 $0 \sim 255$，可进行赋值运算、比较运算等。

在高级语言中，按照取值的不同，数据类型还可以分为两类：原子类型和结构类型。原子类型是不可以再分解的基本类型，如在 C 语言中，标准类型包括整型、实型、字符型。结构类型是可以再分解的，由若干个类型组合而成。例如：

```
typedef struct
{
    int no;
    char name[20];
    int age;
    float score;
}STUDENT;
STUDENT stu, * p;
```

其中，STUDENT 为结构体类型，stu 为该类型的变量，p 为指向该类型的指针变量。

1.2　抽象数据类型

扫码看视频

在计算机处理过程中，需要把处理的对象抽象成计算机能理解的形式，即把数据信息符号转换成一定的数据类型，以方便问题的处理，这就是抽象数据类型的描述。

1.2.1　抽象数据类型的定义

抽象数据类型（Abstract Data Type，ADT）是对具有某种逻辑关系的数据类型进行描述，以及在该数据类型上定义的一组操作。抽象数据类型描述的是一组逻辑上的特性，与在计算机内部的表示无关。计算机中的整数数据类型是一个抽象数据类型，不同处理器的实现方法可能不同，但其逻辑特性相同，即加、减、乘、除等运算是一致的。

抽象数据类型通常是用户定义且用以表示应用问题的数据模型，由基本的数据类型组成，并包括一组相关服务操作。本书将要介绍的线性表、栈、队列、串、树、图等结构就是一个个不同的抽象数据类型。以盖楼为例，直接用砖块、水泥、沙子来盖，不仅建造周期长，而且建造高度及规模会受限。如果使用符合规格的水泥预制板，那么可以高速、安全地建造高楼。水泥预制板使高楼的建造量大大减少，从而降低了建造高楼的复杂度。由此可见，抽象数据类型是大型软件构造的模块化方法，数据结构中的线性表、栈、队列、串、树、图等抽象数据类型相当于"水泥预制板"，用这些抽象数据类型就可以安全、快速、方便地设计功能复杂的大型软件。

抽象数据类型就是对象的数据模型，它定义了数据对象、数据对象之间的关系及对数据对象的操作。抽象数据类型通常是指用户定义的解决应用问题的数据模型，包括数据的定义和操作。例如，C++的类就是一种抽象数据类型，它包括用户类型的定义和在用户类型上的一组操作。

抽象数据类型体现了程序设计中的问题分解、抽象和信息隐藏的特性。抽象数据类型首先把实际生活中的问题分解为多个规模小且容易处理的问题，然后建立起计算机能处理的数据模型，并把每个功能模块的实现细节作为一个独立的单元，从而使具体实现过程隐藏起来。这就类似人们日常生活中的盖房子。我们可以把盖房子分成几个小任务，例如，工程技术人员的任务是提供房子的设计图纸，建筑工人的任务是根据图纸打地基等，另外，房子盖好以后还需要装修工人装修，这与抽象数据类型中的问题分解类似。工程技术人员不需要参与打地基和盖房子的具体过程，装修工人也不需要知道怎么画图纸和怎样盖房子，这就相当于抽象数据类型中的信息隐藏。

1.2.2　抽象数据类型的描述

抽象数据类型可以用一个三元组表示：

$$\text{ADT}(D,S,P)$$

这里，D 是数据对象集合，S 是 D 上的关系集合，P 是 D 的基本操作集合。

本书中的抽象数据类型可用如下形式描述：

```
ADT 抽象数据类型名
{
    数据对象：<数据对象的定义>
    数据关系：<数据关系的定义>
```

　　　　基本操作：<基本操作的定义>
　　　｝ADT 抽象数据类型名

其中，数据对象和数据关系的定义用伪代码描述，基本操作的定义格式如下：

　　　　基本操作名(参数表)
　　　　初始条件：
　　　　操作结果：

例如，线性表的抽象数据类型描述如下。

ADT List
{
　　　数据对象：$D = \{a_i | a_i \in ElemSet, i = 1, 2, \cdots, n, n \geq 0\}$
　　　数据关系：$R = \{<a_{i-1}, a_i> | a_{i-1}, a_i \in D, i = 2, 3, \cdots, n\}$
　　　基本操作：
　　　InitList(&L)
　　　　初始条件：表 L 不存在。
　　　　操作结果：构造一个空的线性表。
　　　ClearList(&L)
　　　　初始条件：表 L 已存在。
　　　　操作结果：表 L 被置为空。
　　　ListLength(L)
　　　　初始条件：表 L 已存在。
　　　　操作结果：返回线性表 L 的元素个数。
　　　…
　　｝ADT List

📖 **知识点：** 在 C 语言中，参数传递可以分为两种：一种是值传递，另一种是引用传递。前者仅仅是将数值传递给形参，而不返回结果；后者其实是把实参的地址传递给形参，实参和形参共用同一块内存区域，在被调用函数中修改形参的值其实就是修改实参的值，因此可将修改后的形参值返回给调用函数，从而实现返回多个参数值的目的。在算法描述时，如果参数前有 &，则表示引用传递；如果参数前没有 &，则表示是值传递。

1.3　数据的逻辑结构与存储结构

　　数据结构的主要任务是分析要描述对象的结构特征，包括逻辑结构及内在联系，即数据关系，并把逻辑结构表示成计算机可实现的存储结构（物理结构），从而方便计算机处理。

1.3.1　逻辑结构

　　数据的逻辑结构是指数据对象中数据元素之间的相互关系。数据元素之间存在不同的逻辑关系，构成了以下 4 种结构。

　　1）集合结构。该结构中的数据元素除了同属于一个集合外，数据元素之间没有其他关系。例如，在正整数集合 {1,2,3,5,6,9} 中，数据元素除了属于正整数外，不存在其他关系。集合结构如图 1.3 所示。

　　2）线性结构。该结构中的数据元素之间是一对一的关系，数据元素之间存在一种先后的次序关系。正在火车站排队取票的乘客就是一个线性结构，A、B、C 分别是排队的 3 名乘客，其中，A 排在 B 的前面，C 排在 B 的后面。线性结构如图 1.4 所示。

图 1.3　集合结构　　　　　　　　　　　　　　图 1.4　线性结构

3）树形结构。该结构中的数据元素之间存在一种一对多的层次关系。这就像学校内部的组织结构，学校下面是教学院系、行政处室及一些研究所。树形结构如图 1.5 所示。

4）图结构。该结构中的数据元素是多对多的关系。城市之间的交通路线图就是多对多的关系，A、B、C、D 是 4 个城市，城市 A 和城市 B、C、D 之间存在一条直达路线，而城市 B 也与 A、C、F 存在一条直达路线。图结构如图 1.6 所示。

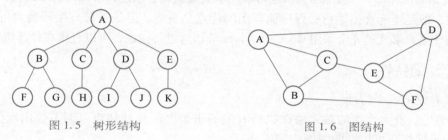

图 1.5　树形结构　　　　　　　　　　　　　图 1.6　图结构

1.3.2　存储结构

存储结构，也称为物理结构，指的是数据的逻辑结构在计算机中的存储形式。数据的存储结构应能正确反映数据元素之间的逻辑关系。

数据元素的存储结构形式有两种：顺序存储结构和链式存储结构。顺序存储是把数据元素存放在一块地址连续的存储单元里，其数据间的逻辑关系和物理关系是一致的。顺序存储结构如图 1.7 所示。链式存储是把数据元素存放在任意的存储单元里，这组存储单元可以是连续的，也可以是不连续的，数据元素的存储关系并不能反映其逻辑关系，因此需要用一个指针存放数据元素的地址，这样通过地址就可以找到相关联数据元素的位置。链式存储结构如图 1.8 所示。

图 1.7　顺序存储结构

图 1.8　链式存储结构

数据的逻辑结构和存储结构是数据对象的逻辑表示和物理表示，数据结构要对建立起来的逻辑结构和存储结构进行处理，这就需要建立起计算机可以运行的程序集合。

1.4　算法的特性与算法的描述

在数据类型建立起来之后，就要对这些数据类型进行操作，建立起运算的集合（即程序）。运算方法的好坏直接决定着计算机程序运行效率的高低。如何建立一个比较好的运算集合，是算法要研究的问题。

1.4.1 算法的定义

算法是描述解决问题的方法。为了解决某个问题或某类问题，需要用计算机表示成一定的操作序列。操作序列包括了一组操作，每一个操作都完成特定的功能。例如，求 n 个数的和的问题，其算法描述如下：

1）定义一个变量存放 n 个数的和，并赋初值为 0（sum＝0）。

2）把 n 个数依次加到 sum 中（假设 n 个数存放在数组 a 中，for(i＝0;i<n;i++)sum+＝sum+a[i]）。

以上算法包括两个步骤，括号里是 C 语言描述。

算法的描述可以是自然语言描述、伪代码（或称为类语言描述）、程序流程图及程序设计语言（如 C 语言）。其中，自然语言描述可以用中文或英文等描述；伪代码的形式类似于程序设计语言形式，但是不能直接运行；程序流程图的优点是直观，但是不易直接转换为可运行的程序；程序设计语言形式是完全采用 C、C++、Java 等语言进行描述，可以直接在计算机上运行。

1.4.2 算法的特性

算法具有以下 5 个特性。

1）有穷性。有穷性指的是算法在执行有限的步骤之后自动结束，而不会出现无限循环，并且每一个步骤都在可接受的时间内完成。

2）确定性。算法的每一个步骤都具有确定的含义，不会出现二义性。算法在一定条件下只有一条执行路径，也就是相同的输入只能有一个唯一的输出结果，而不会出现输出结果的不确定性。

3）可行性。算法的每一步都必须是可行的，也就是说，每一步都能够通过执行有限次数完成。

4）输入。算法具有零个或多个输入。

5）输出。算法至少有一个或多个输出。输出的形式可以是打印输出，也可以是返回一个或多个值。

1.4.3 算法的描述

算法的描述是多样的，下面通过一个例子来说明算法的描述方式。

这里求两个正整数 m 和 n 的最大公约数。

1. 自然语言描述

1）输入正整数 m 和 n。

2）求 m 除以 n 的余数，将余数送入中间变量 r，并将 n 的值赋给 m，r 的值赋给 n。

3）判断 r 是否为零。如果为零，则 m 即为所求最大公约数，输出最大公约数，算法结束；否则，执行步骤 2）。

2. 程序流程图描述

求最大公约数的程序流程图如图 1.9 所示。

不难看出，采用自然语言描述不够直观，可读性不好，且容易

图 1.9 求最大公约数的
程序流程图

产生歧义。采用程序流程图描述比较直观，可读性好，但是不能直接转换为计算机程序，移植性不好。

3. 类 C 语言描述

```
void dcf( )
/*求最大公约数*/
{
    scanf(m,n);              /*输入两个正整数*/
    do{
        r=m%n;              /*r表示两个数的余数*/
        m=n;
        n=r;
    }while(r);
    printf(n);              /*输出最大公约数*/
}
```

4. C 语言描述

```
void dcf( )
/*求最大公约数*/
{
    int m,n,r;
    printf("请输入两个正整数 m 和 n：\n");
    scanf("%d,%d",&m,&n);
    printf("dcf(%d,%d)= ",m,n);
    do{                     /*使用辗转相除法求解最大公约数*/
        r=m%n;              /*r存放两个数的余数*/
        m=n;
        n=r;
    }while(r);
    printf("%d\n",n);    /*输出最大公约数*/
}
```

可以看出，类语言的描述除了没有变量的定义、输入和输出的写法之外，与程序设计语言的描述差别不大，类语言的描述可以直接转换为可以直接运行的计算机程序。本书的算法全部采用 C 语言描述。

1.5　算法分析

一个好的算法往往会带来程序运行效率的提高，算法的效率和存储空间需求是衡量算法优劣的重要依据。算法的效率需要通过算法编制的程序在计算机上的运行时间来衡量，存储空间需求通过算法在执行过程中所占用的最大存储空间来衡量。

1.5.1　算法设计的要求

一个好的算法应该具备以下目标。

1. 算法的正确性

算法的正确性是指算法至少应该具有输入、输出和加工处理的无歧义性，并能正确反映问题的需求，能够得到问题的正确答案。通常，算法的正确性应包括以下 4 个层次：

1）算法所设计的程序没有语法错误。

2）算法所设计的程序对于几组输入数据能够得到满足要求的结果。

3）算法所设计的程序对于特殊的输入数据能够得到满足要求的结果。

4）算法所设计的程序对于一切合法的输入都能得到满足要求的结果。

对于算法正确性的4个层次，层次4）是最困难的。一般情况下，把层次3）作为衡量一个程序是否正确的标准。

2. 可读性

算法设计的目的首先是人们的阅读、理解和交流，其次才是计算机执行。可读性好有助于人们理解算法，晦涩难懂的算法往往隐含错误且不易被发现，调试和修改也很困难。

3. 健壮性

当输入数据不合法时，算法也能做出相关处理，而不是产生异常或莫名其妙的结果。例如，计算一个三角形面积的算法，正确的输入应该是三角形的三条边的边长，如果输入字符类型数据，则不应该继续计算，而应该报告输入错误，并给出提示信息。

4. 高效率和低存储量

效率指的是算法的执行时间。对于同一个问题，如果有多个算法能够解决，那么执行时间短的算法效率高，执行时间长的算法效率低。存储量需求指的是算法在执行过程中需要的最大存储空间。设计时应尽量选择高效率和低存储量需求的算法。

1.5.2 算法时间复杂度

算法分析的目的是看设计的算法是否具有可行性，并尽可能挑选运行效率高的算法。

1. 两种算法时间性能分析方法

衡量一个算法在计算机上的执行效率通常有以下两种方法。

（1）事后统计方法

这种方法主要是通过设计好的测试程序和数据，利用计算机的计时器对使用不同算法编制好的程序比较运行时间，从而确定算法效率的高低。但是，这种方法有3个缺陷：一是必须依据算法事先编制好的程序，这通常需要花费大量的时间与精力；二是时间的比较依赖计算机硬件和软件等环境因素，有时会掩盖算法本身的优劣；三是算法的测试数据设计困难，并且程序的运行时间往往还与测试数据的规模有很大的关系，效率高的算法在小规模的测试数据面前往往得不到体现。

（2）事前分析估算方法

这种方法主要在计算机程序编制前，依据数学中的统计方法对算法进行估算。这主要是因为算法的程序在计算机上的运行时间取决于以下因素：

1）算法采用的策略、方法。

2）编译产生的代码质量。

3）问题的规模。

4）书写的程序设计语言。对于同一个算法，语言级别越高，执行效率越低。

5）机器执行指令的速度。

在以上5个因素中，算法采用不同的策略、不同的编译系统，或使用不同的语言实现，或在不同的机器上运行，效率都不相同。抛开以上因素，仅考虑算法本身的效率高低，则可以认为一个算法的效率仅依赖于问题的规模。因此，通常采用事前分析估算的方法来衡量算法的效率。

2. 问题规模和语句频度

抛开硬件因素，问题规模和算法的策略成为影响算法效率的主要因素。问题规模是算法求解问题输入量的多少，是问题大小的表示，一般用整数 n 表示。对不同的问题，问题规模 n 有不同的含义。例如，对于矩阵运算，n 为矩阵的阶数；对于多项式运算，n 为多项式的项数；对于图的有关运算，n 为图中的顶点的个数。显然，对于同一个问题，n 的取值越大，算法的执行时间就越长。

算法的时间分析度量标准不是执行实际算法的具体运行时间，而是算法中所有语句的执行时间总和。一个算法由控制结构（顺序结构、分支结构和循环结构）和基本语句（赋值语句、声明语句和输入/输出语句）构成，则算法的运行时间取决于两者执行时间的总和。一条语句的执行时间等于该条语句的重复执行次数和执行一次语句所需时间的乘积，其中，一条语句的重复执行次数称为语句频度（Frequency Count）。语句执行一次所需的时间与机器的配置、编译程序质量等密切相关，算法分析并非精确计算算法的实际执行时间，而是对算法的语句的执行次数进行估计。对于问题规模为 n 的语句，其语句频度可表示为 $f(n)$，也就是说，算法的执行时间与 $f(n)$ 成正比。

例如，两个 $n×n$ 矩阵相乘的算法和语句的频度如下：

每条语句的频度

```
for(i=0;i<n;i++)                            n
    for(j=0;j<n;j++)                        n²
    {
        a[i][j]=0;                          n²
        for(k=0;k<n;k++)                    n³
            a[i][j]=a[i][j]+a[i][k]*a[k][j];  n³
    }
```

每一条语句的最右端对应的是语句的频度，即语句的执行次数。上面算法总的执行次数为 $f(n)=n+n^2+n^2+n^3+n^3=2n^3+2n^2+n$。

3. 算法时间复杂度定义

对于较为复杂的算法来说，语句的频度难以直接表示，或者语句的频度虽可用数学公式表示出来，但可能是一个非常复杂的函数。因此，为了客观反映一个算法的执行时间，通常仅考虑将算法中的基本操作语句重复执行的频度作为度量标准。所谓"基本操作语句"，是指算法中的重复执行次数和算法的执行时间成正比的语句，它是对算法执行时间贡献最大的语句。对于上文中两个矩阵相乘的算法，当 n 趋向于无穷大时，有 $\lim\limits_{n\to\infty}f(n)/n^3=\lim\limits_{n\to\infty}(2n^3+2n^2+n)/n^3=2$；当 n 充分大时，$f(n)$ 与 n^3 的比是一个不为零的常数，即 $f(n)$ 与 n^3 是同阶的，两者处于同一数量级（Order of Magnitude）。这里用"O"表示数量级。可记作 $T(n)=O(f(n))=O(n^3)$。由此可得算法时间复杂度的定义：

算法的时间复杂度（Time Complexity）即算法的时间量度，算法中基本操作语句（贡献最大的语句）执行的次数是问题规模 n 的某个函数 $f(n)$，记作：

$$T(n)=O(f(n))$$

它表示随着问题规模 n 的增大，算法执行时间的增长率和 $f(n)$ 的增长率相同，称作算法的渐进时间复杂度，简称为时间复杂度。实际上，算法的时间复杂度分析是一种时间增长趋势分析。

上述公式的含义是为 $T(n)$ 找到一个上界，$T(n)=O(f(n))$ 是指存在着正的常量 c 和一个足够大的正整数 n_0，使得 $n\geq n_0$，有 $0\leq T(n)\leq cf(n)$。$T(n)$ 的上界可能有多个，通常只保留最高阶，忽略其低阶和常系数。例如，$f(n)=2n^3+2n^2+n$，则 $T(n)=O(n^3)$。

一般情况下，随着 n 的增大，$T(n)$ 的增长较慢的算法为最优的算法。例如，在下列 3 段程序段中，给出基本操作 x=x+1 的时间复杂度分析。

1) x=x+1

2) for(i=1;i<=n;i++)
   x=x+1

3) for(i=1;i<=n;i++)
   for(j=1;j<=n;j++)
     x=x+1

一般情况下，一个没有循环或者循环次数与问题规模 n 无关的算法，记作 $O(1)$，称为常量阶。程序段 1) 的时间复杂度为 $O(1)$；程序段 2) 的时间复杂度为 $O(n)$，把它称为线性阶；程序段 3) 的时间复杂度为 $O(n^2)$，把它称为平方阶。此外，算法的时间复杂度还有对数阶 $O(\log_2 n)$、指数阶 $O(2^n)$ 等。

常用的时间复杂度所耗费的时间从小到大依次是 $O(1)<O(n\log_2 n)<O(n)<O(n^2)<O(n^3)<O(2^n)<O(n!)$。

算法的时间复杂度是衡量一个算法好坏的重要指标。一般情况下，对于具有指数级的时间复杂度算法，只有当 n 足够小时才是可使用的算法。具有常量阶、线性阶、对数阶、平方阶和立方阶的时间复杂度算法是常用的算法。一些常用的时间复杂度频率如表 1.2 所示。

表 1.2 常用的时间复杂度频率

大小	阶数					
	n	$n\log_2 n$	n^2	n^3	2^n	$n!$
1	1	0	1	1	2	1
2	2	2	4	8	4	2
3	3	4.76	9	27	8	6
4	4	8	16	64	16	24
5	5	11.61	25	125	32	120
6	6	15.51	36	216	64	720
7	7	19.65	49	343	128	5040
8	8	24	64	512	256	40320
9	9	28.53	81	729	512	362880
10	10	33.22	100	1000	1024	3628800

一些常见函数的增长率如图 1.10 所示。

4. 算法时间复杂度分析举例

一般情况下，算法的时间复杂度只需要考虑算法中的基本操作，即算法中最深层循环体内的操作。

【例 1.1】 分析以下程序段的时间复杂度。

扫码看视频

```
for(i=2;i<=n;i++)
    for(j=2;j<=i-1;j++)
    {
```

```
                x++;                //基本操作
                a[i][j]=x;          //基本操作
        }
```

图 1.10　常见函数的增长率

该程序段中的基本操作是第二层 for 循环中的语句，即 x++和 a[i][j]=x，其语句频度为 $(n-1)(n-2)/2$。因此，其时间复杂度为 $O(n^2)$。

【例 1.2】分析以下算法的时间复杂度。

```
    void fun( )
    {
        int i=1;
        while(i<=n)
        {
            i=i*2;       //基本操作
        }
    }
```

函数 fun( )的基本运算是 i=i*2，设执行次数为 $f(n)$，则 $2^{f(n)} \leqslant n$，且有 $f(n) \leqslant \log_2 n$。因此，时间复杂度为 $O(\log_2 n)$。

【例 1.3】分析以下算法的时间复杂度。

```
    void Func( )
    {
        i=s=0;
        while(s<n)
        {
            i++;         //基本操作
            s+=i;        //基本操作
        }
    }
```

该算法中的基本操作是 while 循环中的语句，设 while 循环次数为 $f(n)$，则变量 i 从 $0 \sim f(n)$，因此循环次数为 $f(n) \times (f(n)+1)/2 \leqslant n$，则 $f(n) \leqslant \sqrt{8n}$，故时间复杂度为 $O(\sqrt{n})$。

【例 1.4】分析以下代码的时间复杂度。

```
    int MaxSubSum(int a[ ], int n)
```

```
        int i, j, k, sum1,maxsum=0;
        for(i=0;i<n;i++)
        {
            for(j=i;j<n;j++)
            {
                sum1=0;
                for(k=i;k<=j;k++)
                    sum1+=a[k];
                if(sum1>maxsum)
                    maxsum=sum1;
            }
        }
        return maxsum;
    }
```

这是一个三重循环，该算法的基本语句是 sum1+=a[k]，总的时间复杂度是 $O(n^3)$。基本语句的执行次数为 $\sum_{i=0}^{n-1} \sum_{j=i}^{n-1} \sum_{k=i}^{j} 1$，其计算过程如下：

$$\sum_{i=0}^{n-1} \sum_{j=i}^{n-1} \sum_{k=i}^{j} 1 = \sum_{i=0}^{n-1} \sum_{j=i}^{n-1} (j-i+1) = \sum_{i=0}^{n-1} \frac{(n-i+1)(n-i)}{2}$$

$$= \sum_{i=1}^{n} \frac{(n-i+1)(n-i+2)}{2}$$

$$= \frac{n^3+3n^2+2n}{6}$$

【例 1.5】 一个算法的所需时间由以下递归方程表示，分析算法的时间复杂度。

$$T(n) = \begin{cases} 1, & n=1 \\ 2T(n-1)+1, & n>1 \end{cases}$$

根据以上递归方程，可得 $T(n) = 2T(n-1)+1 = 2(2T(n-2)+1)+1 = 2^2 T(n-2)+2+1$

$$= 2^2(2T(n-3)+1)+2+1$$

$$= \cdots$$

$$= 2^{k-1}(2T(n-k)+1)+2^{k-2}+\cdots+2+1$$

$$= \cdots$$

$$= 2^{n-2}(2T(1)+1)+2^{n-2}+\cdots+2+1$$

$$= 2^{n-1}+\cdots+2+1$$

$$= 2^n-1$$

因此，该算法的时间复杂度为 $O(2^n)$。

在某些情况下，算法基本操作的重复执行次数不仅依赖于输入数据集的规模，还依赖于数据集的初始状态。例如，在以下的冒泡排序算法中，其基本操作执行次数还取决于数据元素的初始排列状态。

```
    void Bubble(int a[],int n)
    {
        int i,j,t;
        change=TRUE;
        for(i=1;i<=n-1&&change;i++)
        {
```

```
                change = FALSE;
                for(j=1;j<=n-i;j++)
                    if(a[j]>a[j+1])
                    {
                        t=a[j];
                        a[j]=a[j+1];
                        a[j+1]=t;
                        change=TRUE;
                    }
            }
    }
```

　　基本操作是交换相邻数组中的整数部分。当数组 a 中的初始序列从小到大有序排列时，基本操作的执行次数为 0；当数组中的初始序列为从大到小排列时，基本操作的执行次数为 $n(n-1)/2$。对这类算法的分析，一种方法是计算所有情况的平均值，这种时间复杂度的计算方法称为平均时间复杂度；另一种方法是计算最坏情况下的时间复杂度，这种方法称为最坏时间复杂度。上述冒泡排序时的平均时间复杂度和最坏时间复杂度均为 $T(n)=O(n^2)$。一般情况下，在没有特殊说明的情况下，指的是最坏情况下的时间复杂度。

1.5.3　算法空间复杂度

　　算法的空间复杂度通过计算算法所需的存储空间实现。算法空间复杂度的计算公式记作：
$$S(n)=O(f(n))$$
其中，n 为问题的规模，$f(n)$ 为语句关于 n 的所占存储空间的函数。

　　一般情况下，一个程序在机器上执行时，除了需要存储程序本身的指令、常数、变量和输入数据外，还需要存储对数据操作的存储单元。若输入数据所占的空间只取决于问题本身、和算法无关，那么只需要分析该算法在实现时所需的辅助单元即可。若算法执行时所需的辅助空间相对于输入数据量而言是个常数，则称此算法为原地工作，空间复杂度为 $O(1)$。

　　【例 1.6】　以下是一个简单插入排序算法，分析算法的空间复杂度。

```
    for(i=0;i<n;i++)
    {
        t=a[i+1];
        j=i;
        while(j>=0 && t<a[j])
        {
            a[j+1]=a[j];
            j--;
        }
        a[j+1]=t;
    }
```

　　该算法借助了变量 t，与问题规模 n 的大小无关，空间复杂度为 $O(1)$。

　　【例 1.7】　以下算法是求 n 个数中的最大者，分析算法的空间复杂度。

```
    int FindMax(int a[], int n)
    {
        int m;
        if(n<=1)
            return a[0];
        else
```

```
        {
            m=FindMax(a,n-1);
            return a[n-1]>=m? a[n-1]:m;
        }
    }
```

设 FindMax(a,n) 占用的临时空间为 $S(n)$，由以上算法可得到以下占用临时空间的递推式。

$$S(n)=\begin{cases} 1, & n=1 \\ S(n-1)+1, & n>1 \end{cases}$$

则有 $S(n)=S(n-1)+1=S(n-2)+1+1=\cdots=S(1)+1+1+\cdots+1=O(n)$。因此，该算法的空间复杂度为 $O(n)$。

1.6 关于数据结构课程的地位及学习方法

数据结构是计算机理论与技术的重要基石，是计算机科学的核心课程。作为一门计算机专业基础课程，数据结构在国外是从 1968 年才开始设立的。在这之前，它的某些内容曾在其他课程（如表处理语言）中有所阐述。1968 年，在美国一些大学的计算机系的教学计划中，虽然把数据结构规定为一门课程，但对课程的范围仍没有明确规定。当时，数据结构几乎与"图论"（特别是表、树理论）互为同义词。随后，数据结构这个概念被扩充到包括网络、集合代数论、关系等方面，从而变成了现在称之为离散数学的内容。然而，由于数据必须在计算机中处理，因此，不仅需要考虑数据本身的数学性质，还必须考虑数据的存储结构，这就进一步扩大了数据结构的内容。近年来，随着数据库系统的不断发展，在数据结构课程中又增加了文件管理的内容。

1968 年，美国的 Donald E. Knuth 开创了数据结构的最初体系，他所著的《基本算法》（《计算机程序设计艺术》第一卷）是第一本较系统地阐述数据的逻辑结构和存储结构及其操作的著作。从 20 世纪 60 年代末到 70 年代初，出现了大型程序，软件也相对独立，结构化程序设计成为程序设计方法学的主要内容，人们越来越重视数据结构，认为程序设计的实质是对确定的问题选择一种好的结构，再设计一种好的算法。从 20 世纪 70 年代中期到 80 年代初，各种版本的数据结构著作相继出现。

在计算机发展初期，人们使用计算机的目的主要是处理数值计算问题，所涉及的运算对象主要是整型、实型和布尔类型数据。随着计算机应用领域的不断发展，非数值运算成了计算机应用领域处理的主要对象，简单的数据类型已不能满足需要。这类问题涉及的数据结构更为复杂，数据元素之间的关系一般无法用数学方程来表示，因此，解决这类问题的关键不再是数学分析与计算方法，而是设计合适的数据结构。因此，数据结构是一门研究非数值计算程序设计问题中的数据对象、数据对象之间的关系及运算的学科。

目前数据结构不仅是国内计算机相关专业的核心课程之一，还是非计算机专业的主要选修课程之一。数据结构课程在计算机科学中是一门综合性的专业基础课，不仅涉及计算机硬件的研究范围，而且与计算机软件的研究有着更为密切的关系。该课程还是操作系统、数据库原理、编译原理、人工智能、算法设计与分析等课程的基础。数据结构的教学目标是：培养学生分析数据对象特征的能力；掌握数据的组织方法和计算机表示方法，以便为所涉及的数据选择适当的逻辑结构、存储结构和算法；掌握算法的时间、空间分析技巧；提高分析和解决复杂问题的能力，为计算机专业其他课程的学习打下良好的基础；培养学生良好的计算机科学素养。

数据结构课程的学习是一项把实际问题抽象化和进行复杂程序设计的工程。它要求学生在具备 C 语言等高级程序设计语言的基础上，具有把复杂问题抽象成计算机能够解决的离散的数学模型的能力。这需要学生在学习数据结构的过程中，既要强化自己的抽象思维和数据抽象能力，还要不断提高自己的程序设计水平，还要培养良好的编程风格。因此，学生平时要多上机实践、多思考，多调试程序，在单步调试的过程中理解算法执行过程，通过上机实践来理解抽象的概念、理论，并将其与日常生活中的实际问题结合，这样才能真正掌握好数据结构。

本书中的算法均采用 C 语言描述，所有程序都已在 Visual Studio 环境下调试通过。

被誉为史诗般巨著的《计算机程序设计艺术》（*The Art of Computer Programming*）是由计算机科学家 Donald E. Knuth（高德纳）花费一生的精力和心血完成的，至今已完成 4 卷。1968 年，第一卷《基本算法》出版。1969 年，第二卷《半数值算法》出版。1973 年，第三卷《排序与搜索》出版。第四卷《组合算法》于 2011 年出版。该著作获首届美国计算机协会格蕾丝·赫柏奖。比尔·盖茨曾花了几个月时间读完了第一卷，并做了大量练习，然后说："如果你能读懂整套书的话，请给我发一份你的简历。" 1974 年，因在算法分析和编程语言设计方面的突出贡献，Knuth 荣获美国计算机协会图灵奖（图灵奖被称为计算机界的诺贝尔奖）。Knuth 一生所获荣誉无数，1975 年当选为美国国家科学院院士，1981 年当选为美国工程院院士。2001 年，国际天文学联合会把第 21656 号小行星命名为 "Knuth"。

拓展阅读

在软件开发过程中，特别是在算法实现时，首先应保证算法的正确性，其次是保证算法的高效性。细节是决定算法是否正确的关键，而找出其中的错误除了要求我们熟悉算法思想外，还要求精通 C 语言及调试技术。在学习数据结构的过程中，我们要以在各行各业做出卓越贡献的先进典型代表为榜样，学习他们精益求精、追求卓越的工匠精神。导弹之父钱学森，两弹元勋邓稼先、钱三强、赵九章、孙家栋等群体，计算机汉字激光照排技术创始人王选，王码五笔发明者王永民，比亚迪的王传福等，正是他们经历了无数次失败，在工作中一丝不苟、精益求精，始终坚持科学真理与创新精神，才会有我国科学技术日新月异的发展。

在学习数据结构时，一是要学习利用数据结构知识进行抽象建模的方法，二是要掌握算法设计思想，三是要用 C、C++、Java、Python 实现算法。在算法实现过程中应理解算法思想、熟悉调试技术，只有反复练习，才能 "百炼成钢"。"科学的精神不是猜测、盲从、迷信、揣摩，而是通过真真实实的实践去研究和验证，从而得到相应的客观结果模型，协同产业界去实践相关的理念和模型。"

习　题

一、选择题

1. 研究数据结构就是研究（　　）。
   A. 数据的逻辑结构
   B. 数据的存储结构
   C. 数据的逻辑结构和存储结构
   D. 数据的逻辑结构、存储结构及其基本操作
2. 计算机中的算法必须具备输入、输出、（　　）5 个特性。
   A. 可行性、可移植性和可扩充性
   B. 可行性、有穷性和确定性
   C. 确定性、有穷性和稳定性
   D. 易读性、稳定性和确定性
3. 算法分析是对一个算法的（　　）进行评价。

    A. 空间复杂度和时间复杂度   B. 正确性和简单性

    C. 可读性和文档性   D. 数据复杂性和程序复杂性

4. 算法是一种（   ）。

    A. 计算机程序   B. 解决问题的计算方法

    C. 排序算法   D. 解决问题的有限运算序列

5. 设 n 是描述问题规模的非负整数，下面程序段的时间复杂度为（   ）。

```
x=3;
while(x<n/2){
    {x=2*x;
```

    A. $O(\log_2 n)$ B. $O(n)$ C. $O(n\log_2 n)$ D. $O(n^2)$

6. 下面程序段的时间复杂度为（   ）。

```
i=1;
while(i<=n){
    {i=i*3;
```

    A. $O(n)$ B. $O(3n)$ C. $O(\log_3 n)$ D. $O(n^3)$

7. 下面程序段的时间复杂度是（   ）。

```
i=s=0;
while(s<n){
    i++;s+=i;
}
```

    A. $O(n)$ B. $O(\sqrt{n})$ C. $O(\log_2 n)$ D. $O(n^3)$

8. 求整数 $n(n \geq 0)$ 阶乘的算法如下，其时间复杂度为（   ）。

```
int fact(int n)
{
    if(n<=1)
        return 1;
    return n*fact(n-1);
}
```

    A. $O(\log_2 n)$ B. $O(n)$ C. $O(n\log_2 n)$ D. $O(n^2)$

9. 下列程序段的时间复杂度为（   ）。

```
x=n;y=1;
while(x>=(y+1)*(y+1))
    y=y+1;
```

    A. $O(n)$ B. $O(\sqrt{n})$ C. $O(1)$ D. $O(n^2)$

10. 下面算法的时间复杂度为（   ）。

```
int f ( unsigned int n ) {
    if ( n==0 || n==1 ) return 1;
    else return n*f (n-1);
}
```

    A. $O(1)$ B. $O(n)$ C. $O(n^2)$ D. $O(n!)$

11. 下面算法的时间复杂度为 (　　)。

```
void func (int n) {
 int i = 0;
 while(i * i * i <= n)
      i++;
}
```

　　A. $O(n)$ 　　　　　　B. $O(n\log_2 n)$ 　　　　C. $O(\sqrt[3]{n})$ 　　　　D. $O(\sqrt{n})$

12. 下面程序段的时间复杂度是 (　　)。

```
for(i = 0; i < n; i++)
    for(j = 0; j < m; j++)
        a[i][j] = i * j;
```

　　A. $O(m^2)$ 　　　　　　B. $O(n^2)$ 　　　　C. $O(n×m)$ 　　　　D. $O(m+n)$

二、填空题

1. 通常从 4 个方面评价算法的质量：_____、_____、_____和_____。

2. 数据的逻辑结构指数据对象之间的相互关系，有_____、_____、_____和_____ 4 种。

3. 数据结构是一门研究非数值计算的程序设计问题中计算机的数据元素以及它们之间的_____和运算等的学科。

4. 下面程序段中，语句 s 的执行次数为_____。

```
for(i = 1; i < n-1; i++)
    for(j = n; j >= i; j--)
        s;
```

三、算法分析题

1. 一个算法所需的时间由下面的递归方程表示，试求出该算法的时间复杂度（以 O 形式表示）。

$$T(n) = \begin{cases} 1, & n=1 \\ 2T(n/2)+n, & n>1 \end{cases}$$

其中，n 是问题的规模。为简单起见，设 n 为 2 的整数幂。

2. 调用下面的函数 $f(n)$，回答以下问题：

1）试指出 $f(n)$ 值的大小，并写出 $f(n)$ 值的推导过程。

2）设 $n=5$，试指出 $f(5)$ 值的大小和执行 $f(5)$ 时的输出结果。

```
int f(int n)
{
    int i,j,k,sum = 0;
    for(i = 1; i < n+1; i++)
    {
        for(j = n; j > i-1; j--)
            for(k = 1; k < j+1; k++)
                sum++;
        printf("sum=%d\n", sum);
    }
    return sum;
}
```

第2章
线性表

线性结构的特点是：在非空的有限集合中只有唯一的第一个元素和唯一的最后一个元素。第一个元素没有直接前驱元素，最后一个元素没有直接后继元素。其他元素都有唯一的前驱元素和唯一的后继元素。线性表是一种最简单的线性结构。线性表可以用顺序存储结构和链式存储结构存储，可以在线性表的任意位置进行插入和删除操作。

2.1　线性表的概念及运算

线性表（Linear List）是一种最简单且最常用的一种线性结构。本节主要介绍线性表的逻辑结构及在线性表上的运算。

2.1.1　线性表的逻辑结构

线性表是由 n 个类型相同的数据元素组成的有限序列，记为(a_1 , a_2 , $\cdots$, a_{i-1} , a_i , a_{i+1} , $\cdots$, a_n)。这里的数据元素可以是原子类型的，也可以是结构类型的。线性表的数据元素存在着序偶关系，即数据元素之间具有一定的次序。在线性表中，数据元素 a_{i-1} 在 a_i 的前面，a_i 又在 a_{i+1} 的前面，则 a_{i-1} 称为 a_i 的直接前驱元素，a_i 称为 a_{i+1} 的直接前驱元素，a_i 称为 a_{i-1} 的直接后继元素，a_{i+1} 称为 a_i 的直接后继元素。

📖说明：在线性表中，除了第一个元素 a_1 外，每个元素都有且仅有一个直接前驱元素；除了最后一个元素 a_n 外，每个元素都有且只有一个直接后继元素。

线性表的逻辑结构如图 2.1 所示。

图 2.1　线性表的逻辑结构

在简单的线性表中，例如，英文单词"China""Science""Structure"等就属于线性结构。可以把每一个英文单词看成是一个线性表，其中的每一个英文字母就是一个数据元素，数据元素之间存在着唯一的顺序关系。例如，"China"中字母"C"后面的是字母"h"，字母"h"后面的是字母"i"。

在较复杂的线性表中，一个数据元素可以由若干个数据项组成，在表 2.1 所示的教职工基本情况表中，一个数据元素由姓名、性别、出生年月、籍贯、学历、职称及任职时间 7 个数据项组成。数据元素也称为记录。

表 2.1　教职工基本情况表

姓　名	性　别	出生年月	籍　贯	学　历	职　称	任职时间
吴丽丽	女	1982.10	陕西汉中	博士	副教授	2015.12
徐　闯	男	1980.12	山西太原	博士	副教授	2014.12
杨广亮	男	1970.06	河南安阳	硕士	教　授	2012.06
…	…	…	…	…	…	…

2.1.2　线性表的抽象数据类型

线性表的抽象数据类型定义了线性表中的数据对象、数据关系和基本操作。线性表的抽象数据类型定义如下。

ADT List
{
　　数据对象：$D = \{a_i \mid a_i \in ElemSet, i = 1, 2, \cdots, n, n \geq 0\}$
　　数据关系：$R = \{<a_{i-1}, a_i> \mid a_{i-1}, a_i \in D, i = 2, 3, \cdots, n\}$
　　基本操作：
　　（1）InitList(&L)
　　初始条件：表 L 不存在。
　　操作结果：建立一个空的线性表 L。
　　这就像新生入学时刚建立了一个学生情况表，准备登记学生信息。
　　（2）ListEmpty(L)
　　初始条件：表 L 存在。
　　操作结果：若表 L 为空，则返回 1，否则返回 0。
　　这就像刚刚建立了学生情况表，还没有学生来登记。
　　（3）GetElem(L, i, &e)
　　初始条件：表 L 存在，且 i 值合法，即 $1 \leq i \leq ListLength(L)$。
　　操作结果：返回表 L 的第 i 个位置元素值给 e。
　　这就像在学生情况表中查找一个学生，将查到的学生情况报告给老师。
　　（4）LocateElem(L, e)
　　初始条件：表 L 存在且 e 为合法元素值。
　　操作结果：在表 L 中查找与给定值 e 相等的元素。如果查找成功，则返回该元素在表中的序号；如果这样的元素不存在，则返回 0。
　　这就像在学生情况表中查找一个学生，只报告是否找到这个学生，并不报告这个学生的基本情况。
　　（5）InsertList(&L, i, e)
　　初始条件：表 L 存在，e 为合法元素且 $1 \leq i \leq ListLength(L)$。
　　操作结果：在表 L 中的第 i 个位置插入新元素 e。
　　这就像一个新生报到，被登记到学生情况表中。
　　（6）DeleteList(&L, i, &e)
　　初始条件：表 L 存在且 $1 \leq i \leq ListLength(L)$。
　　操作结果：删除表 L 中的第 i 个位置的元素，并用 e 返回其值。

这就像一个学生违反了校规，被学校开除，需要把该学生从学生情况表中删除。

（7）ListLength（L）

初始条件：表 L 存在。

操作结果：返回表 L 的元素个数。

这就像学校招了新生之后，需要统计学生的总人数，通过查找学生情况表来查看有多少个学生。

（8）ClearList（&L）

初始条件：表 L 存在。

操作结果：将表 L 清空。

这就像学生已经毕业，不再需要保留这些学生信息，将这些学生信息全部清空。

} ADT List

2.2 线性表的顺序表示与实现

要想将线性表在计算机上表示，必须先将其逻辑结构转换存储结构，存放在计算机中。线性表的存储结构主要有两种：顺序存储和链式存储。

2.2.1 线性表的顺序存储

线性表的顺序存储指的是将线性表中的各个元素依次存放在一组地址连续的存储单元中。线性表的这种机内表示称为线性表的顺序映像或线性表的顺序存储结构，用这种方法存储的线性表称为顺序表。顺序表具有以下特征：逻辑上相邻的元素在物理上也是相邻的。

假设线性表有 n 个元素，每个元素占用 m 个存储单元，如果第一个元素的存储位置为 $\mathrm{LOC}(a_1)$，第 i 个元素的存储位置为 $\mathrm{LOC}(a_i)$，第 $i+1$ 个元素的存储位置为 $\mathrm{LOC}(a_{i+1})$，则线性表的第 $i+1$ 个元素的存储位置与第 i 个元素的存储位置满足以下关系：

$$\mathrm{LOC}(a_{i+1}) = \mathrm{LOC}(a_i) + m$$

线性表的第 i 个元素的存储位置与第一个元素 a_1 的存储位置满足以下关系：

$$\mathrm{LOC}(a_i) = \mathrm{LOC}(a_1) + (i-1) \times m$$

其中，第一个元素的位置 $\mathrm{LOC}(a_1)$ 称为起始地址或基地址。

线性表的顺序存储结构是一种随机存取的存储结构。只要知道其中一个元素的存储地址，就可以得到线性表中任何一个元素的存储地址。线性表的顺序存储结构如图 2.2 所示。

顺序表的存储结构描述如下：

存储地址	内存状态	元素在线性表中的顺序
addr	a_1	1
addr+m	a_2	2
⋮	⋮	⋮
addr+$(i-1)\times m$	a_i	i
⋮	⋮	⋮
addr+$(n-1)\times m$	a_n	n
⋮		⋮

图 2.2　线性表的顺序存储结构

```
typedef int DataType
#define ListSize 100
typedef struct
{
    DataType list[ListSize];
```

```
    int length;
}SeqList;
```

其中，SeqList 是结构体类型名，list 用于存储顺序表中的数据元素，length 表示顺序表当前的数据元素的个数。

2.2.2　顺序表的基本运算

顺序表的基本运算如下（以下算法的实现保存在文件"SeqList. h"中）。

1）顺序表的初始化。

```
void InitList(SeqList * L)
/* 顺序表初始化 */
{
    L->length=0;    /* 把顺序表的长度置为 0 */
}
```

2）判断顺序表是否为空。

```
int ListEmpty(SeqList L)
/* 判断顺序表是否为空 */
{
    if( L. length = =0)       /* 如果顺序表的长度为 0 */
        return 1;             /* 返回 1 */
    else                     /* 否则 */
        return 0;            /* 返回 0 */
}
```

3）按序号查找操作。查找操作分为两种：按序号查找和按内容查找。按序号查找就是查找顺序表 L 中的第 i 个元素，如果找到，将该元素的值赋值给 e。

```
int GetElem(SeqList L,int i,DataType * e)
/* 查找顺序表中的第 i 个元素 */
{
    if(i<1||i>L. length)        /* 在查找第 i 个元素之前,判断该序号是否合法 */
        return -1;
     * e=L. list[i-1];          /* 将第 i 个元素的值赋值给 e */
    return 1;
}
```

4）按内容查找操作。

```
int LocateElem(SeqList L,DataType e)
/* 查找顺序表中元素值为 e 的元素 */
{
    int i;
    for(i=0;i<L. length;i++)    /* 从第一个元素开始比较 */
        if(L. list[i] = =e)
            return i+1;
    return 0;
}
```

5）插入操作。插入操作就是在顺序表 L 中的第 i 个位置插入新元素 e，使顺序表$\{a_1, a_2, \cdots, a_{i-1}, a_i, \cdots, a_n\}$变为$\{a_1, a_2, \cdots, a_{i-1}, e, a_i \cdots, a_n\}$，顺序表的长度也由 n 变成 $n+1$。

【算法思想】要在顺序表中的第 i 个位置插入元素 e，首先需要将表中位置为 n，$n-1$，…，i 上的元素依次后移一个位置，将第 i 个位置空出，然后在该位置插入新元素 e。当 $i=n+1$ 时，表示在顺序表的末尾插入元素，无须移动元素，直接将 e 插入表的末尾即可。

例如，要在顺序表 {3,15,49,20,23,44,18,36} 的第 5 个元素之前插入一个元素 22，需要将 36、18、44、23 依次向后移动一个位置，然后在第 5 号位置插入元素 22，顺序表就变成了 {3,15,49,20,22,23,44,18,36}，如图 2.3 所示。

图 2.3　在顺序表中插入元素 22 的过程

```
int InsertList(SeqList * L,int i,DataType e)
/*在顺序表的第 i 个位置插入元素 e */
{
    int j;
    if(i<1||i>L->length+1)              /*在插入元素前，判断插入位置是否合法 */
    {
        printf("插入位置i不合法!\n");
        return -1;
    }
    else if(L->length>=ListSize)        /*在插入元素前，判断顺序表是否已满 */
    {
        printf("顺序表已满，不能插入元素。\n");
        return 0;
    }
    else
    {
        for(j=L->length;j>=i;j--) /*将第 i 个位置以后的元素依次后移 */
            L->list[j]=L->list[j-1];
        L->list[i-1]=e;               /*插入元素到第 i 个位置 */
        L->length=L->length+1;        /*将顺序表长增加 1 */
        return 1;
    }
}
```

在执行插入操作时，插入元素的位置 i 的合法范围应该是 $1 \leqslant i \leqslant$ L->length+1。当 $i=1$ 时，插入位置在第一个元素之前，对应 C 语言数组中的第 0 个元素；当 $i=$ L->length+1 时，插入位置是最后一个元素之后，对应 C 语言数组中的最后一个元素之后的位置。当插入位置是 $i=$ L->length+1 时，不需要移动元素；当插入位置是 $i=0$ 时，则需要移动所有元素。

注意：插入元素之前要判断插入位置是否合法，还要判断顺序表的存储空间是否已满，在插入元素后要将表长增加 1。

6）删除操作。删除操作就是将顺序表 L 中的第 i 个位置的元素删除，使顺序表 {a_1, a_2,…,a_{i-1},a_i,a_{i+1},…,a_n} 变为 {a_1,a_2,…,a_{i-1},a_{i+1},…,a_n}，顺序表的长度也由 n 变成了 $n-1$。

【算法思想】为了删除顺序表中的第 i 个元素，需要将第 $i+1$ 个位置之后的元素依次向前移动一个位置，即先将第 $i+1$ 个元素移动到第 i 个位置，再将第 $i+2$ 个元素移动到第 $i+1$ 个位置，以此类推，直到最后一个元素移动到倒数第二个位置，最后将顺序表的长度减 1。

例如，要删除顺序表{3,15,49,20,22,23,44,18,36}的第 4 个元素，需要将序号为 5、6、7、8、9 的元素依次向前移动一个位置，这样就删除了第 4 个元素，最后将表长减 1，如图 2.4 所示。

图 2.4　在顺序表中删除元素 20 的过程

```
int DeleteList(SeqList * L,int i,DataType * e)
/*删除顺序表的第 i 个位置上的元素*/
{
    int j;
    if(L->length<=0)
    {
        printf("顺序表已空，不能进行删除!\n");
        return 0;
    }
    else if(i<1||i>L->length)
    {
        printf("删除位置不合适!\n");
        return -1;
    }
    else
    {
        *e=L->list[i-1];
        for(j=i;j<=L->length-1;j++)
            L->list[j-1]=L->list[j];
        L->length=L->length-1;
        return 1;
    }
}
```

删除元素的位置 i 的合法范围应该是 $1 \leqslant i \leqslant$ L->length。当 $i=1$ 时，表示要删除第一个元素（对应 C 语言数组中下标为 0 的元素）；当 $i=$ L->length 时，表示要删除的是最后一个元素。

注意： 在删除元素时，首先要判断顺序表中是否还有元素，另外，还需要判断删除的序号是否合法。删除成功后，将顺序表的长度减 1。

7）求顺序表的长度。

```
int ListLength(SeqList L)
/*求顺序表的长度*/
{
```

```
            return L. length;
    }
```

8）清空顺序表。

```
    void ClearList( SeqList  * L)
    / * 清空顺序表中的元素 * /
    {
        L->length = 0;
    }
```

2.2.3　基本操作算法分析

在顺序表的基本操作算法中，除了按内容查找运算及插入和删除操作外，算法的时间复杂度都为 $O(1)$。

在按内容查找的算法中，如果要查找的元素在第一个位置，则需要比较一次；如果要查找的元素在最后一个位置，则需要比较 n 次（n 为线性表的长度）。设 p_i 为在第 i 个位置上找到与 e 相等元素的概率，假设在任何位置上找到元素的概率相等，即 $p_i = 1/n$，则查找过程中需要比较的平均次数为：

$$E_{\text{loc}} = \sum_{i=1}^{n} p_i \times i = \frac{1}{n} \sum_{i=1}^{n} i = \frac{n+1}{2}$$

因此，按内容查找的平均时间复杂度为 $O(n)$。

在顺序表的插入算法中，时间的耗费主要集中在移动元素上。如果要插入的元素在第一个位置，则需要移动元素的次数为 n 次；如果要插入的元素在最后一个位置，则需要移动元素的次数为 1 次；如果插入位置在最后一个元素之后，即第 $n+1$ 个位置，则需要移动的次数为 0 次。设 p_i 为在第 i 个位置上插入元素的概率，假设在任何位置上找到元素的概率相等，即 $p_i = 1/(n+1)$，则顺序表的插入操作需要移动元素的平均次数为：

$$E_{\text{ins}} = \sum_{i=1}^{n+1} p_i \times (n - i + 1) = \frac{1}{n+1} \sum_{i=1}^{n+1} (n - i + 1) = \frac{n}{2}$$

因此，插入操作的平均时间复杂度为 $O(n)$。

在顺序表的删除算法中，时间的耗费同样在移动元素上。如果要删除的元素是第一个元素，则需要移动元素的次数为 $n-1$ 次；如果要删除的元素是最后一个元素，则需要移动 0 次。设 p_i 表示删除第 i 个位置上的元素的概率，假设在任何位置上找到元素的概率相等，即 $p_i = 1/n$，则顺序表的删除操作需要移动元素的平均次数为：

$$E_{\text{del}} = \sum_{i=1}^{n} p_i \times (n - i) = \frac{1}{n} \sum_{i=1}^{n} (n - i) = \frac{n-1}{2}$$

因此，删除操作的平均时间复杂度为 $O(n)$。

2.2.4　顺序表的应用举例

扫码看视频

【例 2.1】如果在线性表 A 中出现的元素在线性表 B 中也出现，利用线性表的基本运算，将 A 中的该元素删除。

【分析】这其实是求两个表的差集，即 A-B。依次检查线性表 B 中的每个元素，如果该元素在线性表 A 中也出现，则在 A 中删除该元素。

求 A−B 差集的算法如下：

```
void DelElem(SeqList * A,SeqList B)
/* 求 A−B,即删除 A 中 B 的元素 */
{
    int i,flag,pos;
    DataType e;
    for(i=1;i<=B. length;i++)
    {
        flag=GetElem(B,i,&e);              /* 依次把 B 中的每个元素取出给 e */
        if(flag==1)
        {
            pos=LocateElem( * A,e);        /* 在 A 中查找元素 e */
            if(pos>0)                      /* 如果该元素存在 */
                DeleteList(A,pos,&e);      /* 则将其从 A 中删除 */
        }
    }
}
```

测试程序如下：

```
#include<stdio. h>
#define ListSize 100
typedef int DataType;
/* 顺序表类型定义 */
typedef struct
{
    DataType list[ListSize];
    int length;
}SeqList;
#include" SeqList. h"                      /* 包含顺序表实现文件 */
void DelElem(SeqList * A,SeqList B);       /* 删除 A 中出现 B 的元素的函数声明 */
void main()
{
    int i,j,flag;
    DataType e;
    SeqList A,B;                           /* 声明顺序表 A 和 B */
    InitList(&A);                          /* 初始化顺序表 A */
    InitList(&B);                          /* 初始化顺序表 B */
    for(i=1;i<=10;i++)                     /* 将 1~10 插入顺序表 A 中 */
    {
        if(InsertList(&A,i,i+10)==0)
        {
            printf("插入位置不合法");
            return;
        }
    }
    for(i=1,j=1;j<=6;i=i+2,j++)   /* 在顺序表 B 中插入 6 个数 */
    {
        if(InsertList(&B,j,i * 2)==0)
        {
            printf("插入位置不合法");
            return;
        }
    }
```

```
                    }
        printf("顺序表 A 中的元素: \n");
        for(i=1;i<=A.length;i++)          /*输出顺序表 A 中的每个元素*/
        {
            flag=GetElem(A,i,&e);        /*返回顺序表 A 中的每个元素到 e 中*/
            if(flag==1)
                printf("%4d",e);
        }
    printf(" \n");
    printf("顺序表 B 中的元素: \n");
    for(i=1;i<=B.length;i++)          /*输出顺序表 B 中的每个元素*/
    {
        flag=GetElem(B,i,&e);        /*返回顺序表 B 中的每个元素到 e 中*/
        if(flag==1)
            printf("%4d",e);
    }
    printf(" \n");
    printf("将在 A 中出现 B 的元素删除后,A 中的元素（即 A-B): \n");
    DelElem(&A,B);                   /*将在顺序表 A 中出现的 B 的元素删除*/
    for(i=1;i<=A.length;i++)          /*显示输出删除后 A 中的所有元素*/
    {
        flag=GetElem(A,i,&e);
        if(flag==1)
            printf("%4d",e);
    }
    printf(" \n");
}
```

程序运行结果如图 2.5 所示。

图 2.5　线性表 A-B 程序运行结果

【**例 2.2**】 编写一个算法，把一个顺序表分拆成两个部分，使顺序表中小于或等于 0 的元素位于左端，大于 0 的元素位于右端。要求不占用额外的存储空间。例如，顺序表（-12,3, -6,-10,20,-7,9,-20）经过分拆后变为（-12,-20,-6,-10,-7,20,9,3）。

【**分析**】 设置两个指示器 i 和 j，分别扫描顺序表中的元素，i 和 j 分别从顺序表的左端和右端开始扫描。

1）如果 i 遇到小于或等于 0 的元素，则略过不处理，继续向前扫描；如果遇到大于 0 的元素，则暂停扫描。

2）如果 j 遇到大于 0 的元素，则略过不处理，继续向前扫描；如果遇到小于或等于 0 的元素，则暂停扫描。

3）若 $i<j$，则交换 i 和 j 指向的元素，重复执行 1）～3）步。若 $i \geq j$，则完成调整，算法结束。

算法描述如下：

```
void SplitSeqList(SeqList *L)
/*将顺序表 L 分成两个部分：左边是小于或等于 0 的元素，右边是大于 0 的元素*/
{
    int i,j;                    /*定义两个指示器 i 和 j*/
    DataType e;
    i=0,j=(*L).length-1;        /*指示器 i 和 j 分别指示顺序表的左端和右端元素*/
    while(i<j)
    {
        while(L->list[i]<=0)    /*i 遇到小于或等于 0 的元素*/
            i++;                /*略过*/
        while(L->list[j]>0)     /*j 遇到大于 0 的元素*/
            j--;                /*略过*/
        if(i<j)                 /*交换 i 和 j 指向的元素*/
        {
            e=L->list[i];
            L->list[i]=L->list[j];
            L->list[j]=e;
        }
    }
}
```

测试程序如下：

```
#include<stdio.h>
#include"SeqList.h"
void SplitSeqList(SeqList *L);
void main()
{
    int i,flag,n;
    DataType e;
    SeqList L;
    int a[]={-12,3,-6,-10,20,-7,9,-20};
    InitList(&L);                        /*初始化顺序表 L*/
    n=sizeof(a)/sizeof(a[0]);
    for(i=1;i<=n;i++)                     /*将数组 a 的元素插入到顺序表 L 中*/
    {
        if(InsertList(&L,i,a[i-1])==0)
        {
            printf("位置不合法");
            return;
        }
    }
    printf("顺序表 L 中的元素：\n");
    for(i=1;i<=L.length;i++)             /*输出顺序表 L 中的每个元素*/
    {
        flag=GetElem(L,i,&e);           /*返回顺序表 L 中的每个元素到 e 中*/
        if(flag==1)
            printf("%4d",e);
    }
    printf("\n");
    printf("顺序表 L 调整后(左边元素<=0,右边元素>0)：\n");
```

```
            SplitSeqList(&L);              /*调整顺序表中的元素顺序,使左边为小于或等于0的元素,
                                              右边为大于0的元素*/
            for(i=1;i<=L.length;i++)      /*输出调整后顺序表 L 中所有元素*/
            {
                flag=GetElem(L,i,&e);
                if(flag==1)
                    printf("%4d",e);
            }
            printf("\n");
        }
```

程序运行结果如图 2.6 所示。

图 2.6　程序运行结果

2.3　线性表的链式表示与实现

在顺序表中，由于逻辑上相邻的元素其物理位置也相邻，因此可以随机存取顺序表中的任何一个元素。但是，顺序表也存在以下缺点：

- 插入和删除运算需要移动大量的元素。
- 顺序表中的存储空间必须事先分配好，而事先分配的存储单元大小可能不适合问题的需要。

采用链式存储的线性表称为链表，链表可以分为单链表、双向链表、循环单链表。

2.3.1　单链表的存储结构

所谓"线性表的链式存储"，是指采用一组任意的存储单元存放线性表中的元素。这组存储单元可以是连续的，也可以是不连续的。为了表示这些元素之间的逻辑关系，除了需要存储元素本身的信息外，还需要存储指示其后继元素的地址信息。这两部分组成的存储结构称为结点。结点包括两个域：数据域和指针域。其中，数据域存放数据元素的信息，指针域存放元素的直接后继的存储地址，如图 2.7 所示。

data	next
数据域	指针域

图 2.7　结点结构

通过指针域把 n 个结点根据线性表中元素的逻辑顺序链接在一起，就构成了链表。由于链表中的每个结点的指针域只有一个，因此这样的链表称为线性链表或者单链表。

例如，一个线性表（Yang, Zheng, Feng, Xu, Wu, Wang, Geng）的链式存储结构如图 2.8 所示。

存取链表中的元素时，必须从头指针 head 出发，头指针 head 指向链表的第一个结点，从头指针 head 可以找到链表中的每一个元素。

存储地址	数据域	指针域
6	Xu	36
19	Feng	6
25	Yang	51
36	Wu	47
43	Geng	NULL
47	Wang	43
51	Zheng	19

头指针 head

图 2.8　线性表的链式存储结构

　　单链表的每个结点的地址都存放在其直接前驱结点的指针域中，而第一个结点没有直接前驱结点，因此需要一个头指针指向第一个结点。同时，由于表中的最后一个元素没有直接后继结点，因此需要将单链表的最后一个结点的指针域置为"空"（NULL）。

　　一般情况下，我们只关心链表的逻辑顺序，而不关心链表的实际存储位置。通常用箭头代替指针来连接结点。因此，图 2.8 所示的线性表可以形象化为图 2.9 所示的序列。

图 2.9　单链表的逻辑状态

　　有时，为了操作上的方便，会在单链表的第一个结点之前增加一个结点，称为头结点。头结点的数据域可以存放线性表的附加信息，如线性表的长度；头结点的指针域存放第一个结点的地址信息，即指向第一个结点。头指针指向头结点，不再指向链表的第一个结点。带头结点的单链表的逻辑状态如图 2.10 所示。

图 2.10　带头结点的单链表的逻辑状态

　　若带头结点的链表为空链表，则头结点的指针域为"空"，如图 2.11 所示。

图 2.11　带头结点的空链表

　　单链表的存储结构用 C 语言描述如下：

```
typedef struct Node
{
    DataType data;
    struct Node *next;
}ListNode, *LinkList;
```

其中，ListNode 为链表的结点类型，LinkList 为指向链表结点的指针类型。如果有定义：

```
LinkList L;
```

则定义了一个指向链表类型的指针变量 L，它指向该链表的第一个结点。它和下面定义的含义相同：

```
ListNode *L;
```

对于不带头结点的链表来说，如果链表为空，则有 L=NULL；对于带头结点的链表，如果链表为空，则 L->next=NULL。

2.3.2 单链表上的基本运算

扫码看视频

单链表上的基本运算包括单链表的建立、单链表的插入、单链表的删除、单链表的长度等。带头结点的单链表的运算具体实现如下（以下算法的实现文件保存在"LinkList. h"中）。

1）单链表的初始化操作。

```
void InitList( LinkList  * h)
/* 单链表的初始化 */
{
    if(( * h=(LinkList)malloc( sizeof(ListNode)))= =NULL)    /* 为头结点分配一个存储空间 */
        exit(-1);
    ( * h)->next=NULL;                              /* 将单链表的头结点指针域置为空 */
}
```

2）判断单链表是否为空。

```
int ListEmpty( LinkList h)
/* 判断单链表是否为空 */
{
    if(h->next= =NULL)            /* 如果链表为空 */
        return 1;                 /* 返回 1 */
    else                         /* 否则 */
        return 0;                 /* 返回 0 */
}
```

3）按序号查找操作。

链表是一种随机存取结构，只能从头指针开始存取元素。因此，要查找单链表中的第 i 个元素，需要从单链表的头指针 h 出发，利用结点的 next 域依次访问链表的结点，并进行比较操作。利用计数器从 0 开始计数，当计数器为 i，就找到了第 i 个结点。

```
ListNode  * Get( LinkList h,int i)
/* 查找单链表中的第 i 个结点。查找成功后返回该结点的指针，否则返回 NULL */
{
    ListNode  * p;
    int j;
    if( ListEmpty(h))          /* 查找第 i 个元素之前，判断链表是否为空 */
        return NULL;
    if(i<1)                    /* 判断该序号是否合法 */
        return NULL;
    j=0;
    p=h;
    while( p->next! =NULL&&j<i)
    {
        p=p->next;
        j++;
    }
    if(j= =i)                  /* 如果找到第 i 个结点 */
        return p;             /* 则返回指针 p */
```

```
        else;                    /*否则*/
            return NULL;         /*返回 NULL*/
    }
```

4）按内容查找操作。

```
    ListNode  * LocateElem( LinkList h, DataType e)
    /*查找线性表中元素值为 e 的元素,查找成功则返回对应元素的结点指针,否则返回 NULL */
    {
        ListNode  *p;
        p=h->next;               /*指针 p 指向第一个结点*/
        while( p)
        {
            if( p->data! =e)     /*如果当前元素值与 e 不相等*/
                p=p->next;       /*则继续查找*/
            else                 /*否则*/
                break;           /*退出循环,停止查找*/
        }
        return p;                /*返回结点的指针*/
```

5）定位操作。定位操作是指按内容查找并返回结点序号的操作。从单链表的头指针出发,依次访问每个结点,并将结点的值与 e 比较。如果相等,则返回该序号,表示成功;如果没有与 e 值相等的元素,则返回 0,表示失败。

```
    int LocatePos( LinkList h, DataType e)
    /*查找线性表中元素值为 e 的元素,查找成功,则返回对应元素的序号,否则返回 0*/
    {
        ListNode  *p;
        int i;
        if( ListEmpty( h) )      /*查找第 i 个元素之前,判断链表是否为空*/
            return 0;
        p=h->next;               /*从第一个结点开始查找*/
        i=1;
        while( p)
        {
            if( p->data= =e)     /*找到与 e 相等的元素*/
                return i;        /*则返回该序号*/
            else                 /*否则*/
            {
                p=p->next;       /*继续查找*/
                i++;
            }
        }
        if( !p)                  /*如果没有找到与 e 相等的元素,则返回 0,表示失败*/
            return 0;
    }
```

6）插入操作。插入操作就是将元素 e 插入链表中指定的位置 i,插入成功则返回 1,否则返回 0。

```
    int InsertList( LinkList h, int i, DataType e)
    /*在单链表中的第 i 个位置插入元素 e。插入成功则返回 1,失败则返回 0*/
    {
```

```
        ListNode *p,*pre;
        int j;
        pre=h;                      /*指针p指向头结点*/
        j=0;
        while(pre->next!=NULL&&j<i-1) /*找到第i-1个结点，即第i个结点的前驱结点*/
        {
            pre=pre->next;
            j++;
        }
        if(j!=i-1)                  /*如果没有找到，则说明插入位置错误*/
        {
            printf("插入位置错");
            return 0;
        }
        /*新生成一个结点，并将e赋值给该结点的数据域*/
        if((p=(ListNode*)malloc(sizeof(ListNode)))==NULL)
            exit(-1);
        p->data=e;
        /*插入结点操作*/
        p->next=pre->next;
        pre->next=p;
        return 1;
}
```

在单链表的第 i 个位置插入一个新元素 e 可分为 3 步进行：

① 在链表中找到其直接前驱结点，即第 $i-1$ 个结点，并由指针 pre 指向该结点，如图 2.12 所示。

图 2.12 找到第 i 个结点的直接前驱结点

② 动态申请一个新的结点，并由 p 指向该结点，将值 e 赋值给 p 指向结点的数据域，如图 2.13 所示。

图 2.13 p 指向生成的新结点

③ 修改 pre 和 p 指向结点的指针域，如图 2.14 所示。这样就完成了在第 i 个位置插入结点的操作。

图 2.14 在单链表中插入新结点的过程

在单链表中插入新结点分为 2 个步骤：①将新结点的指针域指向第 i 个结点，即 p->next=pre->next；②将直接前驱结点的指针域指向新结点，即 pre->next=p。

🔊 注意：插入结点的操作步骤不能反过来，即先执行 pre->next=p 操作，后执行 p->next=pre->next 操作，这样是错误的。

7) 删除操作。删除操作就是将单链表中的第 i 个结点删除，其他结点仍然构成一个单链表。删除成功则返回 1，否则返回 0。

```
int DeleteList(LinkList h,int i,DataType * e)
/*删除单链表中的第 i 个位置的结点。删除成功则返回 1，失败则返回 0*/
{
    ListNode * pre, * p;
    int j;
    pre=h;
    j=0;
    while(pre->next!=NULL&&pre->next->next!=NULL&&j<i-1)/*在寻找的过程中确保被删除结点存在*/
    {
        pre=pre->next;
        j++;
    }
    if(j!=i-1)                    /*如果没有找到要删除的结点位置，则说明删除位置错误*/
    {
        printf("删除位置错误");
        return 0;
    }
    p=pre->next;
    * e=p->data;
    /*将前驱结点的指针域指向要删除结点的下一个结点，也就是将 p 指向的结点与单链表断开*/
    pre->next=p->next;
    free(p);                    /*释放 p 指向的结点*/
    return 1;
}
```

删除单链表中的第 i 个结点分为以下 3 个步骤：

① 找到第 i 个结点的直接前驱结点，即第 $i-1$ 个结点，并将指针 pre 指向该结点，指针 p 指向第 i 个结点，如图 2.15 所示。

图 2.15　找到第 $i-1$ 个结点和第 i 个结点

② 修改 pre 和 p 指向结点的指针域，使 p 指向的结点与原链表断开，即 pre->next=p->next。
③ 动态释放指针 p 指向的结点，如图 2.16 所示。

图 2.16　删除第 i 个结点

注意：在寻找第 $i-1$ 个结点（被删除结点的前驱结点）时，要保证被删除结点存在，即 pre->next->next!=NULL。如果没有该判断条件，并且要删除的结点在链表中不存在，执行循环后就会出现 p 指向 NULL 指针域，从而造成错误。

删除链表中第 i 个结点的另一种写法如下。

```
int DeleteList2(LinkList h,int i,DataType *e)
/*删除单链表中的第 i 个位置的结点。删除成功返回 1,失败返回 0*/
{
    ListNode *p,*q;
    int j=0;
    p=h;                        /*从头结点开始查找第 i-1 个结点*/
    while(p->next && j<i-1)
    {
        p=p->next;
        i++;
    }
    if(!p->next || j>i-1)
        return 0;

    q=p->next;
    p->next=q->next;            /*第 i-1 个结点的指针域指向第 i+1 个结点*/
    *e=q->data;                 /*将删除的结点元素值存入 e*/
    free(q);                    /*释放第 i 个结点*/
    return 1;
}
```

8）求表长。

```
int ListLength(LinkList h)
/*求线性表的表长*/
{
    ListNode *p;
    int count=0;
    p=h;
    while(p->next!=NULL)
    {
        p=p->next;
        count++;
    }
    return count;
}
```

9）销毁链表。

```
void DestroyList(LinkList h)
/*销毁链表*/
{
    ListNode *p,*q;
    p=h;
    while(p!=NULL)
    {
        q=p;
        p=p->next;
        free(q);
    }
}
```

2.3.3　单链表的应用举例

【例 2.3】　利用单链表的基本运算求 A-B，即在单链表 A 中删除 B 中出现的元素。

扫码看视频

【分析】　对于单链表 A 中的每个元素 e，在单链表 B 中进行查找，如果 B 中存在与 A 相同的元素，则将元素从 A 中删除。

算法描述如下：

```
void DelElem(LinkList A,LinkList B)
/* A-B 的算法实现 */
{
    int i,pos;
    DataType e;
    ListNode * p;
    /* 取出链表 B 中的每个元素，并与单链表 A 中的元素比较，如果相等则删除 A 中对应的结点 */
    for(i=1;i<=ListLength(B);i++)
    {
        p=Get(B,i);                    /* 取出 B 中的结点，将指针返回给 p */
        if(p)
        {
            pos=LocatePos(A,p->data);  /* 比较 B 中的元素是否与 A 中的元素相等 */
            if(pos>0)
                DeleteList(A,pos,&e);  /* 如果相等，则将其从 A 中删除 */
        }
    }
}
```

测试程序如下：

```
#include<stdio. h>
#include<malloc. h>
#include<stdlib. h>
/* 单链表类型定义 */
typedef int DataType;
typedef struct Node
{
    DataType data;
    struct Node * next;
} ListNode, * LinkList;
#include" LinkList. h"                 /* 包含单链表实现文件 */
void DelElem(LinkList A,LinkList B);   /* 求 A-B 的函数声明 */
void main()
{
    int i;
    DataType a[] ={5,7,9,11,15,18,23,35,42,66};
    DataType b[] ={2,4,7,9,13,18,45,66};
    LinkList A,B;                       /* 声明单链表 A 和 B */
    ListNode * p;
    InitList(&A);                       /* 初始化单链表 A */
    InitList(&B);                       /* 初始化单链表 B */
```

```
        for(i=1;i<=sizeof(a)/sizeof(a[0]);i++)    /*把数组 a 中的元素插入单链表 A 中*/
        {
            if(InsertList(A,i,a[i-1])= =0)
            {
                printf("位置不合法");
                return;
            }
        }
        for(i=1;i<=sizeof(b)/sizeof(b[0]);i++)    /*把数组 b 中的元素插入单链表 B 中*/
        {
            if(InsertList(B,i,b[i-1])= =0)
            {
                printf("位置不合法");
                return;
            }
        }
        printf("单链表 A 中的元素有%d 个: \n",ListLength(A));
        for(i=1;i<=ListLength(A);i++)             /*输出单链表 A 中的元素*/
        {
            p=Get(A,i);                           /*返回单链表 A 中结点的指针*/
            if(p)
                printf("%4d",p->data);            /*输出单链表 A 中的元素*/
        }
        printf("\n");
        printf("单链表 B 中的元素有%d 个: \n",ListLength(B));
        for(i=1;i<=ListLength(B);i++)
        {
            p=Get(B,i);                           /*返回单链表 B 中结点的指针*/
            if(p)
                printf("%4d",p->data);            /*输出单链表 B 中的元素*/
        }
        printf("\n");
        DelElem(A,B);                             /*将在单链表 A 中出现的 B 的元素删除,即 A-B*/
        printf("执行(A-B)后, A 中的元素还有%d 个: \n",ListLength(A));
        for(i=1;i<=ListLength(A);i++)
        {
            p=Get(A,i);                           /*返回单链表 A 中结点的指针*/
            if(p)
                printf("%4d",p->data);            /*输出删除后 A 中的元素*/
        }
        printf("\n");
    }
```

程序的运行结果如图 2.17 所示。

在具体实现算法 A−B 时，利用 p＝Get(B,i)依次取出单链表 B 中的元素，然后通过 pos = LocatePos(A,p->data)在单链表 A 中查找与该值相等的元素，并调用函数 DeleteList(A,pos,&e)来将 A 中对应的结点删除。

图 2.17　程序运行结果

在该算法中，假设单链表 A 的长度为 m，单链表 B 的长度为 n，时间主要耗费在 A 和 B 中对元素的查找上，则算法的时间复杂度为 $O(n\times$

$\max(m,n))$。

上面的算法可通过单链表的基本运算实现，也可不调用单链表的基本运算直接实现该算法。

```
void DelElem2(LinkList A,LinkList B)
/* A-B 的算法实现 */
{
    ListNode * pre, * p, * q, * r;
    pre=A;
    p=A->next;
    /* 取出 B 中的元素，并依次与单链表 A 中的元素比较，如果相等，则删除 A 中元素对应的结
点 */
    while(p!=NULL)
    {
        q=B->next;                          /* 取出 B 中的元素 */
        while(q!=NULL&&q->data!=p->data)    /* 依次与 A 中的元素进行比较 */
            q=q->next;
        if(q!=NULL)                         /* 如果 B 中存在与 A 中元素相等的结点 */
        {
            r=p;                            /* 指针 r 指向要删除的结点 */
            pre->next=p->next;              /* 将 p 指向的结点与链表断开 */
            p=r->next;                      /* 将 p 指向 A 中下一个待比较的结点 */
            free(r);                        /* 释放结点 r */
        }
        else                                /* 如果 B 中不存在与 A 中元素相等的结点 */
        {
            pre=p;                          /* 将 pre 指向刚比较过的结点 */
            p=p->next;                      /* 指针 p 指向下一个待比较的结点 */
        }
    }
}
```

上面的算法中，在单链表 A 中，指针 p 指向单链表 A 中与单链表 B 中要比较的结点，pre 指向 p 的前驱结点。在单链表 B 中，指针 q 指向 B 中的第一个结点，依次与 A 中 p 指向的结点的元素比较，如图 2.18 所示。

图 2.18　初始时 p 指向第一个要比较的结点

如果当前 A 中要比较的是元素 a_i，则指针 p 指向 a_i 所在的结点。在 B 中，如果 q 指向元素 b_j 所在的结点，而 $b_j=a_i$，则指针 q 停止向前比较。在 A 中，指针 r 指向要删除的结点 p，令 pre 指向 p 的后继结点，从而使 p 指向的结点与链表断开，即 r=p，pre->next=p->next。将 A 中要删除的结点与链表断开，如图 2.19 所示。

然后，p 指向链表 A 中下一个要比较的结点，最后释放 r 指向的结点，如图 2.20 所示。

算法 DelElem2 的时间复杂度也是 $O(m×n)$。

图 2.19 将 A 中要删除的结点与链表断开

图 2.20 p 指向下一个要比较的结点，同时释放 r 指向的结点

📖 **说明：** 在算法 DelElem2 的实现过程中，隐藏了查找元素结点与删除元素结点的实现细节。而在算法 DelElem2 中，将整个查找过程和删除过程展现地淋漓尽致。

【考研真题】假设有一个带有表头结点的单链表，结点结构如下：

data	link

扫码看视频

假设该链表只给出了头指针 list，在不改变链表的前提下，请设计一个尽可能高效的算法，查找链表中倒数第 k 个位置上的结点（k 为正整数）。若查找成功，则算法输出该结点数据域的值，并返回 1；否则返回 0。要求如下：

1）描述算法的基本设计思想。
2）描述算法的详细实现步骤。
3）根据设计思想和实现步骤，采用程序设计语言描述算法。

【分析】这是一道考研试题，主要考查对链表的掌握程度。这个题目比较灵活，利用一般的思维方式不容易实现。

1）算法的基本思想：定义两个指针 p 和 q，初始时均指向头结点的下一个结点。p 指针沿着链表移动，当 p 指针移动到第 k 个结点时，q 指针与 p 指针同步移动，当 p 指针移动到链表表尾结点时，q 指针所指向的结点即为倒数第 k 个结点。

2）算法的详细步骤如下：

① 令 count=0，p 和 q 指向链表的第一个结点。
② 若 p 为空，则转向⑤执行。
③ 若 count 等于 k，则 q 指向下一个结点；否则令 count++。
④ 令 p 指向下一个结点，转向②执行。
⑤ 若 count 等于 k，则查找成功，输出结点的数据域的值，返回 1；否则，查找失败，返回 0。

3）算法实现代码如下：

```
        typedef structL Node                    /*定义结点*/
        {
            int data;
            struct Lnode *link;
        } *Link List;                           /*定义结点指针变量*/
        int SearchNode(LinkList list,int k)     /*查找结点*/
        {
            LinkList p,q;                        /*定义两个指针 p 和 q */
            int count=0;                         /*定义计数器变量并赋初值为 0 */
            p=q=list->link;                      /*p 和 q 指向链表的第一个结点*/
            while(p!=NULL)
            {
                if(count<k)                      /*若 p 未移动到第 k 个结点*/
                    count++;                     /*则计数器加 1 */
                else
                    q=q->link;                   /*当 p 移到第 k 个结点后,q 开始与 p 同步移动到下一
个结点*/
                p=p->link;                       /*p 移动到下一个结点*/
            }
            if(count<k)                          /*如果满足小于 k */
                return 0;                        /*返回 0 */
            else
            {
                printf("倒数第%d 个结点元素的值为%d\n",k,q->data);  /*输出倒数第 k 个结点的元
素值*/
                return 1;                        /*返回 1 */
            }
        }
```

2.3.4　循环单链表

1. 循环单链表的存储

循环单链表（Circular Linked List）是一种首尾相连的单链表。在线性链表中，每个结点的指针都指向它的下一个结点，最后一个结点的指针域为空，不指向任何结点，表示链表结束。若把这种结构稍微改变一下，使最后一个结点的指针域指向链表的第一个结点，就构成了循环单链表。

与单链表类似，循环单链表也可分为带头结点的结构和不带头结点的结构。循环单链表不为空时，最后一个结点的指针域指向头结点。带头结点的循环单链表如图 2.21 所示。

循环单链表为空时，头结点的指针域指向头结点本身，如图 2.22 所示。

图 2.21　带头结点的循环单链表

图 2.22　循环单链表为
空时的情况

注意： 带头结点的循环单链表为空时，有 head->next==head。

有时，为了操作上的方便，在循环单链表中只设置尾指针 rear 而不设置头指针，rear 指向循环单链表的最后一个结点，如图 2.23 所示。

图 2.23　只设置尾指针的循环单链表示意图

利用尾指针可以使有些操作变得简单，例如，要将图 2.24 所示的两个循环单链表（尾指针分别为 LA 和 LB）合并成一个链表，则只需要将一个表的表尾和另一个表的表头连接，如图 2.25 所示。

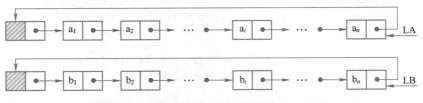

图 2.24　设置尾指针的循环单链表 LA 和 LB

图 2.25　两个设置尾指针的循环单链表合并后的示意图

合并两个设置尾指针的循环单链表需要 4 步操作：

① 保存 LA 的头指针，即 p=LA->next。

② 把 LA 的表尾与 LB 的第一个结点相连接，即 LA->next=LB->next->next。

③ 释放 LB 的头结点，即 free(LB->next)。

④ 把 LB 的表尾与 LA 的表头相连接，即 LB->next=p。

2. 循环单链表的应用

【例 2.4】约瑟夫问题。有 n 个人，编号为 $1,2,\cdots,n$，围成一个圆圈，按照顺时针方向从编号为 k 的人开始从 1 报数，报数为 m 的人出列，他的下一个人重新开始从 1 报数，报数为 m 的人出列，一直这样重复下去，直到所有的人都出列。要求编写一个算法，输入 n、k 和 m，依次输出每次出列人的编号。

【分析】解决约瑟夫问题可分为 3 个步骤：

1）建立一个具有 n 个结点的不带头结点的循环单链表，编号从 1 到 n，代表 n 个人。

2）找到第 k 个结点，即第一个开始报数的人。

3）编号为 k 的人从 1 开始报数，并开始计数，报数为 m 的人出列，即删除该结点。从下一个结点开始继续报数，重复执行步骤 2）和 3），直到最后一个结点被删除。

约瑟夫问题的算法描述如下：

```
void Josephus( LinkList h, int n, int m, int k )
/* 在由 n 个人围成的圆圈中，从第 k 个人开始报数，报数为 m 的人出列 */
{
    ListNode * p, * q;
```

```
    int i;
    p=h;
    for(i=1;i<k;i++)              /*从第 k 个人开始报数*/
    {
        q=p;
        p=p->next;
    }
    while(p->next!=p)
    {
        for(i=1;i<m;i++)          /*报数为 m 的人出列*/
        {
            q=p;
            p=p->next;
        }
        q->next=p->next;          /*将 p 指向的结点删除,即报数为 m 的人出列*/
        printf("%4d",p->data);
        free(p);
        p=q->next;                /*p 指向下一个结点,重新开始报数*/
    }
    printf("%4d\n",p->data);
}
```

测试程序如下:

```
#include<stdio.h>
#include<malloc.h>
#include<stdlib.h>
/*单链表类型定义*/
#define ListSize 100
typedef int DataType;
typedef struct Node
{
    DataType data;
    struct Node *next;
}ListNode, *LinkList;
LinkList CreateCycList(int n);                  /*创建一个长度为 n 的循环单链表*/
void Josephus(LinkList head,int n,int m,int k); /*在 n 个人围成的圆圈中,从第 k 个人开始报数,
                                                   报数为 m 的人出列*/
void DisplayCycList(LinkList head);             /*输出循环单链表*/
void main()
{

    LinkList head;
    int n,k,m;
    printf("输入圈中人的个数 n:");
    scanf("%d",&n);
    printf("输入开始报数的序号 k:");
    scanf("%d",&k);
    printf("报数为 m 的人出列 m:");
    scanf("%d",&m);
    head=CreateCycList(n);
    Josephus(head,n,m,k);
}
LinkList CreateCycList(int n)
```

```
/*创建循环单链表*/
{
    LinkList head=NULL;
    ListNode *s, *r;
    int i;
    for(i=1;i<=n;i++)
    {
        s=(ListNode *)malloc(sizeof(ListNode));
        s->data=i;
        s->next=NULL;
        if(head==NULL)
            head=s;
        else
            r->next=s;
        r=s;
    }
    r->next=head;
    return head;
}
```

程序运行结果如图 2.26 所示。

图 2.26 程序运行结果

2.3.5 双向链表

在前面讨论过的单链表和循环链表中，每个结点的指针域只有一个，用来存放后继结点的指针。从某个结点出发，只能顺着指针往后查找其他结点。若要查找结点的前驱结点，就需要从表头结点出发沿着指针寻找。同样，删除操作也会遇到类似的问题。为解决单链表的这种不足，可使用双向链表来表示线性表。

1. 双向链表的存储结构

在双向链表中，每个结点都有两个指针域：一个指向直接前驱结点，另一个指向直接后继结点。双向链表的结点结构如图 2.27 所示。

在双向链表中，每个结点都包括 3 个域：data 域、prior 域和 next 域。其中，data 域为数据域，存放数据元素；prior 域为前驱结点指针域，指向直接前驱结点；next 域为后继结点域，指向直接后继结点。

双向链表也可分为带头结点和不带头结点的，带头结点可使某些操作更加方便。另外，双向链表也有循环结构，称为双向循环链表。带头结点的双向循环链表如图 2.28 所示。

图 2.27 双向链表的结点结构

图 2.28 带头结点的双向循环链表

带头结点的双向循环链表为空的情况如图 2.29 所示。判断带头结点的双循环链表为空的条件是 head->prior == head 或 head->next == head。

在双向链表中，每个结点既有前驱结点的指针域，又有后继结

head

图 2.29 带头结点的双向循环链表为空的情况

点的指针域，因此查找结点非常方便。如果 p 是指向链表中某个结点的指针，则有 p＝p->prior->next＝p->next->prior。

双向链表的结点类型描述如下：

```
typedef struct Node
{
    DataType data;
    struct Node ＊prior;
    struct Node ＊next;
｝DListNode, ＊DLinkList;
```

2. 双向链表的插入操作和删除操作

对于双向链表的某些操作，如求链表的长度、查找链表的第 i 个结点等，与单链表中的算法实现基本没有什么差异。而对于双向循环链表的插入和删除操作，由于涉及前驱结点指针和后继结点指针，因此需要修改这两个方向的指针。

（1）插入操作

插入操作就是在双向循环链表的第 i 个位置插入一个元素值为 e 的结点。插入成功则返回 1，否则返回 0。

【算法步骤】

1）找到第 i 个结点，用 p 指向该结点。

2）申请一个新结点，由 s 指向该结点，将 e 放入数据域。

3）修改 p 和 s 指向的结点的指针域：

① 修改 s 的 prior 域，使其指向 p 的直接前驱结点，即 s->prior＝p->prior。

② 将 p 的直接前驱结点的 next 域指向 s 指向的结点，即 p->prior->next＝s。

③ 修改 s 的 next 域，使其指向 p 指向的结点，即 s->next＝p。

④ 修改 p 的 prior 域，使其指向 s 指向的结点，即 p->prior＝s。

插入操作的指针修改情况如图 2.30 所示。

图 2.30　双向循环链表的插入操作过程

插入操作的算法描述如下：

```
int InsertDList( DListLink head, int i, DataType e)
{
    DListNode ＊p, ＊s;
    int j;
    p＝head->next;
    j＝1;
    while( p! ＝head&&j<i)
    {
        p＝p->next;
```

```
            j++;
        }
    if(j!=i)
    {
        printf("插入位置不正确");
        return 0;
    }
    s=(DListNode * )malloc(sizeof(DListNode));
    if(!s)
        return -1;
    s->data=e;
    s->prior=p->prior;
    p->prior->next=s;
    s->next =p;
    p->prior=s;
    return 1;
}
```

（2）删除操作

删除操作就是将带头结点的双向循环链表中的第 i 个结点删除。删除成功则返回1，否则返回0。

【算法步骤】

1）找到第 i 个结点，用 p 指向该结点。

2）修改 p 指向的结点的直接前驱结点和直接后继结点的指针域，从而将 p 与链表断开。将 p 指向的结点与链表断开需要两步：

① 修改 p 的前驱结点的 next 域，使其指向 p 的直接后继结点，即 p->prior->next = p->next。

② 修改 p 的直接后继结点的 prior 域，使其指向 p 的直接前驱结点，即 p->next->prior = p->prior。

删除操作的指针修改情况如图 2.31 所示。

图 2.31 双向循环链表的删除操作过程

删除操作的算法描述如下：

```
    int DeleteDList(DListLink head,int i,DataType * e)
    {
        DListNode  * p;
        int j;
        p=head->next;
        j=1;
        while(p!=head&&j<i)
        {
            p=p->next;
            j++;
```

```
        }
        if(j!=i)
        {
            printf("删除位置不正确");
            return 0;
        }
        p->prior->next=p->next;
        p->next->prior =p->prior;
        free(p);
        return 1;
    }
```

插入和删除操作的时间主要耗费在查找结点上，两者的时间复杂度都为 $O(n)$。

注意：双向链表的插入和删除操作都需要修改结点的 prior 域和 next 域，要注意修改结点指针域的顺序。

2.4　线性表应用举例：一元多项式的表示与相乘

一元多项式的相乘是线性表在日常生活中的一个典型应用，它的各种操作集中了线性表的各种基本操作。

2.4.1　一元多项式的表示

一元多项式 $A_n(x)$ 可以写成降幂的形式：

$$A_n(x)=a_nx^n+a_{n-1}x^{n-1}+\cdots+a_1x+a_0$$

如果 $a_n\neq0$，则 $A_n(x)$ 被称为 n 阶多项式。一个 n 阶多项式由 $n+1$ 个系数构成。一个 n 阶多项式的系数可以用线性表 $(a_n,a_{n-1},\cdots,a_1,a_0)$ 表示。

线性表存储时可以采用顺序存储结构，这样会使多项式的一些操作变得更加简单。可以定义一个维数为 $n+1$ 的数组 $a[n+1]$，$a[n]$ 存放系数 a_n，$a[n-1]$ 存放系数 a_{n-1}，$\cdots$，$a[0]$ 存放系数 a_0。但是，在实际情况中，可能多项式的阶数（最高的指数项）会很高，多项式的每个项的指数会差别很大，这可能会浪费很多的存储空间。例如，一个多项式：

$$P(x)=10x^{2001}+x+1$$

若采用顺序存储，则存放系数需要 2002 个存储空间，但是存储有用的数据只需要 3 个。若只存储非零系数项，那么还必须存储相应的指数信息。

一元多项式 $A_n(x)=a_nx^n+a_{n-1}x^{n-1}+\cdots+a_1x+a_0$ 的系数和指数同时存放，可以表示成一个线性表，线性表的每一个数据元素都由一个二元组构成。因此，多项式 $A_n(x)$ 可以表示成线性表：

$$((a_n,n),(a_{n-1},n-1),\cdots,(a_1,1),(a_0,0))$$

多项式 $P(x)$ 可以表示成 $((10,2001),(1,1),(1,0))$ 的形式。

因此，多项式可以采用链式存储方式表示，每一项都可以表示成一个结点，结点由 3 个域组成：存放系数的 coef 域、存放指数的 expn 域和指向下一个结点的 next 指针域，如图 2.32 所示。

结点结构的类型描述如下：

图 2.32　多项式的
结点结构

```
    typedef struct polyn
    {
```

```
            float coef;
            int expn;
            struct polyn * next;
        } PloyNode, * PLinkList;
```

例如，多项式 $S(x) = 7x^6 + 3x^4 - 3x^2 + 6$ 可以表示成链表，如图2.33所示。

S ┤ 7 6 • ├→├ 3 4 • ├→├ 3 2 • ├→├ 6 0 ^ │

图2.33 一元多项式的链表表示

2.4.2 一元多项式相乘

两个一元多项式相乘时，需要将一个多项式的每一项的指数与另一个多项式的每一项的指数相加，并将其系数相乘。假设有两个多项式 $A_n(x) = a_n x^n + a_{n-1} x^{n-1} + \cdots + a_1 x + a_0$ 和 $B_m(x) = b_m x^m + b_{m-1} x^{m-1} + \cdots + b_1 x + b_0$，将这两个多项式相乘，就是将多项式 $A_n(x)$ 中的每一项与 $B_m(x)$ 相乘，相乘的结果用线性表表示为 $((a_n \times b_m, n+m), (a_{n-1} \times b_m, n+m-1), \cdots, (a_1, 1), (a_0, 0))$。

例如，两个多项式 $A(x)$ 和 $B(x)$ 相乘后得到 $C(x)$。

$$A(x) = 7x^4 + 2x^2 + 3x$$
$$B(x) = 6x^3 + 5x^2 + 6x$$
$$C(x) = 42x^7 + 49x^6 + 74x^5 + 51x^4 + 59x^3 + 40x^2$$

以上多项式可以表示成链式存储结构，如图2.34所示。

图2.34 多项式的链表表示

A、B 和 C 分别是多项式 $A(x)$、$B(x)$ 和 $C(x)$ 对应链表的头指针，$A(x)$ 和 $B(x)$ 两个多项式相乘的算法步骤如下：

1）计算出 $A(x)$ 和 $B(x)$ 的最高指数和，即 $4+3=7$，则 $A(x)$ 和 $B(x)$ 的乘积 $C(x)$ 的指数范围在 $0\sim7$ 之间。

2）将 $A(x)$ 按照指数降序排列，将 $B(x)$ 按照指数升序排列，分别设两个指针 pa 和 pb，pa 用来指向链表 A，pb 用来指向链表 B。

3）分别从两个链表的第一个结点出发，计算 pa 和 pb 指向结点的 expn 域的和，并将其与 k 比较（k 为指数和的范围，从 7 到 0 递减）。如果和小于 k，则执行 pb = pb->next；如果和等于 k，则计算二项的系数的乘积，并将其赋值给新生成的结点；如果和大于 k，则执行 pa = pa->next。

重复执行步骤3），直到 $k=0$ 为止，这样便得到多项式 $A(x)$ 和 $B(x)$ 的乘积 $C(x)$。最后将链表 B 重新逆置。

1. 一元多项式的创建

```
PLinkList CreatePolyn()
/* 创建一元多项式，使一元多项式呈指数递减 */
```

```
{
    PolyNode  * p, * q, * s;
    PolyNode  * h = NULL;
    int expn2;
    float coef2;
    h = ( PLinkList ) malloc( sizeof( PolyNode ) ) ;    / * 动态生成一个头结点 * /
    if( !h)
        return NULL;
    h->coef = 0;
    h->expn = 0;
    h->next = NULL;
    do
    {
        printf("输入系数 coef(系数和指数都为 0 时，表示结束)") ;
        scanf("%f" ,&coef2) ;
        printf("输入指数 exp(系数和指数都为 0 时，表示结束)") ;
        scanf("%d" ,&expn2) ;
        if( ( long) coef2 = = 0&&expn2 = = 0)
            break;
        s = ( PolyNode * ) malloc( sizeof( PolyNode ) ) ;
        if( !s)
            return NULL;
        s->expn = expn2;
        s->coef = coef2;
        q = h->next;                           / * q 指向链表的第一个结点，即表尾 * /
        p = h;                                 / * p 指向 q 的前驱结点 * /
        while( q&&expn2<q->expn)               / * 将新输入的指数与 q 指向的结点指数比较 * /
        {
            p = q;
            q = q->next;
        }
        if( q = = NULL | | expn2>q->expn)      / * q 指向要插入结点的位置，p 指向要插入结点的
前驱 * /
        {
            p->next = s;                       / * 将 s 结点插入链表中 * /
            s->next = q;
        }
        else
            q->coef + = coef2;                 / * 如果指数与链表中结点的指数相同，则将系数相
加即可 * /
    } while( 1) ;
    return h;
}
```

2. 两个一元多项式的相乘

```
PolyNode  * MultiplyPolyn( PLinkList A, PLinkList B)
/ * 计算两个多项式 A( x) 和 B( x) 的乘积 * /
{
    PolyNode  * pa, * pb, * pc, * u, * h;
    int k, maxExp;
    float coef;
    h = ( PLinkList ) malloc( sizeof( PolyNode ) ) ;          / * 动态生成头结点 * /
```

```
        if(!h)
            return NULL;
        h->coef=0.0;
        h->expn=0;
        h->next=NULL;
        if(A->next!=NULL&&B->next!=NULL)
            maxExp=A->next->expn+B->next->expn;    /*maxExp 为两个链表指数的和的最大值*/
        else
            return h;
        pc=h;
        B=Reverse(B);                               /*使多项式 B(x) 呈指数递增形式*/
        for(k=maxExp;k>=0;k--)                       /*多项式的乘积指数范围为 0~maxExp*/
        {
            pa=A->next;
            while(pa!=NULL&&pa->expn>k)              /*从 pa 指向的多项式中指数小于 k 的结点开
始查找*/
                pa=pa->next;
            pb=B->next;
            while(pb!=NULL&&pa!=NULL&&pa->expn+pb->expn<k)/*如果指数和小于 k, 则使 pb
移到下一个结点*/
                pb=pb->next;
            coef=0.0;
            while(pa!=NULL&&pb!=NULL)
            {
                if(pa->expn+pb->expn==k)             /*如果在链表中找到对应的结点, 即指数和等
于 k, 则求相应的系数*/
                {
                    coef+=pa->coef*pb->coef;
                    pa=pa->next;
                    pb=pb->next;
                }
                else if(pa->expn+pb->expn>k)        /*如果指数和大于 k, 则使 pa 移到下一个结点*/
                    pa=pa->next;
                else
                    pb=pb->next;                    /*如果指数和小于 k, 则使 pb 移到下一个结点*/
            }
            if(coef!=0.0)
            /*如果系数不为 0, 则生成新结点, 将系数和指数分别赋值给新结点, 并将结点插入链
表中*/
            {
                u=(PolyNode*)malloc(sizeof(PolyNode));
                u->coef=coef;
                u->expn=k;
                u->next=pc->next;
                pc->next=u;
                pc=u;
            }
        }
        B=Reverse(B);                               /*完成多项式乘积后, B(x) 呈指数递减形式*/
        return h;
}
PolyNode*Reverse(PLinkList h)
/*将生成的链表逆置, 使一元多项式呈指数递增形式*/
```

```
    {
        PolyNode  * q, * r, * p=NULL;
        q=h->next;
        while( q )
        {
            r=q->next;                      /* r 指向链表的待处理结点 */
            q->next=p;                      /* 将链表结点逆置 */
            p=q;                            /* p 指向刚逆置后的链表结点 */
            q=r;                            /* q 指向下一准备逆置的结点 */
        }
        h->next=p;                          /* 将头结点的指针指向已经逆置后的链表 */
        return h;
    }
```

3. 测试程序

```
    #include<stdlib. h>
    #include<malloc. h>
    /* 一元多项式结点类型 */
    typedef struct polyn
    {
        float coef;         /* 一元多项式的系数 */
        int expn;           /* 一元多项式的指数 */
        struct polyn * next;
    } PolyNode,  * PLinkList;
    PLinkList CreatePolyn( );
    PolyNode  * Reverse( PLinkList h );
    PolyNode  * MultiplyPolyn( PLinkList A, PLinkList B );
    void OutPut( PLinkList h );
    void main( )
    {
        PLinkList A, B, C;
        A = CreatePolyn( );
        printf( "A( x )= " );
        OutPut( A );
        printf( "\n" );
        B = CreatePolyn( );
        printf( "B( x )= " );
        OutPut( B );
        printf( "\n" );
        C = MultiplyPolyn( A, B );
        printf( "C( x )= A( x ) * B( x )= " );
        OutPut( C );/* 输出结果 */
        printf( "\n" );
    }
    void OutPut( PLinkList h )
    /* 输出一元多项式 */
    {
        PolyNode  * p=h->next;
        while( p )
        {
            printf( "%1. 1f", p->coef );
            if( p->expn )
```

```
                    printf(" * x^%d",p->expn);
              if( p->next&&p->next->coef>0)
                    printf(" +");
              p=p->next;
        }
    }
```

程序运行结果如图 2.35 所示。

图 2.35　程序运行结果

思考题
在解决实际问题时，你是如何从多个不同方法中选择更有效的方法的？线性表的顺序存储结构与链式存储结构对你的启发是什么？

2.5　小结

　　线性表是最常用也是最简单的数据结构。

　　线性表是一种可以在任意位置进行插入和删除操作的、由 n 个同类型的数据元素组成的一种线性数据结构。除第一个和最后一个数据元素外，线性表中的每个数据元素都只有一个前驱元素和一个后继元素。其中，第一个数据元素没有前驱元素，最后一个数据元素没有后继元素。

　　线性表通常有两种存储方式：顺序存储和链式存储。采用顺序存储结构的线性表称为顺序表，采用链式存储结构的线性表称为链表。

　　顺序表中，数据元素的逻辑顺序与物理顺序一致，因此可以随机存取。但是顺序表在插入元素和删除元素时需要移动大量的数据元素。

　　链表中的结点由两部分组成：数据域和指针域。数据域存放元素值信息，指针域存放元素之间的地址信息。链表根据结点之间的链接关系分为单链表和双向链表，这两种链表又可以构成单循环链表、双向循环链表。单链表只有一个指针域，指针域指向直接后继结点。单链表的最后一个结点的指针域为空，循环链表的最后一个指针域指向头结点或链表的第一个结点。双向链表有两个指针域，一个指向直接前驱结点，另一个指向直接后继结点。

为了链表操作的方便，往往在链表的第一个结点之前增加一个头结点。设置头结点，在进行插入和删除操作时不需要改变头指针的指向，头指针始终指向头结点。

顺序表的算法实现比较简单，存储空间利用率高。但是需要预先分配好存储空间，插入和删除操作需要移动大量的元素。而链表不需要事先确定存储空间的大小，插入和删除操作不需要移动大量的元素，实现较为复杂。

习　题

一、选择题

1. 对于线性表，在下面哪种情况下应当采用链表表示？（　　）

　　A. 经常需要随机地存取元素　　　　　B. 表中元素需要占据一片连续的存储空间

　　C. 经常需要进行插入和删除操作　　　D. 表中元素的个数不变

2. 在带有头结点的单链表 L 中，要向表头插入一个由指针 p 指向的结点，则需执行（　　）。

　　A. p->next=L->next; L->next=p;　　　B. p->next=L; L=p;

　　C. p->next=L; p=L;　　　　　　　　　D. L=p; p->next=L;

3. 若长度为 n 的线性表采用顺序存储结构，在其第 i 个位置插入一个新元素，算法的时间复杂度为（　　）。

　　A. $O(\log_2 n)$　　　　B. $O(1)$　　　　C. $O(n)$　　　　D. $O(n^2)$

4. 若一个线性表中最常用的操作是存取第 i 个元素和查找第 i 个元素的前驱元素，则采用（　　）存储方式最节省时间。

　　A. 顺序表　　　　B. 单链表　　　　C. 双链表　　　　D. 单循环链表

5. 在一个长度为 n 的顺序表（顺序表中元素的序号从 1 到 n）中，在第 i 个元素之前插入一个新元素时，需向后移动（　　）个元素。

　　A. $n-i$　　　　B. $n-i+1$　　　　C. $n-i-1$　　　　D. i

6. 非空的循环单链表 head 的尾结点 p 满足（　　）。

　　A. p->next==head　　　　　　　　B. p->next==NULL

　　C. p==NULL　　　　　　　　　　　D. p==head

7. 在双向循环链表中，在 p 指针所指向的结点后插入一个指针 q 所指向的新结点，修改指针的操作是（　　）。

　　A. p->next=q;q->prior=p;p->next->prior=q;q->next=q;

　　B. p->next=q;p->next->prior=q;q->prior=p;q->next=p->next;

　　C. q->prior=p;q->next=p->next;p->next->prior=q;p->next=q;

　　D. q->next=p->next;q->prior=p;p->next=q;p->next=q;

8. 在一个长度为 n 的带头结点的单链表 L 中，设有尾指针 r，则执行（　　）操作与链表的表长有关。

　　A. 删除单链表中的第一个元素　　　B. 在单链表中第一个元素前插入新元素

　　C. 删除单链表中的最后一个元素　　D. 在单链表最后一个元素后插入新元素

9. 在一个长度为 n 的顺序表中删除第 i 个元素，需要向前移动（　　）个元素。

　　A. $n-i$　　　　B. $n-i+1$　　　　C. $n-i-1$　　　　D. $i+1$

10. 在双向链表存储结构中，删除 p 指向的结点时，修改指针的操作是（　　）。

A. p->prior->next=p->next; p->next->prior=p->prior;

B. p->prior=p->prior->prior; p->prior->next=p;

C. p->next->prior=p; p->next=p->next->next;

D. p->next=p->prior->prior; p->prior=p->next->next;

11. 在具有 n 个结点的单链表上查找值为 e 的元素时，其时间复杂度为（　　）。

    A. $O(n)$ B. $O(1)$ C. $O(n^2)$ D. $O(n-1)$

12. 一个顺序表的第一个元素的存储地址是 90，每个元素的长度为 2，则第 6 个元素的存储地址是（　　）。

    A. 98   B. 100   C. 102   D. 106

13. 在单链表中，指针 p 指向元素为 e 的结点，实现删除 e 的后继的语句是（　　）。

    A. p=p->next;   B. p->next=p->next->next;

    C. p->next=p;   D. p=p->next->next;

14. 顺序表中，插入一个元素时所需移动的元素的平均数是（　　）。

    A. $(n-1)/2$ B. n C. $n+1$ D. $(n+1)/2$

15. 循环链表的主要优点是（　　）。

    A. 不再需要头指针

    B. 已知某结点位置后能容易地找到其直接前驱

    C. 在进行插入、删除运算时能保证链表不断开

    D. 从表中的任一结点出发都能扫描整个链表

16. 不带头结点的单链表 head 为空的判定条件是（　　）。

    A. head==NULL   B. head->next==NULL

    C. head->next==head   D. head!=NULL

17. 已知指针 p 和 q 分别指向某单链表中的第一个结点和最后一个结点。假设指针 s 指向另一个单链表中的某个结点，则在 s 所指向的结点之后插入上述链表应执行的语句为（　　）。

    A. q->next=s->next; s->next=p;

    B. s->next=p; q->next=s->next;

    C. p->next=s->next; s->next=q;

    D. s->next=q; p->next=s->next;

18. 在一个单链表中，已知 q 所指向的结点是 p 所指向的结点的前驱结点，若在 q 和 p 之间插入一个结点 s，则执行（　　）。

    A. s->next=p->next; p->next=s;

    B. p->next=s->next; s->next=p;

    C. q->next=s; s->next=p;

    D. p->next=s; s->next=q;

二、算法分析题

1. 函数 GetElem 实现返回单链表的第 i 个元素，请在空格处将算法补充完整。其中结点结构为：

data	next

数据域　指针域

```
int GetElem(LinkList L,int i,Datatype * e)
{
    LinkList p;
    int j=1;
    p=L->next;
    while(p&&j<i)
    {
            _____(1)_____;
            ++j;
    }
    if(!p||j>i)
            return-1;
    * e= _____(2)_____;
    return 1;
}
```

2. 下列代码实现单链表的插入算法，请在空格处将算法补充完整。

```
int ListInsert(LinkList L,int i,DataType e)
{
    LNode * p, * s;
    int j=0;
    p=L;
    while((p!=NULL)&&(j<i-1))
    {
        p=p->next;
        j++;
    }
    if(p= =NULL||j>i-1)
        return-1;
    s=(LNode * )malloc(sizeof(LNode));
    s->data=e;
    _____(1)_____;
    _____(2)_____;
    return 1;
}
```

3. 函数 ListDelete 实现删除顺序表中某一元素的算法，请在空格处将算法补充完整。

```
int ListDelete(SList * L,int i)
{
    int k;
    if(i<1||i>L->length)
        return-1;
    for(k=i-1;k<L->length-1;k++)
        L->list[k] = _____(1)_____;
    _____(2)_____;
    return 1;
}
```

4. 下列代码实现单链表的删除算法，请在空格处将算法补充完整。

```
int ListDelete(LinkList L,int i,DataType * s)
{
    LNode * p, * q;
```

```
        int j;
        p=L;j=0;
        while((_____(1)_____)&&(j<i-1))
        {
            p=p->next;j++;
        }
        if(p->next==NULL||j>i-1)
            return-1;
        q=p->next;
        _____(2)_____;
        *s=q->data;
        free(q);
        return 1;
    }
```

5. 写出下列算法的功能。

```
    int L(head)
    {
        LNode * head, * p;
        int n=0;
        p=head;
        while(p!=NULL)
        {
            p=p->next;
            n++;
        }
        return n;
    }
```

三、算法设计题

1. 编写算法，实现带头结点单链表的逆置算法。

2. 有两个循环链表，链头指针分别为 L1 和 L2，要求写出算法将 L2 链表链到 L1 链表之后，且链后仍保持循环链表形式。

3. 编写算法，将一个头指针为 head 的不带头结点的单链表改造为一个单向循环链表，并分析算法的时间复杂度。

4. 已知有两个顺序表 A 和 B，A 中的元素按照递增排列，B 中的元素按照递减排列。试编写一个算法，将 A 和 B 合并成一个顺序表，使其按照递增有序排列，要求不占用额外的存储单元。

5. 已知有两个带头结点的单链表 A 和 B，A 和 B 中的元素由小到大排列，设计一个算法，求 A 和 B 的交集 C，将 A 和 B 中相同的元素插入 C 中。

6. 将一个无序的单链表变成一个有序的单链表，要求从小到大排列并且不占用额外的存储空间。

7. 已知一个双向循环链表 L，设计算法实现将双向循环链表 L 的所有结点逆置。

8. 顺序表 A 和顺序表 B 的元素都是非递减排列的，利用线性表的基本运算将它们合并成一个顺序表 C，要求 C 也是非递减排列的。例如，A=(6,11,11,23)，B=(2,10,12,12,21)，则 C=(2,6,10,11,11,12,12,21,23)。

9. 已知一个整数序列 $A=(a_0,a_1,\cdots,a_{n-1})$，其中 $0 \leqslant a_i < n(0 \leqslant i < n)$。若存在 $a_{p1}=a_{p2}=\cdots=$

a_{pm}=x 且 $m>n/2$（$0 \leqslant p_k < n$，$1 \leqslant k \leqslant m$），则称 x 为 A 的主元素。例如 A＝(0,5,5,3,5,7,5,5)，则 5 为主元素；又如 A＝(0,5,5,3,5,1,5,7)，则 A 中没有主元素。假设 A 中的 n 个元素保存在一个一维数组中，请设计一个尽可能高效的算法，找出 A 的主元素。若存在主元素，则输出该元素；否则输出−1。要求：

1）给出算法的基本设计思想。

2）根据算法设计思想，采用 C 语言描述算法。

3）说明算法的时间复杂度和空间复杂度。

10. 假定采用带头结点的单链表保存单词，当两个单词有相同的后缀时，则可共享相同的后缀存储空间。例如，"loading" 和 "being" 的存储映像如图 2.36 所示。

图 2.36　"loading" 和 "being" 的存储映像

设 str1 和 str2 分别指向两个单词所在单链表的头结点，链表结点结构为 | data | next |，请设计一个时间上尽可能高效的算法，找出由 str1 和 str2 所指向的两个链表共同后缀的起始位置（如图中字符 i 所在结点的位置 p）。要求：

1）给出算法的基本设计思想。

2）根据算法设计思想，请采用 C 语言描述算法。

3）说明算法的时间复杂度。

第 3 章
栈与队列

栈和队列是操作受限的线性结构。栈具有线性表的特点：除了第一个元素和最后一个元素外，其余的每一个元素都只有一个前驱元素和后继元素，但在操作上与线性表不同，栈只允许在表的一端进行插入和删除操作。栈的应用十分广泛，在表达式求值、括号匹配等操作中经常用到。队列的特殊性在于只能在表的一端进行插入操作，在另一端进行删除操作。队列在操作系统和事务管理等软件设计中的应用非常广泛，例如，键盘输入缓冲区问题就是利用队列的思想实现的。

3.1 栈的表示与实现

栈作为一种限定性线性表，只允许在表的一端进行插入和删除操作。

3.1.1 栈的定义

栈（Stack），也称为堆栈，是一种特殊的线性表，只允许在表的一端进行插入和删除操作。允许在表操作的一端称为栈顶（Top），另一端称为栈底（Bottom）。栈顶是动态变化的，它由一个称为栈顶指针的变量指示。当表中没有元素时，称为空栈。

栈的插入操作称为入栈或进栈，删除操作称为出栈或退栈。

在栈 $S=(a_1,a_2,\cdots,a_n)$ 中，a_1 称为栈底元素，a_n 称为栈顶元素。栈中的元素按照 $a_1,a_2,\cdots,$ a_n 的顺序依次进栈，当前的栈顶元素为 a_n。最先入栈的元素位于栈底，最后入栈的元素位于栈顶。每次删除的元素是栈顶元素，也就是最后入栈的元素。因此，栈是一种后进先出的线性表。栈的示意图如图 3.1 所示。

图 3.1 栈的示意图

在图 3.1 中，a_1 是栈底元素，a_n 是栈顶元素，由栈顶指针 top 指示，最先出栈的元素是 a_n，最后出栈的元素是 a_1。

可以把栈想象成一个木桶，先放进去的东西在下面，后放进去的东西在上面，最先取出来的是最后放进去的，最后取出来的是最先放进去的。

图 3.2 所示为元素 A、B、C、D 和 E 依次入栈和出栈的过程。

如果一个入栈的序列由 A、B、C 组成，那么它的出栈序列有 ABC、ACB、BAC、BCA 和 CBA 这 5 种情况，只有 CAB 是不可能的输出序列。

图 3.2 元素 A、B、C、D、E 依次入栈和出栈的过程

3.1.2 栈的抽象数据类型

栈的抽象数据类型定义了栈中的数据对象、数据关系及基本操作。栈的抽象数据类型定义如下：

```
ADT Stack
{
        数据对象:D={a_i|a_i∈ElemSet,i=1,2,…,n,n≥0}
        数据关系:R={<a_{i-1},a_i>|a_{i-1},a_i∈D,i=2,3,…,n}
                约定 a_1 端为栈底,a_n 端为栈顶。
基本操作:
(1) InitStack(&S)
初始条件:栈 S 不存在。
操作结果:建立一个空栈 S。
这就像盖房子前，先打了地基，建好框架结构，准备垒墙。
(2) StackEmpty(S)
初始条件:栈 S 已存在。
操作结果:若栈 S 为空,则返回 1,否则返回 0。
栈为空类似于打好了地基，还没有开始垒墙。栈不为空类似于开始垒墙。
(3) GetTop(S,&e)
初始条件:栈 S 存在且非空。
操作结果:返回栈 S 的栈顶元素给 e。
栈顶就像刚垒好的墙的最上面一层砖。
(4) PushStack(&S,x)
初始条件:栈 S 已存在。
操作结果:将元素 x 插入栈 S 中,使其成为新的栈顶元素。
这就像在墙上放置了一层砖，成为墙的最上面一层。
(5) PopStack(&S,&e)
初始条件:栈 S 存在且非空。
操作结果:删除栈 S 的栈顶元素,并用 e 返回其值。
这就像拆墙，需要把墙的最上面一层从墙上取下来。
(6) StackLength(S)
初始条件:栈 S 已存在。
操作结果:返回栈 S 的元素个数。
这就像整个墙由多少层组成。
(7) ClearStack(S)
初始条件:栈 S 已存在。
操作结果:将栈 S 清为空栈。
这就像把墙全部拆除。
} ADT Stack
```

与线性表一样，栈也有两种存储表示：顺序存储和链式存储。

3.1.3　顺序栈

1. 栈的顺序存储结构

采用顺序存储结构的栈称为顺序栈。顺序栈利用一组连续的存储单元存放栈中的元素，存放顺序依次从栈底到栈顶。另外，增加一个栈顶指针 top，用于指向顺序栈的栈顶元素。

栈的顺序存储结构的类型描述如下：

```
#define StackSize 100
typedef struct
{
    DataType stack[StackSize];
    int top;        /*栈顶指针*/
}SeqStack;
```

用数组表示的顺序栈如图 3.3 所示。将元素 A、B、C、D、E、F、G、H 依次入栈，栈底元素为 A，栈顶元素为 H。在本书中，约定栈顶指针 top 指向栈顶元素的下一个位置（而不是栈顶元素）。

图 3.3　顺序栈

📖 **说明：**

1）初始时，栈为空，栈顶指针为 0，即 S. top=0。

2）栈空条件为 S. top==0，栈满条件为 S. top==StackSize−1。

3）入栈操作时，先将元素压入栈中，即 S. stack[S. top]=e，然后使栈顶指针加 1，即 S. top++。出栈操作时，先使栈顶指针减 1，即 S. top−−，然后元素出栈，即 e=S. stack[S. top]。

4）栈的长度即栈中元素的个数，为 S. top。

🔊 **注意：**当栈中的元素个数为 StackSize 时，称为栈满。当栈满时进行入栈操作，将产生上溢错误。如果对空栈进行删除操作，则产生下溢错误。因此，在对栈进行入栈或出栈操作前，要判断栈是否已满或已空。

2. 顺序栈的基本运算

顺序栈的基本运算如下（以下算法的实现保存在文件"SeqStack. h"中）。

1）栈的初始化。

扫码看视频

```
void InitStack(SeqStack  * S)
/*栈的初始化*/
{
    S->top=0;              /*把栈顶指针置为0*/
}
```

2）判断栈是否为空。

```
int StackEmpty(SeqStack S)
/*判断栈是否为空,栈为空返回1,否则返回0*/
{
    if(S.top==0)                      /*当栈顶指针 top 为 0*/
        return 1;                     /*返回1*/
    else                              /*否则*/
        return 0;                     /*返回0*/
}
```

3）取栈顶元素。

```
int GetTop(SeqStack S, DataType * e)
/*取栈顶元素。将栈顶元素值返回给e*/
{
    if(S.top<=0)                      /*取栈顶元素前,判断栈是否为空*/
    {
        printf("栈已经为空!\n");
        return 0;
    }
    else
    {
        *e=S.stack[S.top-1];          /*取栈顶元素*/
        return 1;
    }
}
```

📢 **注意**：取栈顶元素并不是将元素出栈，这里的操作是 S. stack[S. top-1]，并没有修改栈顶指针 top 的取值，即不是 S. stack[--S. top]或 S. stack[S. top--]。

4）入栈操作。

```
int PushStack(SeqStack  * S,DataType e)
/*将元素 e 入栈,元素入栈成功返回1,否则返回0. */
{
    if(S->top>=StackSize)             /*元素入栈前,判断栈是否已经满*/
    {
        printf("栈已满,不能入栈!\n");
        return 0;
    }
    else
    {
        S->stack[S->top]=e;           /*元素 e 入栈*/
        S->top++;                     /*修改栈顶指针*/
        return 1;
    }
}
```

5）出栈操作。

```
int PopStack(SeqStack  * S,DataType * e)
/*出栈操作。将栈顶元素出栈,并将其赋值给e。出栈成功返回1,否则返回0 */
{
```

```
            if(S->top==0)                /* 元素出栈之前，判断栈是否为空 */
            {
                printf("栈已经没有元素，不能出栈!\n");
                return 0;
            }
            else
            {
                S->top--;                /* 先修改栈顶指针 */
                *e=S->stack[S->top];     /* 将出栈元素赋值给 e */
                return 1;
            }
        }
```

6) 返回栈的长度。

```
int StackLength(SeqStack S)
/* 返回栈的长度 */
{
    return S. top;
}
```

7) 清空栈。

```
void ClearStack(SeqStack *S)
/* 清空栈 */
{
    S->top=0;                /* 将栈顶指针置为 0 */
}
```

3. 共享栈

栈的应用非常广泛，经常会出现一个程序需要同时使用多个栈的情况。使用顺序栈会因为栈空间的大小难以准确估计，从而造成有的栈溢出，有的栈还有空闲。为了解决这个问题，可以让多个栈共享一个足够大的连续存储空间，利用栈的动态特性使栈空间能够互相补充，使存储空间得到有效利用，这就是栈的共享，这些栈被称为共享栈。

在栈的共享问题中，最常用的是两个栈的共享。共享栈主要通过栈底固定、栈顶迎面增长的方式实现。让两个栈共享一个一维数组 stack[StackSize]，两个栈底设置在数组的两端，当有元素入栈时，栈顶位置从栈的两端向中间迎面增长，当两个栈顶相遇时，栈满。

共享栈（两个栈共享一个连续的存储空间）的数据结构类型描述如下：

```
typedef struct
{
    DataType stack[StackSize];
    int top[2];
} SSeqStack;
```

其中，top[0]和top[1]分别是两个栈的栈顶指针。

例如，共享栈的存储表示如图 3.4 所示。

共享栈的算法操作保存在文件"SSeqStack. h"中。

图 3.4　共享栈的存储表示

3.1.4　链栈

1. 栈的链式存储结构

采用链式存储方式的栈称为链栈或链式栈。栈的插入与删除操作仅在表头位置进行，表头指针可作为栈顶指针，采用带头结点的单链表表示的栈如图 3.5 所示。

图 3.5　采用带头结点的单链表表示的栈

在图 3.5 中，top 为栈顶指针，始终指向栈顶元素前面的头结点。

链栈结点的类型描述如下：

```
typedef struct node
{
    DataType data;
    struct node * next;
}LStackNode, * LinkStack;
```

链栈的入栈操作与链表的插入操作类似，出栈操作与链表的删除操作类似。关于链栈的操作说明如下：

1）链栈通过链表实现，链表的第一个结点位于栈顶，最后一个结点位于栈底。

2）设栈顶指针为 top，初始化时，对于不带头结点的链栈，top=NULL；对于带头结点的链栈，top->next=NULL。

3）不带头结点的栈空条件为 top==NULL，带头结点的栈空条件为 top->next==NULL。

2. 链栈的基本运算

链栈基本运算的具体实现如下（以下算法的实现保存在文件"LinkStack. h"中）：

1）链栈的初始化。

```
void InitStack( LinkStack * top)
/ * 链栈的初始化 * /
{
    if(( * top=(LinkStack)malloc(sizeof(LStackNode)))==NULL)      / * 为头结点分配一个存储
空间 * /
        exit(-1);
    ( * top)->next=NULL;          / * 将链栈的头结点指针域置为空 * /
}
```

2）判断链栈是否为空。

```
int StackEmpty(LinkStack top)
/*判断链栈是否为空*/
{
    if(top->next==NULL)                          /*如果链栈为空*/
        return 1;                                /*返回1*/
    else                                         /*否则*/
        return 0;                                /*返回0*/
}
```

3）入栈操作。入栈操作就是将新元素结点插入链表的第一个结点之前，分为两个步骤：①p->next＝top->next；②top->next＝p。入栈操作如图 3.6 所示。

图 3.6　入栈操作

```
int PushStack(LinkStack top, DataType e)
/*入栈操作*/
{
    LStackNode * p;
    if((p=(LStackNode * )malloc(sizeof(LStackNode)))==NULL)
    {
        printf("内存分配失败!");
        exit(-1);
    }
    p->data=e;              /*指针p指向头结点*/
    p->next=top->next;
    top->next=p;
    return 1;
}
```

4）出栈操作。出栈操作就是将单链表中的第一个结点删除，将结点的元素赋值给 e，并释放结点空间。在元素出栈前，要判断栈是否为空。出栈操作如图 3.7 所示。

图 3.7　出栈操作

```
int PopStack(LinkStack top,DataType * e)
/*出栈操作*/
{
    LStackNode * p;
    p=top->next;
    if(!p)              /*判断链栈是否为空*/
    {
```

```
        printf("栈已空");
        return 0;
    }
    top->next=p->next;              /*将栈顶结点与链表断开*/
    *e=p->data;                     /*将出栈元素赋值给 e*/
    free(p);                        /*释放 p 指向的结点*/
    return 1;
}
```

5）取栈顶元素。

```
void GetTop(LinkStack top,DataType *e)
/*取栈顶元素*/
{
    LStackNode *p;
    p=top->next;                    /*指针 p 指向栈顶结点*/
    if(!p)
    {
        printf("栈已空");
        return 0;
    }
    *e=p->data;                     /*将 p 指向的结点元素赋值给 e*/
    return 1;
}
```

6）求表长操作。

```
int StackLength(LinkStack top)
/*求表长操作。依次从栈顶指针开始,通过结点的指针域访问每一个结点并计数,返回表的长度
值*/
{
    LStackNode *p;
    int count=0;                    /*定义一个计数器,并初始化为 0*/
    p=top;                          /*p 指向栈顶指针*/
    while(p->next!=NULL)            /*如果栈中还有结点*/
    {
        p=p->next;                  /*依次访问栈中的结点*/
        count++                     /*每次找到一个结点,计数器累加 1*/
    }
    return count;                   /*返回栈的长度*/
}
```

求表长操作就是求链栈的元素个数，必须从栈顶指针（即从链表的头指针）开始，依次访问每个结点，并利用计数器计数，直到栈底为止。求表长的时间复杂度为 $O(n)$。

7）销毁链栈。

```
void DestroyStack(LinkStack top)
/*销毁链栈*/
{
    LStackNode *p,*q;
    p=top;
    while(!p)                /*如果栈不为空*/
    {
```

```
        q=p;                    /*q 指向要释放的结点*/
        p=p->next;              /*p 指向下一个结点，即下一次要释放的结点*/
        free(q);                /*释放 q 指向的结点空间*/
    }
}
```

3.2　栈的应用

栈结构具有后进先出的特性，是一种重要的数据结构，它在计算机中的应用非常广泛。在程序的编译和运行过程中，需要利用栈对程序的语法进行检查，如括号的配对、表达式求值和函数的递归调用等。

3.2.1　数制转换

将十进制数 N 转换为 x 进制数，可采用辗转相除法。算法步骤如下：

1）将 N 除以 x，取其余数。

2）判断商是否为零。如果为零，则结束程序；否则，将商送 N，转 1）继续执行。

上面算法所得到的余数序列正好与 x 进制数的数字顺序相反，因此利用栈的后进先出特性，先把得到的余数依次入栈保存，再依次出栈得到 x 进制的数字序列。

例如，$(1568)_{10}=(3040)_8$，其运算过程如下：

N	$N/8$	$N\%8$
1568	196	0
196	24	4
24	3	0
3	0	3

扫码看视频

十进制数转换为八进制数的算法描述如下：

```
    void Coversion( int N)
    /*利用栈定义和栈的基本操作实现十进制数转换为八进制数。利用辗转相除法依次得到余数，并
    将余数入栈，利用栈的后进先出的思想；最后出栈得到八进制序列*/
    {
        SeqStack S;                 /*定义一个栈*/
        int x;                      /*x 用来保存每一次得到的余数*/
        InitStack(&S);              /*初始化栈*/
        while(N>0)
        {
            x=N%8;                  /*将余数存入 x 中*/
            PushStack(&x);          /*余数入栈*/
            N=/8;                   /*辗转相除，将得到的商赋值给 N，作为新的被除数*/
        }
        while( !StackEmpty(S))       /*如果栈不空，将栈中元素依次出栈*/
        {
            PopStack(&S,&x);
            printf("d",x);          /*输出八进制数*/
        }
    }
```

☞ **思考**：以上算法也可以直接利用数组或链表模拟栈来实现，读者可以编写算法进行验证。

3.2.2　行编辑程序

一个简单的行编辑程序的功能是：接收用户输入的程序或数据，并存入数据区。由于用户进行输入时有可能出现差错，因此，在编辑程序中每接收一个字符即存入数据区的做法显然是不恰当的。比较好的做法是，设立一个输入缓冲区，用来接收用户输入的一行字符，然后逐行存入数据区。如果用户输入出现错误，那么在发现输入有误时应及时更正。例如，当用户发现刚刚输入的一个字符是错误的时候，可以输入一个退格符"#"，以表示前一个字符无效；如果发现当前输入的行内差错较多时，则可以输入一个退行符"@"，以表示当前行中的字符均无效。

例如，假设从终端接收了这样两行字符：

```
whl#ike##le(s#*s)
    opintf@ putchar( *s==##++);
```

则实际有效的是下面的两行：

```
while( *s)
    putchar( *s++);
```

为了纠正以上的输入错误，可以设置一个栈，每次读入一个字符，如果这个字符不是"#"或"@"，则将该字符入栈；如果读入的字符是"#"，则将栈顶的字符出栈；如果读入的字符是"@"，则将栈清空。

【例3.1】试利用栈的"后进先出"思想编写一个行编辑程序，前一个字符输入有误时，可输入"#"消除。当输入的一行有误时，可输入"@"消除当前行的字符序列。

【分析】逐个检查输入的字符序列，如果当前的字符不是"#"和"@"，则将该字符入栈；如果字符是"#"，则将栈顶的字符出栈；如果当前字符是"@"，则清空栈。

行编辑算法描述如下：

```
void LineEdit( )
/*行编辑程序*/
{
    SeqStack S;
    char ch;
    DataType e;
    DataType a[50];
    int i,j=0;
    InitStack(&S);
    printf("输入字符序列（"#"使前一个字符无效，"@"使当前行的字符无效).\n");
    ch=getchar( );
    while(ch!='\n')
    {
        switch(ch)
        {
            case '#':       /*如果当前的输入字符是"#"，且栈不为空，则将栈顶字符出栈*/
                if(!StackEmpty(S))
                    PopStack(&S,&ch);
                break;
            case '@':       /*如果当前的输入字符是"@"，则将栈清空*/
                ClearStack(&S);
```

```
                    break;
            default:                      /*如果当前的输入字符不是"#"和"@"，则将字符入栈*/
                PushStack(&S,ch);
        }
        ch=getchar();                     /*读入下一个字符*/
    }
    while(!StackEmpty(S))
    {
        PopStack(&S,&e);                  /*将字符出栈，并存入数组a中*/
        a[j++]=e;
    }
    for(i=j-1;i>=0;i--)                   /*输出正确的字符序列*/
        printf("%c",a[i]);
    printf("\n");
    ClearStack(&S);
}
```

程序运行结果如图3.8所示。

图3.8　程序运行结果

3.2.3　算术表达式求值

扫码看视频

表达式求值是程序设计语言编译中的一个基本问题。在编译系统中，需要把人们便于理解的表达式翻译成计算机理解的表示序列，此时就可以利用栈的"后进先出"特性实现表达式的转换。

一个表达式由操作数（Operand）、运算符（Operator）和分界符（Delimiter）组成。一般地，操作数可以是常数，也可以是变量；运算符可以是算术运算符、关系运算符和逻辑运算符；分界符包括左右括号和表达式的结束符等。为了简化问题的描述，我们仅讨论简单算术表达式的求值问题。这种表达式只包含加、减、乘、除4种运算符以及左、右圆括号。

计算机编译系统在计算算术表达式的值时，需要先将中缀表达式转换为后缀表达式，然后求解表达式的值。

1. 将中缀表达式转换为后缀表达式

例如，一个算术表达式为：

　　a-(b+c*d)/e

算术表达式中的运算符总是出现在两个操作数之间，这种算术表达式称为中缀表达式。编译系统在计算一个算术表达式之前，要将中缀表达式转换为后缀表达式，然后对后缀表达式进行计算。在后缀表达式中，算术运算符出现在操作数之后，并且不含括号。

上面的算术表达式对应的后缀表达式为：

　　abcd*+e/-

中缀表达式与后缀表达式相比，具有以下两个特点：

1）后缀表达式与中缀表达式操作数的出现顺序相同，只是运算符先后顺序改变了。

2）后缀表达式不出现括号。

> 📖 **说明**：由于后缀表达式具有以上特点，所以编译系统在处理时不必考虑运算符的优先关系。只要从左到右依次扫描后缀表达式的各个字符即可，当读到的字符为运算符时，对运算符前面的两个操作数利用该运算符运算，并将运算结果作为新的操作对象替换两个操作数和运算符，继续扫描后缀表达式，直到处理完毕。

综上，表达式的运算分为两个步骤：

1）将中缀表达式转换为后缀表达式。

2）依据后缀表达式计算表达式的值。

将一个算术表达式的中缀形式转换为相应的后缀形式前，需要先了解算术四则运算的规则。算术四则运算的规则有：

1）先计算乘除，后计算加减。

2）先计算括号内的表达式，后计算括号外的表达式。

3）同级别的运算从左到右进行计算。

如何将中缀表达式转换为后缀表达式呢？可设置一个运算符栈，用于存储转换过程中的运算符。依次读入表达式中的每个字符，如果是操作数，则直接输出；如果是运算符，则比较栈顶运算符与当前运算符的优先级，然后决定入栈或出栈操作，直到整个表达式处理完毕。这里，约定 "#" 作为后缀表达式的结束标志，假设栈顶运算符为 θ_1，当前扫描的运算符为 θ_2。

中缀表达式转换为后缀表达式的算法如下：

1）初始化栈，将 "#" 入栈。

2）如果当前读入的字符是操作数，则将该操作数输出，并读入下一个字符。

3）如果当前字符是运算符，记作 θ_2，则将 θ_2 与栈顶的运算符 θ_1 比较。如果栈顶的运算符 θ_1 的优先级低于当前运算符 θ_2，则将当前运算符 θ_2 入栈；如果栈顶的运算符 θ_1 的优先级高于当前运算符 θ_2，则将栈顶运算符 θ_1 出栈，并将其作为后缀表达式输出。然后继续比较新的栈顶运算符 θ_1 与当前运算符 θ_2 的优先级，如果栈顶运算符 θ_1 的优先级与当前运算符 θ_2 相等，且 θ_1 为 "（"，θ_2 为 "）"，则将 θ_1 出栈，继续读入下一个字符。

4）如果当前运算符 θ_2 的优先级与栈顶运算符 θ_1 相等，且 θ_1 和 θ_2 都为 "#"，则将 θ_1 出栈，栈为空。此时，中缀表达式转换为了后缀表达式，算法结束。

扫码看视频

运算符优先关系表如表 3.1 所示。

表 3.1　运算符优先关系表

θ_1	θ_2						
	+	−	*	/	（	）	#
+	>	>	<	<	<	>	>
−	>	>	<	<	<	>	>
*	>	>	>	>	<	>	>
/	>	>	>	>	<	>	>
（	<	<	<	<	<	=	
）	>	>	>	>		>	>
#	<	<	<	<	<		=

中缀表达式 a-(b+c*d)/e 转换为后缀表达式的输出过程如表 3.2 所示。其中，a、b、c、d、e 均为操作数。

表 3.2 中缀表达式 a-(b+c*d)/e 转换为后缀表达式的输出过程

步骤	中缀表达式	栈	输出 后缀表达式	步骤	中缀表达式	栈	输出 后缀表达式
1	a-(b+c*d)/e#	#		9	)/e#	#-(+*	abcd
2	-(b+c*d)/e#	#	a	10	/e#	#-(+	abcd*
3	(b+c*d)/e#	#-	a	11	/e#	#-(	abcd*+
4	b+c*d)/e#	#-(	a	12	/e#	#-	abcd*+
5	+c*d)/e#	#-(	ab	13	e#	#-/	abcd*+
6	e*d)/e#	#-(+	ab	14	#	#-/	abcd*+e
7	*d)/e#	#-(+	abc	15	#	#-	abcd*+e/
8	d)e#	#-(+*	abc	16	#	#	abcd*+e/-

2. 后缀表达式的计算

计算后缀表达式的值时需要设置一个操作数栈（Operand 栈），用于存放操作数和中间运算结果。依次读入后缀表达式中的每个字符，如果是操作数，则将操作数入栈；如果是运算符，则将操作数出栈两次，然后对操作数进行当前操作符的运算，并将其存入操作数栈，直到整个表达式处理完毕。

后缀表达式的求值算法如下（假设栈顶运算符为 θ_1，当前扫描的运算符为 θ_2）：

1）初始化栈。

2）如果当前读入的字符是操作数，则将该操作数入栈。

3）如果当前字符是运算符 θ，则退栈两次，分别得到操作数 x 和 y，对 y 和 x 进行 θ 运算，即 $y\,\theta\,x$，得到中间结果 z，将 z 入栈。

4）重复执行步骤 2）和 3），直到表达式处理完毕为止。此时，栈中只有一个栈顶元素，即为所求表达式的值。

在求解表达式的值时，可像上面那样分别对将中缀表达式转换为后缀表达式和求解后缀表达式的值这两个过程进行处理，也可以将两个过程合并处理，也就是直接求解表达式的值。其算法描述如下：

1）初始化运算符 Operator 栈和操作数 Operand 栈，将"#"存入 Operator 栈中。

2）依次读取中缀表达式中的每个字符，若当前字符 ch 不为"#"，或 Operator 栈的栈顶元素不为"#"，则执行以下操作：

① 如果 ch 为操作数，则将其入 Operand 栈，并读取下一个字符到 ch 中。

② 如果 ch 为运算符，则比较 Operator 栈的栈顶元素 θ 与 ch 的优先级，根据优先级高低进行相应的处理：

若 Priority(θ, ch) = '>'，即栈顶元素的优先级高于当前字符优先级，则对 Operator 栈进行出栈操作，得到运算符 θ，并将 Operand 栈中的元素出栈两次，分别得到元素 x 和 y，执行 $y\,\theta\,x$，将运算结果入 Operand 栈。

若 Priority(θ, ch) = '<'，即栈顶元素的优先级低于当前字符优先级，则将 ch 入 Operator 栈，并读取下一个字符到 ch 中。

若 Priority(θ, ch) = '='，即栈顶元素的优先级等于当前字符优先级，则说明栈顶是"("，当前字符是"）"，则将 Operator 栈中的元素出栈，并读取下一个字符到 ch 中。

当算法执行完毕后，Operand 中只有一个栈顶元素，即为所求表达式的值。

两种方法在本质上是相同的，都借助了栈的后进先出的特性来实现表达式的求值。相同点是都使用了两个栈：操作数栈和运算符栈。区别在于，前者可输出转换后的后缀表达式，后者则直接计算出表达式的值。

3. 表达式的运算举例

【例 3.2】利用栈将中缀表达式(6-2)＊5+(9+2)/2-7 转换为后缀表达式，并计算后缀表达式的值。

【分析】设置两个字符数组 str 和 exp，str 用来存放中缀表达式的字符串，exp 用来存放后缀表达式的字符串。将中缀表达式转换为后缀表达式的方法是：依次扫描中缀表达式，如果遇到数字，则将其存入数组 exp 中；如果遇到运算符，则将栈顶运算符与当前运算符比较。如果当前运算符的优先级大于栈顶运算符的优先级，则将当前运算符入栈。如果栈顶运算符的优先级大于当前运算符的优先级，则将栈顶运算符出栈，并保存到数组 exp 中。

中缀表达式(6-2)＊5+(9+2)/2-7#转换为后缀表达式的具体过程如图 3.9 所示（为了转换方便，在要转换表达式的末尾加一个"#"作为结束标记）。

图 3.9　中缀表达式(6-2)＊5+(9+2)/2-7#转换为后缀表达式的过程

图 3.9　中缀表达式(6−2)＊5+(9+2)/2−7#转换为后缀表达式的过程（续）

转换后的后缀表达式为62−5＊92+2/+7−。为了处理方便，在遇到数字字符时，需要在其后补一个空格，作为分隔符。中缀表达式转换为后缀表达式的算法如下：

```
void TranslateExpress( char str[ ],char exp[ ] )
/＊中缀表达式转换为后缀表达式＊/
{
    SeqStack S;              /＊定义一个栈，用于存放运算符＊/
    char ch;
    DataType e;
    int i=0,j=0;
    InitStack(&S);
    ch=str[i];
    i++;
    while(ch!='\0')         /＊依次扫描中缀表达式中的每个字符＊/
    {
        switch(ch)
        {
        case'(':            /＊如果当前字符是左括号，则将其入栈＊/
            PushStack(&S,ch);
            break;
        case')':            /＊如果是右括号，则将栈中的运算符出栈，并将其存入数组 exp 中＊/
            while(GetTop(S,&e)&&e!='(')
            {
                PopStack(&S,&e);
                exp[j]=e;
                j++;
            }
            PopStack(&S,&e);        /＊将左括号出栈＊/
            break;
        case'+':
        case'-':                     /＊如果遇到的是"+"和"−"，因为其优先级低于栈顶运
算符的优先级，所以先将栈顶字符出栈，并将其存入数组 exp 中，然后将当前运算符入栈＊/
            while( !StackEmpty(S)&&GetTop(S,&e)&&e!='(')
            {
                PopStack(&S,&e);
                exp[j]=e;
                j++;
            }
            PushStack(&S,ch);        /＊当前运算符入栈＊/
```

```
                                    break;
                            case'*':
                            case'/':                /*若遇到"*"和"/",先将同级运算符出栈,并存入数组 exp 中,
                然后将当前的运算符入栈*/
                                while(!StackEmpty(S)&&GetTop(S,&e)&&e=='/'||e=='*')
                                {
                                    PopStack(&S,&e);
                                    exp[j]=e;
                                    j++;
                                }
                                PushStack(&S,ch); /*当前运算符入栈*/
                                break;
                            case' ':                /*如果遇到空格,则忽略*/
                                break;
                            default:                /*若遇到操作数,则将操作数直接送入数组 exp 中,并在其后添加
                一个空格来分隔数字字符*/
                                while(ch>='0'&&ch<='9')
                                {
                                    exp[j]=ch;
                                    j++;
                                    ch=str[i];
                                    i++;
                                }
                                i--;
                                exp[j]=' ';
                                j++;
                        }
                        ch=str[i];                /*读入下一个字符,准备处理*/
                        i++;
                    }
                    while(!StackEmpty(S))      /*将栈中所有剩余的运算符出栈,送入数组 exp 中*/
                    {
                        PopStack(&S,&e);
                        exp[j]=e;
                        j++;
                    }
                    exp[j]='\0';
                }
```

将中缀表达式转换为后缀表达式的另外一种写法如下。

```
        void TranslateExpress2(char str[],char exp[])
        {
            Optr_Stack Optr;                        //运算符栈
            OPTRType e;
            int error=0;
            int i=0,j=0;
            char ch=str[i];
            InitOptrStack(&Optr);
            PushOptrStack(&Optr,'#');
            while(ch!='#'||GetOptrTop(Optr,&e)!=0&&e!='#')
            {
                if(IsOPRT(ch))                      //读入的是运算符
```

```
        {
            GetOptrTop(Optr,&e);
            switch(Priority(e,ch)){
                case '<':
                    PushOptrStack(&Optr,ch);
                    i++;
                    ch=str[i];
                    break;
                case '=':
                    PopOptrStack(&Optr,&e);
                    i++;
                    ch=str[i];
                    break;
                case '>':
                    PopOptrStack(&Optr,&e);
                    exp[j]=e;
                    j++;
                    exp[j]=' ';
                    j++;
                    break;
                case '! ':
                    printf("Syntax Error!");
                    error=1;
                    break;
            }
        }
        else
        {
            while(ch>='0'&&ch<='9')
            {
                exp[j]=ch;
                j++;
                ch=str[++i];
            }
            exp[j]=' ';
            j++;
        }
    }
    exp[j]='\0';
}
```

在计算后缀表达式的值时，需要借助操作数栈实现表达式求值，其运算过程如图 3.10 所示。

图 3.10　后缀表达式 6 2-5 ＊ 9 2 + 2／ + 7 -的运算过程

图 3.10　后缀表达式 6 2-5 ∗ 9 2 + 2 / + 7 -的运算过程（续）

计算后缀表达式的值的算法如下：

```
float ComputeExpress( char a[ ])
/*计算后缀表达式的值*/
{
    OpStack S;                              /*定义一个操作数栈*/
    int i=0,value;
    float x1,x2;
    float result;
    S. top=-1;                              /*初始化栈*/
    while(a[i]!='\0')                       /*依次扫描后缀表达式中的每个字符*/
    {
        if(a[i]!=' '&&a[i]>='0'&&a[i]<='9')      /*如果当前字符是数字字符*/
        {
            value=0;
            while(a[i]!=' ')                /*如果不是空格,则说明是两位数以上的数字字符*/
            {
                value=10*value+a[i]-'0';
                i++;
            }
            S. top++;
            S. data[S. top]=value;          /*处理之后将数字入栈*/
        }
        else                                /*如果当前字符是运算符*/
        {
            switch(a[i])                    /*将栈中的数字出栈两次,然后用当前的运算符进行
运算,再将结果入栈*/
            {
                case '+':
                    x1=S. data[S. top];
```

```
                    S. top--;
                    x2=S. data[S. top];
                    S. top--;
                    result=x1+x2;
                    S. top++;
                    S. data[S. top]=result;
                    break;
                case '-':
                    x1=S. data[S. top];
                    S. top--;
                    x2=S. data[S. top];
                    S. top--;
                    result=x2-x1;
                    S. top++;
                    S. data[S. top]=result;
                    break;
                case '*':
                    x1=S. data[S. top];
                    S. top--;
                    x2=S. data[S. top];
                    S. top--;
                    result=x1*x2;
                    S. top++;
                    S. data[S. top]=result;
                    break;
                case '/':
                    x1=S. data[S. top];
                    S. top--;
                    x2=S. data[S. top];
                    S. top--;
                    result=x2/x1;
                    S. top++;
                    S. data[S. top]=result;
                    break;
                }
            i++;
            }
        }
    if(!S. top!=-1)            /*如果栈不为空,将结果出栈,并返回*/
    {
        result=S. data[S. top];
        S. top--;
        if(S. top==-1)
            return result;
        else
        {
            printf("表达式错误");
            exit(-1);
        }
    }
}
```

测试程序如下：

```
#include<stdio. h>
typedef char DataType;
#include" SeqStack. h"
#define MaxSize 50
/ *操作数栈定义 * /
typedef struct
{
    float data[ MaxSize];
    int top;
} OpStack;
void TranslateExpress( char s1[ ],char s2[ ]);
float ComputeExpress( char s[ ]);
void main( )
{
    char a[ MaxSize],b[ MaxSize];
    float f;
    printf(" 请输入一个算术表达式:\n" );
    gets( a);
    printf(" 中缀表达式为:%s\n" ,a);
    TranslateExpress( a,b);
    printf(" 后缀表达式为:%s\n" ,b);
    f= ComputeExpress( b);
    printf(" 计算结果:%f\n" ,f);
}
```

程序运行结果如图 3.11 所示。

图 3.11　程序运行结果

3.3　栈的递归

程序设计中递归的设计利用了栈的"后进先出"的思想。利用栈可以将递归程序转换为非递归程序。

3.3.1　递归

递归是指在函数的定义中，在定义自己的同时又出现了对自身的调用。如果一个函数在函数体中直接调用自己，则称为直接递归函数。如果经过一系列的中间调用，间接调用自己的函数，则称为间接递归调用。

1. 递归函数

例如，n 的阶乘递归定义如下：

$$\mathrm{fact}(n)=\begin{cases}1, & \text{当 } n=0 \text{ 时}\\ n\times\mathrm{fact}(n-1), & \text{当 } n>0 \text{ 时}\end{cases}$$

n 的阶乘算法如下：

```
int fact(int n)
{
    if(n==1)
        return 1;
    else
        n * fact(n-1);
}
```

Ackerman 函数的定义如下：

$$\mathrm{Ack}(m,n)=\begin{cases}n+1, & \text{当 } m=0 \text{ 时}\\ \mathrm{Ack}(m-1,1), & \text{当 } m\neq0,n=0 \text{ 时}\\ \mathrm{Ack}(m-1,\mathrm{Ack}(m,n-1)), & \text{当 } m\neq0,n\neq0 \text{ 时}\end{cases}$$

Ackerman 函数的相应算法如下：

```
int Ack(int m,int n)
{
    if(m==0)
        return n+1;
    else if(n==0)
        return Ack(m-1,1);
    else
        return Ack(m-1,Ack(m,n-1));
}
```

2. 递归调用过程

递归问题可以分解成规模小且性质相同的问题加以解决。下面以著名的汉诺塔问题为例来说明递归的调用过程。

假设有 3 个塔座 X、Y、Z，在塔座 X 上放置 n 个直径大小各不相同、从小到大的编号为 $1,2,\cdots,n$ 的圆盘，如图 3.12 所示。要求将塔座 X 上的 n 个圆盘移动到塔座 Z 上，并要求按照同样的叠放顺序排列，圆盘移动时必须遵循以下规则：

1）每次只能移动一个圆盘。

2）圆盘可以放置在 X、Y 和 Z 中的任何一个塔座上。

3）任何时候都不能将一个较大的圆盘放在较小的圆盘上。

如何实现将放在 X 上的圆盘按照规则移动到 Z 上呢？当 $n=1$ 时，问题比较简单，直接将编号为 1 的圆盘从塔座 X 移动到 Z 上即可。当 $n>1$ 时，需要利用塔座 Y 作为辅助塔座，

图 3.12　3 阶汉诺塔的初始状态

如果能将放置在编号为 n 之上的 $n-1$ 个圆盘从塔座 X 上移动到 Y 上，则可以先将编号为 n 的圆盘从塔座 X 移动到 Z 上，然后将塔座 Y 上的 $n-1$ 个圆盘移动到塔座 Z 上。这样如何将 $n-1$ 个圆盘从一个塔座移动到另一个塔座又成为与原问题类似的问题，只是规模减小了 1，因此可以用同样的方法解决。这是一个递归的问题，汉诺塔的算法描述如下：

```
void Hanoi(int n,char x,char y,char z)
/*将塔座 X 上按照从小到大、自上而下的编号为 1~n 的那个圆盘按照规则移动到塔座 Z 上，Y 可
以作为辅助塔座*/
{
    if(n==1)
        Move(x,1,z);              /*将编号为 1 的圆盘从 X 移动到 Z*/
    else
    {
        Hanoi(n-1,x,z,y);         /*将编号为 1~n-1 的圆盘从 X 移动到 Y，Z 作为辅助塔座*/
        Move(x,n,z);              /*将编号为 n 的圆盘从 X 移动到 Z*/
        Hanoi(n-1,y,x,z);         /*将编号为 1~n-1 的圆盘从 Y 移动到 Z，X 作为辅助塔座*/
    }
}
```

下面以 $n=3$ 为例来说明汉诺塔的递归调用过程，如图 3.13 所示。当 $n>1$ 时，经历 3 个过程来移动圆盘。

第 1 个过程，将编号为 1 和 2 的圆盘从塔座 X 移动到 Y。

第 2 个过程，将编号为 3 的圆盘从塔座 X 移动到 Z。

第 3 个过程，将编号为 1 和 2 的圆盘从塔座 Y 移动到 Z。

图 3.13　汉诺塔递归调用过程

第 1 个过程通过调用 Hanoi(2,x,z,y) 实现。Hanoi(2,x,z,y) 又调用自己，完成将编号为 1 的圆盘从塔座 X 移动到 Z，如图 3.14 所示。编号为 2 的圆盘从塔座 X 移动到 Y，编号为 1 的圆盘从塔座 Z 移动到 Y，如图 3.15 所示。

图 3.14　将编号为 1 的圆盘从塔座 X 移动到 Z

图 3.15　将编号为 2 的圆盘从塔座 X 移动到 Y，将编号为 1 的圆盘从塔座 Z 移动到 Y

第 2 个过程完成编号为 3 的圆盘从塔座 X 移动到 Z，如图 3.16 所示。

第 3 个过程通过调用 Hanoi(2,y,x,z) 实现圆盘移动。通过再次递归完成将编号为 1 的圆盘从塔座 Y 移动到 X，如图 3.17 所示。将编号为 2 的圆盘从塔座 Y 移动到 Z，将编号为 1 的圆盘从塔座 X 移动到 Z，如图 3.18 所示。

图 3.16　将编号为 3 的圆盘从塔座 X 移动到 Z　　图 3.17　将编号为 1 的圆盘从塔座 Y 移动到 X

图 3.18　将编号为 2 的圆盘从塔座 Y 移动到 Z，将编号为 1 的圆盘从塔座 X 移动到 Z

在递归调用的过程中，运行被调用函数前，系统要完成 3 个任务：

1）将所有参数和返回地址传递给被调用函数保存。

2）为被调用函数的局部变量分配存储空间。

3）将控制转到被调用函数的入口。

当被调用函数执行完毕，返回到调用函数之前，系统同样需要完成 3 个任务：

1）保存被调用函数的执行结果。

2）释放被调用函数的数据存储区。

3）将控制转到调用函数的返回地址处。

在多层嵌套调用时，递归调用过程的原则是后调用的先返回，因此，递归调用是通过栈实现的。在函数递归调用的过程中，在递归结束前，每调用一次，就进入下一层。当一层递归调用结束时，返回上一层。

为了保证递归调用的正确执行，系统设置了一个工作栈作为递归函数运行期间使用的数据存储区。每一层递归都包括实参、局部变量及上一层的返回地址等，从而构成一个工作记录。每进入下一层，就产生一个新的工作栈，其工作记录被压入栈顶。每返回到上一层，就从栈顶弹出一个工作记录。因此，当前层的工作记录是栈顶工作记录，被称为活动记录。递归过程产生的栈由系统自动管理，类似用户使用的栈。

3.3.2　消除递归

用递归编写的算法结构清晰，可读性好，程序容易实现且算法的正确性容易得到证明。但是，递归算法的执行效率比较低，因为递归需要反复入栈，所以时间和空间开销大。

递归算法也完全可以转换为非递归实现，这就是递归的消除。消除递归的方法有两种：一种方法是对于简单的递归直接使用迭代，通过循环结构就可以消除；另一种方法是利用栈的方式实现。例如，n 的阶乘就是一个简单的递归，直接利用迭代就可以消除递归。n 的阶乘的非递归算法如下：

```
int fact( int n)
{
    int f,i;
    f = 1;
    for( i = 1;i < = n;i++)
        f = f * i;
    return f;
}
```

n 的阶乘的递归算法也可以转换为利用栈实现的非递归算法。当 $n = 3$ 时，递归调用过程如图 3.19 所示。

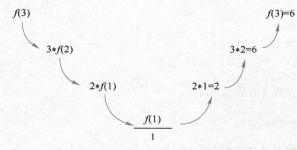

图 3.19　递归调用过程

递归函数调用时的参数入栈情况如图 3.20 所示。当 $n = 1$ 时，递归调用开始逐层返回，参数出栈情况如图 3.21 所示。在图中，为了叙述方便，用 f 代表 fact 函数。

图 3.20　递归调用入栈

图 3.21　递归调用出栈

利用栈模拟递归过程可以通过以下步骤实现：

1）设置一个工作栈，用于保存递归工作记录，包括实参、返回地址等。

2）将调用函数传递过来的参数和返回地址入栈。

3）利用循环模拟递归分解过程，逐层将递归过程的参数和返回地址入栈。当满足递归结束条件时，依次逐层退栈，并将结果返回给上一层，直到栈空为止。

【例3.3】编写求 $n!$ 的递归算法与利用栈实现的非递归算法。

【分析】在 n 的阶乘递归实现中，利用栈模拟递归过程中的工作记录的入栈过程与出栈过程，完成非递归算法的实现。定义一个二维数组，数组的第一维用于存放本层参数 n，第二维用于存放本层要返回的结果。

扫码看视频

```c
#include<stdio.h>
#define MaxSize 100
/*递归与非递归函数声明*/
int fact1(int n);
int fact2(int n);
void main()
{
    int f,n;
    printf("请输入一个正整数(n<15):");
    scanf("%d",&n);
    printf("递归实现n的阶乘:");
    f=fact1(n);
    printf("n!=%4d\n",f);
    f=fact2(n);
    printf("利用栈非递归实现n的阶乘:");
    printf("n!=%4d\n",f);
}
int fact1(int n)
/*n的阶乘递归实现*/
{
    if(n==1)                          /*递归函数出口。当n=1时,开始返回到上一层*/
        return 1;
    else
        return n*fact1(n-1);          /*n的阶乘递归实现。把一个规模为n的问题转换
为n-1的问题*/
}
int fact2(int n)
/*n的阶乘非递归实现*/
{
    int s[MaxSize][2],top=-1;         /*定义一个二维数组,并将栈顶指针置为-1*/
    /*栈顶指针加1,将工作记录入栈*/
    top++;
    s[top][0]=n;                      /*记录每一层的参数*/
    s[top][1]=0;                      /*记录每一层的结果返回值*/
    do
    {
        if(s[top][0]==1)              /*递归出口,当第一维数组中的元素值不为0时,
说明已经有结果返回*/
            s[top][1]=1;
        if(s[top][0]>1&&s[top][1]==0) /*通过栈模拟递归的递推过程,将问题依次入栈*/
        {
            top++;
            s[top][0]=s[top-1][0]-1;
            s[top][1]=0;              /*将结果置为0,还没有返回结果*/
```

```
                        }
            if(s[top][1]!=0)                /*模拟递归的返回过程,将每一层调用的结果返回*/
            {
                s[top-1][1]=s[top][1]*s[top-1][0];
                top--;
            }
        }while(top>0);
        return s[0][1];
    }
```

程序运行结果如图 3.22 所示。

图 3.22　程序运行结果

思考题
利用栈,试着将 n 阶汉诺塔的递归转换为非递归算法。

3.4　队列的表示与实现

队列也是一种限定性线性表,允许在表的一端进行插入操作,在表的另一端进行删除操作。

3.4.1　队列的定义

队列(Queue)是一种先进先出(First In First Out,FIFO)的线性表,它只允许在表的一端插入元素,而在另一端删除元素。其中,允许插入的一端称为队尾(rear),允许删除的一端称为队头(front)。

假设队列为 $q=(a_1,a_2,\cdots,a_i,\cdots,a_n)$,那么 a_1 就是队头元素,a_n 则是队尾元素。进入队列时,是按照 $a_1,a_2,\cdots,a_n$ 的顺序依次进入的,退出队列时也是按照这个顺序退出的。即出队列时,只有当前面的元素都退出之后,后面的元素才能退出。因此,只有当 $a_1,a_2,\cdots,a_{n-1}$ 都退出队列以后,a_n 才能退出队列。队列的示意图如图 3.23 所示。

图 3.23　队列的示意图

在日常生活中,人们买票排的队就是一个队列。新来买票的人到队尾排队,形成新的队尾,即入队,队头的人买完票离开,即出队。操作系统中的多任务处理也是队列的应用问题。

3.4.2 队列的抽象数据类型

队列的抽象数据类型定义了队列的数据对象、数据关系及基本操作。队列的抽象数据类型定义如下：

```
ADT Queue
{
        数据对象：D = {a_i | a_i ∈ ElemSet, i = 1,2,…,n,n≥0}
        数据关系：R = {<a_{i-1},a_i> | a_{i-1},a_i ∈ D, i = 2,3,…,n}
                        约定 a_1 端为队列头，a_n 端为队列尾。
    基本操作：
    （1）InitQueue(&Q)
    初始条件：队列 Q 不存在。
    操作结果：建立一个空队列 Q。
    这就像火车站售票处新增加了一个售票窗口，这样就可以新增一队来排队买票。
    （2）QueueEmpty(Q)
    初始条件：队列 Q 已存在。
    操作结果：若 Q 为空队列，则返回 1，否则返回 0。
    这就像售票员查看售票窗口前是否还有人排队买票。
    （3）EnQueue(&Q,e)
    初始条件：队列 Q 已存在。
    操作结果：插入元素 e 到队列 Q 的队尾。
    这就像排队买票时来来买票的人要排在队列的最后。
    （4）DeQueue(&Q,&e)
    初始条件：队列 Q 已存在且为非空。
    操作结果：删除 Q 的队头元素，并用 e 返回其值。
    这就像排在队头的人买完票后离开队列。
    （5）Gethead(Q,&e)
    初始条件：队列 Q 已存在且为非空。
    操作结果：用 e 返回 Q 的队头元素。
    这就像询问排队买票的人是谁。
    （6）ClearQueue(&Q)
    初始条件：队列 Q 已存在。
    操作结果：将队列 Q 清为空队列。
    这就像排队买票的人全部买完了票，离开队列。
} ADT Queue
```

3.4.3 顺序队列

队列有两种存储表示：顺序存储和链式存储。采用顺序存储结构的队列称为顺序队列，采用链式存储结构的队列称为链式队列。

1. 顺序队列的表示与实现

顺序队列通常采用一维数组作为存储结构。同时，用两个指针分别指向数组中的第一个元素和最后一个元素。其中，指向第一个元素的指针称为队头指针（front），指向最后一个元素的指针称为队尾指针（rear）。顺序队列的表示如图 3.24 所示。

图 3.24　顺序队列的表示

为了方便描述，我们约定：初始化时，顺序队列为空，有 front＝rear＝0，队头指针 front 和队尾指针 rear 都指向队列的第一个位置，如图 3.25 所示。

图 3.25　初始化时顺序队列为空的情况

插入新元素时，队尾指针 rear 增 1，在空队列中插入 4 个元素 a、b、c、d 之后的情况如图 3.26 所示。

图 3.26　顺序队列插入 4 个元素之后的情况

删除元素时，队头指针 front 增 1。删除元素 a、b 之后，队头指针和队尾指针的情况如图 3.27 所示。

图 3.27　顺序队列删除 2 个元素之后的情况

顺序队列的类型描述如下：

```
#define QueueSize   80              /＊队列的容量＊/
typedef struct Squeue{
        DataType queue[QueueSize];
        int front,rear;             /＊队头指针和队尾指针＊/
}SeqQueue;
```

假设 Q 是一个队列，若不考虑队满，则入队操作语句为 Q.queue[rear++]＝x；若不考虑队空，则出队操作语句为 x＝Q.queue[front++]。

📖 **说明**：在队列中，队满指的是元素占据了队列中的所有存储空间，没有空闲的存储空间可以插入元素。队空指的是队列中没有一个元素，也称为空队列。

2. 顺序队列的"假溢出"

如果在图 3.28 所示的队列中插入 3 个元素 j、k 和 l，然后删除元素 a、b，就会出现图 3.29 所示的情况，即队尾指针已经到达数组的末尾。如果继续插入元素 m，则队尾指针将越出数组的下界而造成"溢出"。

图 3.28　在插入元素 j、k、l 和删除元素 a、b 前

图3.29　在顺序队列中插入 j、k、l 和删除 a、b 后的"溢出"

这种"溢出"不是因为存储空间不够，而是经过多次插入和删除操作产生的，将这种"溢出"称为"假溢出"。

3.4.4　顺序循环队列

为了避免顺序队列的"假溢出"，通常采用顺序循环队列实现队列的顺序存储。

1. 顺序循环队列的构造

为了充分利用存储空间，消除这种"假溢出"，当队尾指针 rear（或队头指针 front）到达存储空间的最大值 QueueSize 的时候，让队尾指针 rear（或队头指针 front）自动转换为存储空间的最小值 0。这样，顺序队列的存储空间就构成一个逻辑上首尾相连的循环队列。

当队尾指针 rear 达到最大值 QueueSize−1 时，如果要插入新的元素，则队尾指针 rear 自动变为 0；当队头指针 front 达到最大值 QueueSize−1 时，如果要删除一个元素，则队头指针 front 自动变为 0。可通过取余操作实现循环队列的首尾相连。例如，若 QueueSize=10，当队尾指针 rear=9 时，如果要插入一个新的元素，则有 rear=（rear+1）%10=0，即实现了逻辑上队列的首尾相连。

2. 顺序循环队列的队空和队满

顺序循环队列在队空状态和队满状态时，队头指针 front 和队尾指针 rear 同时指向同一个位置，即 front==rear，顺序循环队列的队空状态和队满状态如图3.30所示。队列为空时，有 front=0，rear=0，因此 front==rear。队满时也有 front=0，rear=0，因此 front==rear。

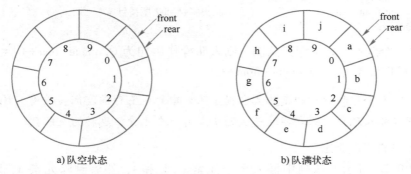

图3.30　顺序循环队列的队空状态和队满状态

为了区分这两种情况，通常有两个办法：

1）增加一个标志位。设这个标志位为 flag，初始化 flag 为 0，当入队成功时有 flag=1，出队列成功有 flag=0，则队列为空的判断条件为 front==rear&&flag==0，队列满的判断条件为 front==rear&&flag==1。

2）少用一个存储空间。队空的判断条件不变，即 front==rear 表示队列为空。以队尾指针

rear 加 1 等于 front 为队满的判断条件，即 front＝＝(rear+1)%QueueSize 表示队满。入队的操作语句为 rear＝(rear+1)%QueueSize，Q[rear]＝x。出队的操作语句为 front＝(front+1)%QueueSize。少用一个存储空间时，队满情况如图 3.31 所示。

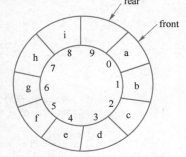

> 注意：顺序循环队列中的入队操作和出队操作都要取模，以确保操作不出界。循环队列的长度（即元素个数）为(SQ. rear+QueueSize−SQ. front)%QueueSize。

图 3.31　顺序循环队列的队满情况

3. 顺序循环队列的实现

1）初始化。

```
void InitQueue(SeqQueue * SCQ)
/*顺序循环队列的初始化*/
{
    SCQ ->front=SCQ ->rear=0;           /*将队头指针和队尾指针同时置为 0*/
}
```

2）判断队列是否为空。

```
int QueueEmpty(SeqQueue SCQ)
/*判断顺序循环队列是否为空，队列为空返回 1，否则返回 0*/
{
    if(SCQ. front == SCQ. rear)          /*若顺序循环队列为空*/
        return 1;                        /*返回 1*/
    else                                 /*否则*/
        return 0;                        /*返回 0*/
}
```

3）入队操作。

```
int EnQueue(SeqQueue * SCQ,DataType e)
/*将元素 e 插入顺序循环队列 SQ 中，插入成功返回 1，否则返回 0*/
{
    if(SCQ->front == (SCQ->rear+1)%QueueSize)      /*如果出现上溢*/
        return 0;                                   /*返回 0 */
    SQ->queue[SCQ->rear]=e;                          /*在队尾插入元素 e */
    SCQ->rear=(SCQ->rear+1)%QueueSize;               /*队尾指针向后移动一个位置*/
    return 1;                                        /*返回 1 */
}
```

4）出队操作。

```
int DeQueue(SeqQueue * SCQ,DataType * e)
/*删除顺序循环队列中的队头元素，并将该元素赋值给 e，删除成功返回 1，否则返回 0*/
{
    if(SCQ->front ==SCQ->rear)            /*如果队列为空*/
        return 0;                         /*则返回 0*/
    else                                  /*否则*/
    {
        * e=SCQ->element[SCQ->front];     /*将要删除的元素赋值给 e*/
```

```
                SCQ->front = (SCQ->front+1)%QueueSize;        /*将队头指针向后移动一个位置,指向新
的队头*/
                return 1;                                     /*返回1*/
            }
    }
```

5）取队头元素。

```
    int GetHead(SeqQueue SCQ,DataType *e)
    /*取顺序循环队列中的队头元素,并将该元素赋值给e*/
    {
        if(SCQ.front==SCQ.rear)               /*判断队列是否为空*/
            return 0;                          /*如果为空,则返回0*/
        else                                   /*否则*/
        {
            *e=SCQ.queue[SCQ.front];           /*将队头元素赋值给e,取出队头元素*/
            return 1;                          /*返回1*/
        }
    }
```

6）清空队列。

```
    void ClearQueue(SeqQueue *SCQ)
    /*清空队列*/
    {
        SCQ->front=SCQ->rear=0;                /*将队头指针和队尾指针同时置为0*/
    }
```

3.4.5　双端队列*

双端队列是一种特殊的队列,它是在线性表的两端对插入和删除操作限制的线性表。双端队列可以在队列的任何一端进行插入和删除操作,而一般的队列要求在一端插入元素,在另一端删除元素。双端队列如图 3.32 所示。

图 3.32　双端队列

其中,end1 和 end2 分别是双端队列的指针。

在实际应用中,还有输入受限和输出受限的双端队列。输入受限的双端队列指的是只允许在队列的一端插入元素,两端都可以删除元素的队列。输出受限的双端队列指的是只允许在队列的一端删除元素,两端都可以插入元素的队列。

双端队列是一个可以在任何一端进行插入和删除的线性表,现采用一个一维数组作为双端队列的数据存储结构,双端队列为空的状态如图 3.33 所示。队列左端的元素 a、b、c 依次入队,队列右端的元素 d、e 依次入队之后,双端队列的状态如图 3.34 所示。

图 3.33　双端队列为空的状态

图 3.34　双端队列插入元素之后

3.4.6　链式队列

对于顺序队列，需要事先分配内存空间，分配不恰当容易造成空间浪费或溢出。采用链式队列可避免该问题。

1. 链式队列的表示

链式队列通常用链表实现。同时，使用两个指针分别指示链表中存放的第一个元素和最后一个元素的位置。其中，指向第一个元素的指针被称为队头指针（front），指向最后一个元素位置的指针被称为队尾指针（rear）。不带头结点的链式队列如图 3.35 所示。

有时，为了操作上的方便，我们在链式队列的第一个结点之前添加一个头结点，并让队头指针指向头结点。其中，头结点的数据域可以存放队列元素的个数信息，指针域指向链式队列的第一个结点。带头结点的链式队列如图 3.36 所示。

图 3.35　不带头结点的链式队列　　　图 3.36　带头结点的链式队列

在带头结点的链式队列中，当队列为空时，队头指针（front）和队尾指针（rear）都指向头结点，如图 3.37 所示。

图 3.37　带头结点的链式队列为空时的情况

在链式队列中，最基本的操作是插入和删除操作。进行链式队列的插入和删除操作时，只需要移动队头指针和队尾指针，图 3.38 所示为在队列中插入元素 a 的情况，图 3.39 所示为在队列中插入元素 a、b、c 之后的情况，图 3.40 所示为元素 a 出队列的情况。

图 3.38　插入元素 a 的情况　　　　　　　　图 3.39　插入元素 a、b、c 之后的情况

图 3.40　元素 a 出队列的情况

链式队列的类型描述如下：

```
/*结点类型定义*/
typedef struct QNode
{
    DataType data;
    struct QNode * next;
}LQNode, * QueuePtr;
/*队列类型定义*/
typedef struct
{
    QueuePtr front;
    QueuePtr rear;
}LinkQueue;
```

2. 链式循环队列

链式队列也可以构成循环队列，如图 3.41 所示。在这种链式循环队列中，可以只设置队尾指针。在这种情况下，队列 LQ 为空的判断条件为 LQ. rear->next = = LQ. rear，队列为空的情况如图 3.42 所示。

图 3.41　链式循环队列　　　　　　　　　　图 3.42　链式循环队列
　　　　　　　　　　　　　　　　　　　　　　　　为空的情况

3. 链式队列的实现

链式队列基本运算的具体实现如下（以下算法的实现保存在文件"LinkQueue. h"中）：

1）队列的初始化。

```
void InitQueue( LinkQueue * LQ)
/*链式队列的初始化*/
{
    LQ->front = LQ->rear = (LQNode * ) malloc( sizeof(LQNode) ) ;    /*为头结点申请内存空间*/
    if( LQ->front = = NULL)
        exit(-1);
    LQ ->front->next = NULL;                              /*将头结点的指针域置为 0*/
}
```

2）判断队列是否为空。

```
int QueueEmpty( LinkQueue LQ)
/* 判断链式队列是否为空, 队列为空返回 1, 否则返回 0*/
{
    if( LQ. front = =LQ. rear)         /* 当链式队列为空时 */
        return 1;                      /* 返回 1*/
    else                               /* 否则 */
        return 0;                      /* 返回 0*/
}
```

3）入队操作。

```
int EnQueue( LinkQueue  * LQ, DataType e)
/* 将元素 e 插入链式队列 LQ 中, 插入成功返回 1*/
{
    LQNode  * s;
    s=( LQNode * ) malloc( sizeof( LQNode) );   /* 为将要入队的元素申请一个结点的空间 */
    if( !s) exit( -1);                          /* 如果申请空间失败, 则退出并返回参数-1 */
    s->data=e;                                  /* 将元素值赋值给结点的数据域 */
    s->next=NULL;                               /* 将结点的指针域置为空 */
    LQ->rear->next=s;                           /* 将原来队列的队尾指针指向 p */
    LQ->rear=s;                                 /* 将队尾指针指向 p */
    return 1;
}
```

4）出队操作。

```
int DeQueue( LinkQueue  * LQ, DataType  * e)
/* 删除链式队列中的队头元素, 并将该元素赋值给 e, 删除成功返回 1, 否则返回 0*/
{
    LQNode  * s;
    if( LQ->front = =LQ->rear)      /* 在删除元素之前, 判断链式队列是否为空 */
        return 0;
    else
    {
        s=LQ->front->next;          /* 使指针 p 指向队头元素的指针 */
         * e=s->data;                /* 将要删除的队头元素赋值给 e */
        LQ->front->next=s->next;    /* 使头结点的指针指向指针 p 的下一个结点 */
        if( LQ->rear= =s) LQ->rear=LQ->front;    /* 如果要删除的结点是队尾, 则使队尾指
针指向队头指针 */
        free( s);                   /* 释放指针 p 指向的结点 */
        return 1;
    }
}
```

5）取队头元素。

```
int GetHead( LinkQueue LQ, DataType  * e)
/* 取链式队列中的队头元素, 并将该元素赋值给 e, 取元素成功返回 1, 否则返回 0*/
{
    LQNode  * s;
    if( LQ. front = =LQ. rear)        /* 在取队头元素之前, 判断链式队列是否为空 */
        return 0;
```

```
        else
        {
            s=LQ. front->next;          /*将指针 p 指向队列的第一个元素，即队头元素*/
            *e=s->data;                 /*将队头元素赋值给 e，取出队头元素*/
            return 1;
        }
    }
```

6）清空队列。

```
        void ClearQueue(LinkQueue  *LQ)
        /*清空队列*/
        {
            while(LQ->front! =NULL)
            {
                LQ->rear=LQ->front->next;   /*队尾指针指向队头指针指向的下一个结点*/
                free(LQ->front);            /*释放队头指针指向的结点*/
                LQ->front=LQ->rear;         /*队头指针指向队尾指针*/
            }
        }
```

3.5　队列的应用

3.5.1　队列在杨辉三角中的应用

1. 杨辉三角

杨辉三角是一个由数字排列成的三角形数表，一个 8 阶的杨辉三角图形如图 3.43 所示。

从图 3.43 中可以看出，杨辉三角具有以下性质：

1）第一行只有一个元素。

2）第 i 行有 i 个元素；

3）第 i 行最左端和最右端的元素均为 1。

4）第 i 行的中间元素是它上一行（即第 $i-1$ 行）的对应位置的元素与对应位置的前一个元素之和。

```
                    1
                  1   1
                1   2   1
              1   3   3   1
            1   4   6   4   1
          1   5   10   10   5   1
        1   6   15   20   15   6   1
      1   7   21   35   35   21   7   1
```

图 3.43　8 阶的杨辉三角

2. 构造队列

杨辉三角的第 i 行元素是根据第 $i-1$ 行元素得到的，杨辉三角的数字是有先后顺序的，因此杨辉三角可以通过队列来构造。我们可以把杨辉三角分为两个部分来构造队列：所有的两端元素 1 作为已知部分，剩下的元素作为要构造的部分。我们可以通过循环队列实现杨辉三角的打印，在循环队列中依次存入第 $i-1$ 行的元素，再利用第 $i-1$ 行元素得到第 i 行元素，然后依次入队，同时第 $i-1$ 行元素出队并打印输出。

从整体来考虑，利用队列构造杨辉三角其实就是利用上一层元素序列产生下一层元素序列并入队，然后将上一层元素出队并输出，接着由队列中的元素生成下一层元素，以此类推，直到生成最后一层元素并输出。我们以第 8 行元素为例来理解杨辉三角的具体构造过程。

1）在第 8 行中，第一个元素先入队。假设队列为 Q。Q. queue[rear]＝1；Q. rear＝(Q. rear+1)%QueueSize。

2) 第 8 行中间的 6 个元素需要通过第 7 行（已经入队）得到并入队。Q. queue[rear] = Q. queue[front] + Q. queue[front + 1]；Q. rear = (Q. rear + 1)%QueueSize, Q. front = (Q. front + 1)% QueueSize。

3) 第 7 行的最后一个元素出队。Q. front = (Q. front + 1)%QueueSize。

4) 第 8 行的最后一个元素入队。Q. queue[rear] = 1；Q. rear = (Q. rear + 1)%QueueSize。

至此，第 8 行的所有元素都已经入队。其他行的入队操作与此类似。

3. 杨辉三角队列的实现

【例 3.4】打印杨辉三角。

【分析】注意，在循环结束后，还有最后一行在队列里。最后一行元素入队之后，要将其输出。打印杨辉三角可通过两种方法实现：利用链式队列的基本算法实现和直接利用数组模拟队列实现。为了能够按照图 3.43 的形式正确输出杨辉三角的元素，可设置一个临时数组 temp[MaxSize]来存储每一行的元素，利用函数将其输出。

打印杨辉三角可以使用链式（或顺序）队列的基本算法实现，也可以直接使用数组模拟队列实现。下面只给出打印杨辉三角的链式队列实现，模拟数组实现打印杨辉三角的算法留给读者思考。

```
#include<stdio. h>
#include<malloc. h>
typedef int DataType;
#define MaxSize 100
#include "LinkQueue. h"
void PrintArray(int a[],int n,int N);
void YangHuiTriangle(int N);
void main()
{
    int n;
    printf("请输入要打印的行数:n=:");
    scanf("%d",&n);
    YangHuiTriangle(n);
}
void YangHuiTriangle(int N)
/*链式队列实现打印杨辉三角*/
{
    int i,k,n;
    DataType e,t;
    int temp[MaxSize];           /*定义一个临时数组，用于存放每一行的元素*/
    LinkQueue Q;
    k=0;
    InitQueue(&Q);               /*初始化链队列*/
    EnQueue(&Q,1);               /*第一行元素入队*/
    for(n=2;n<=N;n++)            /*产生第 n 行元素并入队，同时将第 n-1 行的元素保存在临时
数组中*/
    {
        k=0;
        EnQueue(&Q,1);           /*第 n 行的第一个元素入队*/
        for(i=1;i<=n-2;i++)     /*利用队列中第 n-1 行的元素产生第 i 行的中间 n-2 个元素并
入队列*/
```

```
                        {
                            DeQueue(&Q,&t);
                            temp[k++]=t;            /*将第n-1行的元素存入临时数组*/
                            GetHead(Q,&e);          /*取队头元素*/
                            t=t+e;                  /*利用队列中第n-1行的元素产生第i行元素*/
                            EnQueue(&Q,t);
                        }
                        DeQueue(&Q,&t);
                        temp[k++]=t;                /*将第n-1行的最后一个元素存入临时数组*/
                        PrintArray(temp,k,N);
                        EnQueue(&Q,1);              /*第n行的最后一个元素入队*/
                    }
                    k=0;                            /*将最后一行元素存入数组之前，要将下标k置为0*/
                    while(!QueueEmpty(Q))           /*将最后一行元素存入临时数组*/
                    {
                        DeQueue(&Q,&t);
                        temp[k++]=t;
                        if(QueueEmpty(Q))
                            PrintArray(temp,k,N);
                    }
                }
            void PrintArray(int a[],int n,int N)
            /*打印数组中的元素，使其能够以正确的形式输出*/
            {
                int i;
                static int count=0;                 /*记录输出的行*/
                for(i=0;i<N-count;i++)              /*打印空格*/
                    printf("   ");
                count++;
                for(i=0;i<n;i++)                    /*打印数组中的元素*/
                    printf("%6d",a[i]);
                printf("\n");
            }
```

程序运行结果如图3.44所示。

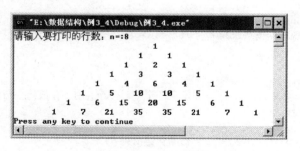

图3.44　程序运行结果

3.5.2　队列在回文中的应用

【例3.5】编程判断一个字符序列是否是回文。回文是指一个字符序列以中间字符为基准，两边的字符完全相同，即顺着看和倒着看是相同的字符序列。例如，字符序列"ABCYCBA"就是回文，而字符序列"BYDEYB"就不是回文。

【分析】考察栈的"先进后出"和队列的"先进先出"的特点，可以通过构造栈和队列实现。可以把字符序列分别存入队列和堆栈，然后把字符逐个出队列和出栈，比较出队列的字符和出栈的字符是否相等。如果全部相等，则该字符序列是回文，否则不是回文。

这里采用链式堆栈和只有队尾指针的链式循环队列实现。

```
#include<stdio. h>                      /* 包含输出函数 */
#include<stdlib. h>                     /* 包含退出函数 */
#include<string. h>                     /* 包含字符串长度函数 */
#include<malloc. h>                     /* 包含内存分配函数 */
typedef char DataType;                  /* 类型定义为字符类型 */
/* 链式堆栈结点类型定义 */
typedef struct snode
{
    DataType data;
    struct snode  * next;
} LSNode;
/* 只有队尾指针的链式循环队列类型定义 */
typedef struct QNode
{
    DataType data;
    struct QNode  * next;
} LQNode, * LinkQueue;
#include"LinkStack. h"
#include"LinkQueue. h"
void main( )
{
    LinkQueue LQueue1,LQueue2;          /* 定义链式循环队列 */
    LSNode  * LStack1, * LStack2;       /* 定义链式堆栈 */
    char str1[ ]="XYZAZYX";             /* 回文字符序列 1 */
    char str2[ ]="XYZBZXY";             /* 回文字符序列 2 */
    char q1,s1,q2,s2;
    int i;
    InitQueue(&LQueue1);                /* 初始化链式循环队列 1 */
    InitQueue(&LQueue2);                /* 初始化链式循环队列 2 */
    InitStack(&LStack1);                /* 初始化链式堆栈 1 */
    InitStack(&LStack2);                /* 初始化链式堆栈 2 */
    for(i=0;i<strlen(str1);i++)
    {
        EnQueue(&LQueue1,str1[i]);      /* 依次把字符序列 1 入队 */
        EnQueue(&LQueue2,str2[i]);      /* 依次把字符序列 2 入队 */
        PushStack(LStack1,str1[i]);     /* 依次把字符序列 1 进栈 */
        PushStack(LStack2,str2[i]);     /* 依次把字符序列 2 进栈 */

    }
    printf("字符序列 1:\n");
    printf("出队序列　出栈序列\n");
    while(!StackEmpty(LStack1))         /* 判断堆栈 1 是否为空 */
    {
        DeQueue(&LQueue1,&q1);          /* 字符序列依次出队，并把出队元素赋值给 q */
        PopStack(LStack1,&s1);          /* 字符序列出栈，并把出栈元素赋值给 s */
        printf("%5c",q1);               /* 输出字符序列 1 */
        printf("%10c\n",s1);
```

```
            if(q1!=s1)                    /*判断字符序列1是否是回文*/
            {
                printf("字符序列1不是回文!");
                return;
            }
        }
        printf("字符序列1是回文!\n");
        printf("字符序列2:\n");
        printf("出队序列    出栈序列\n");
        while(!StackEmpty(LStack2))        /*判断堆栈2是否为空*/
        {
            DeQueue(&LQueue2,&q2);         /*字符序列依次出队,并把出队元素赋值给q*/
            PopStack(LStack2,&s2);         /*字符序列出栈,并把出栈元素赋值给s*/
            printf("%5c",q2);              /*输出字符序列2*/
            printf("%10c\n",s2);
            if(q2!=s2)                     /*判断字符序列2是否是回文*/
            {
                printf("字符序列2不是回文!\n");
                return;
            }
        }
        printf("字符序列2是回文!\n");
    }
```

程序运行结果如图 3.45 所示。

图 3.45　程序运行结果

思考题
你认为一名合格的程序员需要遵守哪些法律法规和职业道德规范？当你面对可能对国家和社会造成危害的行为时，应该如何做？你认为本章内容与程序员的职业道德规范有什么联系？

3.6　小结

　　队列只允许在线性表的一端进行插入操作，在线性表的另一端进行删除操作。其中，允许插入的一端称为队尾，允许删除的一端称为队头。

队列也有两种存储方式：顺序存储和链式存储。采用顺序存储结构的栈称为顺序队列，采用链式存储结构的栈称为链式队列。

顺序队列存在"假溢出"的问题。顺序队列的"假溢出"不是因为存储空间不足而产生的，而是因为经过多次的出队和入队操作之后，存储单元不能有效利用造成的。解决所谓"假溢出"的现象，可通过将顺序队列构造成循环队列，这样就可以充分利用顺序队列里的存储单元。

栈是一种只允许在线性表的一端进行插入和删除操作的线性表。其中，允许插入和删除的一端称为栈顶，另一端称为栈底。

栈也有两种存储方式：顺序存储和链式存储。采用顺序存储结构的栈称为顺序栈，采用链式存储结构的栈称为链栈。

栈的特点是后进先出。数制转换、括号匹配、表达式求值等问题，都是利用栈的后进先出特性解决的。

在程序设计中，递归的实现是系统借助栈的特性实现递归调用的过程。递归算法可将复杂问题分解为简单的问题，从而有利于问题的求解。递归算法的运行效率低，由于程序执行过程中反复入栈、出栈，因此程序的时间和空间开销比较大。消除递归需要将递归程序转换为非递归程序，由于递归的调用过程是借助栈的工作原理实现的，因此，递归算法可利用栈进行模拟，从而消除递归。

习　　题

一、选择题

1. 一个栈的输入序列为 a、b、c、d、e，则栈不可能输出的序列是 （　　）。

    A. a、b、c、d、e　　　　　　　　　　B. d、e、c、b、a

    C. d、c、e、a、b　　　　　　　　　　D. e、d、c、b、a

2. 判断一个循环队列 Q（最多 n 个元素）为满的条件是 （　　）。

    A. Q->rear ＝＝ Q->front　　　　　　B. Q->rear ＝＝ Q->front+1

    C. Q->front ＝＝（Q->rear+1）%n　　D. Q->front ＝＝（Q->rear-1）%n

3. 设计一个判别表达式中括号是否配对的算法，采用 （　　） 数据结构最佳。

    A. 顺序表　　　　　　B. 链表　　　　　　C. 队列　　　　　　D. 栈

4. 带头结点的单链表 head 为空的判定条件是 （　　）。

    A. head ＝＝ NULL　　　　　　　　　B. head->next ＝＝ NULL

    C. head->next ！＝ NULL　　　　　　D. head ！＝ NULL

5. 对栈 s 进行以下操作后，变量 x 的值为 （　　）。

    InitStack(s)；Push(s,a)；Push(s,b)；Pop(s,&x)；top(s,&x)；

    A. a　　　　　　　　B. b　　　　　　　　C. NULL　　　　　　D. FALSE

6. 设栈 S 和队列 Q 的初始状态均为空，元素 a、b、c、d、e、f、g 依次进入栈 S。若每个元素出栈后都立即进入队列 Q，且 7 个元素出队的顺序是 b、d、c、f、e、a、g，则栈 S 的容量至少是 （　　）。

    A. 1　　　　　　　　B. 2　　　　　　　　C. 3　　　　　　　　D. 4

7. 循环队列的队头指针和队尾指针分别为 front 和 rear，则判断循环队列 Q 为空的条件是（　　　　）。

  A. Q->front == Q->rear   B. Q->front == 0

  C. Q->rear == 0   D. Q->front == Q->rear+1

8. 表达式 a * (b+c)-d 的后缀表达式是（　　　）。

  A. abcd+-   B. abc+*d-   C. abc*+d-   D. -+*abcd

9. 将递归算法转换成对应的非递归算法时，通常需要使用（　　　）来保存中间结果。

  A. 队列   B. 栈   C. 链表   D. 树

10. 向一个栈顶指针为 top 的链栈中插入一个 x 结点，则执行语句（　　　）。

  A. top->next = x   B. x->next = top->next; top->next = x;

  C. x->next = top; top = x;   D. x->next = top; top = top->next

11. 判定一个顺序栈 S（栈空间大小为 n）为空的条件是（　　　）。

  A. S->top == 0   B. S->top != 0

  C. S->top == n   D. S->top != n

12. 在一个链队列中，front 和 rear 分别为队头指针和队尾指针，则插入一个结点 s 的操作为（　　　）。

  A. front = front->next   B. s->next = rear; rear = s

  C. rear->next = s; rear = s;   D. s->next = front; front = s;

13. 某队列允许在其两端进行入队操作，但仅允许在一端进行出队操作。若元素 a、b、c、d、e 依次入此队列后再进行出队操作，则不可能得到的出队序列为（　　　）。

  A. b a c d e   B. d b a c e

  C. d b c a e   D. e c b a d

14. 依次在初始为空的队列中插入元素 a、b、c、d 以后，紧接着做了两次删除操作，此时的队头元素是（　　　）。

  A. a   B. b   C. c   D. d

15. 循环队列用数组 A[0, m-1] 存放其元素值，已知其头尾指针分别是 front 和 rear，则当前队列中的元素个数是（　　　）。

  A. (rear-front+m)%m   B. rear-front+1

  C. rear-front-1   D. rear-front

16. 在一个链队列中，假定 front 和 rear 分别为队头指针和队尾指针，则删除一个结点的操作是（　　　）。

  A. front = front->next   B. rear = rear->next

  C. rear->next = front   D. front->next = rear

二、算法分析题

1. 已知栈的基本操作函数：

```
int InitStack(SeqStack *S);              //构造空栈
int StackEmpty(SeqStack S);              //判断栈空
int Push(SeqStack *S,ElemType e);        //入栈
int Pop(SeqStack *S,ElemType *e);        //出栈
```

函数 Conversion() 实现十进制数转换为八进制数，请将函数补充完整。

```
void Conversion( ) {
    InitStack(S) ;
    scanf("%d",&N) ;
    while(N) {
        _____(1)_____ ;
        N = N/8 ;
    }
    while( _____(2)_____ ) {
        Pop(&S,&e) ;
        printf("%d",e) ;
    }
}
```

2. 写出算法的功能。

```
int   Function(SeqQueue * Q,ElemType * e) {
    if( Q->front = = Q->rear)
        return −1 ;
    * e = Q->base[ Q->front] ;
    Q->front = ( Q->front+1)%MAXSIZE ;
    return 1 ;
}
```

3. 阅读算法 F2，并回答下列问题：

1) 设队列 Q=(1,3,5,2,4,6)，写出执行算法 F2 后的队列 Q。

2) 简述算法 F2 的功能。

```
void F2( Queue * Q) {
    DataType   e ;
    if ( !QueueEmpty(Q)) {
        e = DeQueue(Q) ;
        F2(Q) ;
        EnQueue(Q,e) ;
    }
}
```

4. 下面程序的功能是用递归算法将一个整数按逆序存放到一个字符数组中，如 123 存放为 "321"。

```
#include<stdio. h>
void Convert(char * a, int n)
{
    int i ;
    if( i = n/10)
    Convert( _____(1)_____ ,i) ;
    * a = _____(2)_____ ;
}
void main( )
{
    int number ;
    char str[ 10] = "" ;
    scanf("%d",&number) ;
    Convert(str,number) ;
```

```
        puts(str);
    }
```

三、算法设计题

1. 假设以带头结点的循环链表表示队列，并且只设一个指针指向队尾结点，但不设头指针，如图 3.46 所示。请写出相应的入队列算法（用函数实现）。

图 3.46　习题图

2. 已知 Q 是一个非空队列，S 是一个空栈。编写算法，仅用队列与栈的 ADT 基本运算实现函数、少量工作变量，将队列 Q 的所有元素逆置。

栈的 ADT 函数有：

```
void InitStack(SqStack s);              //初始化栈
void Push(SqStack s,ElemType e);        //元素 e 入栈
ElemType Pop(SqStack s);                //出栈，返回栈顶元素
int IsEmpty(SqStack s);                 //判断栈空
队列的 ADT 函数有：
void EnQueue(Queue q,ElemType e);       //元素 e 入队
ElemType DeQueue(Queue q);              //出队，返回队头元素
int IsEmpty(Queue q);                   //判断队空
```

3. 假设以一维数组 sequ[0,…,m-1] 存储循环队列的元素，同时设变量 rear 和 quelen 分别表示循环队列中的队尾元素位置和内含的元素个数。试给出循环队列的队空、队满条件，并写出相应的入队和出队算法。

4. 对于一个具有 MaxLen 个单元的环形队列，设计一个算法，求出其共有多少个元素。

5. 假设以带头结点的循环链表表示队列，并且只设一个指针指向队尾元素结点，试编写相应的队列初始化、入队列和出队列的算法。

6. 建立一个顺序栈。从键盘上输入若干个字符，以回车键结束，实现元素的入栈操作。然后依次输出栈中的元素，实现出栈操作。要求顺序栈由栈顶指针、栈底指针和存放元素的数组构成。

7. 建立一个链栈。从键盘上输入若干个字符，以回车键结束，实现元素的入栈操作。然后依次输出栈中的元素，实现出栈操作。

8. Fibonacci 数列的序列为 0，1，1，2，3，5，8，13，21，…，其中的每个元素是前两个元素之和。其递归定义如下：

$$f(n)\begin{cases}1, & \text{当 } n=0,1 \text{ 时}\\ f(n-1)+f(n-2), & \text{当 } n>1 \text{ 时}\end{cases}$$

编写求该数列的第 N 个元素的递归与非递归的算法。

9. 要求顺序循环队列不损失一个空间，即全部能够得到有效利用，请采用设置标志位 tag 的方法解决"假溢出"问题，实现顺序循环队列算法。

第4章
串、数组与广义表

串（或字符串）也是一种特殊的线性结构，数组和广义表可看作一种扩展的线性数据结构。计算机上的非数值处理对象基本上是字符串数据。字符串处理在文字编辑、信息检索等方面有着广泛的应用。根据存储方式的不同，串可分为顺序串、堆串和块链串。相比较而言，线性表、栈、队列、串中的数据元素都是不可再分的原子类型，而数组和广义表中的数据元素是可以再分的。数组可看成线性表的线性表，广义表中的元素可以是单个元素或子表。因此，数组和广义表中的数据元素可以是单个元素，也可以是一个线性结构，从这个意义上讲，数组和广义表是线性表的推广。广义表被广泛应用于人工智能等领域。

4.1 串的定义和抽象数据类型

串是仅由字符组成的一种特殊的线性表。

4.1.1 串的定义

串（String），也称字符串，是由零个或多个字符组成的有限序列。一般记作：
$S = "a_1 a_2 \cdots a_n"$。

其中，S 是串名，n 是串的长度。用双引号括起来的字符序列是串的值。$a_i(1 \leqslant i \leqslant n)$ 可以是字母、数字和其他字符。$n = 0$ 时的串称为空串。

> 📢 **注意**：串的特殊性在于仅由字符组成。串值必须用一对双引号括起来，但双引号是界限符，它不属于串，其作用是避免与变量名或常量混淆。

子串：串中任意个连续的字符组成的子序列称为该串的子串。

主串：包含子串的串称为主串。

子串在主串中的位置：通常将字符在串中的序号称为该字符在串中的位置。子串在主串中的位置通常用子串的第一个字符在主串中的位置来表示。

例如，有 4 个串，a = "Zhengzhou University of Light Industry"，b = "Zhengzhou"，c = "University"，d = "ZhengzhouUniversity"。它们的长度分别为 38、9、10、19。b 和 c 是 a 的子串，也是 d 的子串，b 在 a 和 d 的位置均为 1，c 在 a 的位置是 11，c 在 d 的位置是 10。

串相等：只有当两个串的长度相等，且串中各个对应位置的字符均相等时，两个串才是相等的。即两个串是相等的，当且仅当这两个串的值是相等的。例如，上面的 4 个串 a、b、c、d 两两之间都不相等。

空格串：由一个或多个空格组成的串，称为空格串（Blank String）。空格串的长度是串中空格字符的个数。

注意：空格串不是空串。空串（NULL String）是无任何字符组成的串，空串的长度为 0。

4.1.2 串的抽象数据类型

串的抽象数据类型定义了串中的数据对象、数据关系和基本操作。串的抽象数据类型定义如下：

ADT String
{
  数据对象：$D = \{a_i | a_i \in CharacterSet, i=1,2,\cdots,n, n \geq 0\}$

  数据关系：$R = \{<a_{i-1}, a_i> | a_{i-1}, a_i \in D, i=2,3,\cdots,n\}$

  基本操作：

  （1）StrAssign(&S, cstr)

  初始条件：串 S 存在。

  操作结果：把字符串常量 cstr 赋值给 S。

  （2）StrEmpty(S)

  初始条件：串 S 存在。

  操作结果：如果是空串，则返回 1，否则返回 0。

  （3）StrLength(S)

  初始条件：串 S 存在。

  操作结果：返回串中元素的个数，即串的长度。

  例如，如果定义串 S：

  S = "I come from Beijing"，T = "I come from Shanghai"，R = "Beijing"，V = "Chongqing"，则 StrLength(S) = 19，StrLength(T) = 20，StrLength(R) = 7，StrLength(V) = 9。

  （4）StrCopy(&T, S)

  初始条件：串 S 存在。

  操作结果：已经存在字符串 S，产生一个与 S 完全相同的另一个串 T。

  （5）StrCompare(S, T)

  初始条件：串 S 和 T 都存在。

  操作结果：比较串 S 和 T 的每个字符的 ASCII 值的大小。如果 S 的值大于 T，则返回 1；如果 S 的值等于 T，则返回 0；如果 S 的值小于 T，则返回 -1。

  例如，StrCompare(S, T) = -1，因为串 S 和 T 比较到第 13 个字符时，字符"B"的 ASCII 值小于字符"S"的 ASCII 值，所以返回 -1。

  （6）StrInsert(&S, pos, T)

  初始条件：串 S 和 T 存在，且 $1 \leq pos \leq StrLength(S)+1$。

  操作结果：在串 S 的第 pos 个位置插入串 T，如果插入成功，则返回 1，否则返回 0。

  例如，如果在串 S 中的第 3 个位置插入子串"don't"，即 StrInsert(S, 3, "don't")，则串 S = "I don't come from Beijing"。

  （7）StrDelete(&S, pos, len)

  初始条件：串 S 存在，且 $1 \leq pos \leq StrLength(S)-len+1$。

  操作结果：从串 S 中删除从第 pos 个字符起长度为 len 的子串。如果删除成功，则返回 1，否则返回 0。

  例如，如果在串 S 中从第 13 个位置起删除长度为 7 的子串，即 StrDelete(S, 13, 7)，则 S = "I come from"。

  （8）StrConcat(&T, S)

  初始条件：串 S 和 T 存在。

  操作结果：将串 S 连接在串 T 的后面。如果连接成功，则返回 1，否则返回 0。

  例如，如果将串 S 连接在串 T 的后面，即 StrCat(T, S)，则 T = "I come from Shanghai I come from Beijing"。

（9）SubString(&Sub,S,pos,len)

初始条件：串 S 存在，1≤pos≤StrLength(S)且 1≤len≤StrLength(S)−pos+1。

操作结果：在串 S 中返回从第 pos 个字符起长度为 len 的连续字符给 Sub。操作成功返回 1，否则返回 0。

例如，如果将串 S 中的从第 8 个字符起长度为 4 的字符串赋给 Sub，即 SubString(Sub,S,8,4)，则 Sub＝"from"。

（10）StrReplace(&S,T,V)

初始条件：串 S、T 和 V 存在，且 T 是非空串。

操作结果：如果串 S 中存在子串 T，则用 V 替换串 S 中的所有子串 T。操作成功返回 1，否则返回 0。

例如，如果将串 S 中的子串 R 替换为串 V，即 StrReplace(S,R,V)，则 S＝"I come from Chongqing"。

（11）StrIndex(S,pos,T)

初始条件：串 S 和 T 存在，T 是非空串，1≤pos≤StrLength(S)。

操作结果：如果主串 S 中存在与串 T 的值相等的子串，则返回子串 T 在主串 S 中第 pos 个字符之后第一次出现的位置，否则返回 0。

例如，从串 S 中的第 4 个字符开始查找，如果串 S 中存在与子串 R 相等的子串，则返回 R 在 S 中第一次出现的位置，即 StrIndex(S,4,R)＝13。

（12）StrClear(&S)

初始条件：串 S 存在。

操作结果：将串 S 清空。

（13）StrDestroy(&S)

初始条件：串 S 存在。

操作结果：将串 S 销毁。

} ADT String

4.1.3　串的表示与实现

串有 3 种存储表示方法：定长顺序存储表示、堆分配存储表示和块链存储表示。

1. 定长顺序存储表示

定长顺序存储类似于线性表的顺序存储结构，用一组地址连续的存储单元存储串值的字符序列。在串的定长顺序存储结构中，利用 C 语言中的字符数组存放串值。

在串的顺序存储结构中，确定串的长度有两种方法。

一种方法是在串的末尾加上一个结束标记，在 C 语言中定义串时，系统会自动在串值的最后添加 "\0" 来作为结束标记。例如，在 C 语言中定义一个字符数组：

```
char str[ ]="Hello World!";
```

串 "Hello World!" 在内存中的存放形式如图 4.1 所示。

图 4.1　"Hello World!" 在内存中的存放形式

其中，"\0" 表示串的结束。串 "Hello World!" 的长度为 12，不包括结束标记 "\0"。

另一种方法是利用变量 len 表示串的长度。在串的顺序存储结构中，这种方法更为常用。例如，用设置串长度的方法表示串 "Hello World!" 的情况如图 4.2 所示。

len=12

图 4.2　利用设置串长度的方法表示串"Hello World!"的情况

串的顺序存储结构的类型描述如下：

```
#define MAXLEN 60
typedef struct
{
    char str[MAXLEN];
    int len;
}SeqString;
```

其中，str 是存储串的字符数组，len 为串的长度。

串的基本运算保存在文件"SeqString. h"中。

2. 堆分配存储表示

采用堆分配存储表示的串称为堆串。堆串仍然采用一组地址连续的存储单元存放串中的字符。但是，堆串的存储空间是在程序的执行过程中动态分配的。

在 C 语言中，由函数 malloc( )和 free( )管理堆的存储空间。利用函数 malloc( )为新产生的串动态分配一块实际的存储空间，如果分配成功，则返回一个指向存储空间起始地址的指针，作为串的基地址（起始地址）。如果内存单元使用完毕，则使用函数 free( )释放内存空间。

在 C 语言中，还有一个动态内存分配函数 realloc( )。它与函数 malloc( )的区别是：函数 realloc( )可将已经分配的内存大小变成一个新的大小，并且原来内存中的内容不会丢失；函数 malloc( )可直接重新分配一个存储单元。realloc( )的原型是：

```
(void * )realloc(void * ptr,unsigned newsize);
```

其中，ptr 指向已经分配的内存块大小，newsize 是分配内存块的大小。函数 realloc( )可将 ptr 指向的内存块大小变为 newsize，newsize 可以比原来的内存块大，也可以比原来的内存块小。如果为了增加内存块大小而需要移动内存单元，则原来内存块中的内容被复制到新内存块中，并返回指向新内存块的指针；如果分配失败，则返回 NULL。

函数 realloc( )的使用如下：

```
char * str;
str=(char * )realloc(str,20);
```

注意：为了在原来的地址上增加内存大小，realloc 的返回值和参数为指向同一个字符串的指针 str。内存使用完毕后需要用函数 free( )释放内存单元。

堆串的类型描述如下：

```
typedef struct
{
    char * str;
    int len;
}HeapString;
```

其中，str 是指向堆串的起始地址的指针，len 表示堆串的长度。

📢 **注意：** 在堆串的操作过程中，如果串使用完毕，则需要将串的内存单元释放。

3. 块链存储表示

串的链式存储结构与线性表的链式存储结构类似，通过一个结点来实现。结点包含两个域：数据域和指针域。采用链式存储结构的串称为链串。链串中的每个结点都可以存放一个字符，也可以存放多个字符。例如，一个结点包含 4 个字符，即结点大小为 4 的链串如图 4.3 所示。

图 4.3　结点大小为 4 的链串

由于串长不一定是结点大小的整数倍，因此链串中的最后一个结点不一定被串值占满，可以补上特殊的字符，如"#"。例如一个含有 10 个字符的链串，通过补上两个"#"填满数据域，如图 4.4 所示。

图 4.4　填充两个"#"的链串

一个结点大小为 1 的链串如图 4.5 所示。

图 4.5　结点大小为 1 的链串

为了方便串的操作，除了用链表实现串的存储外，还增加了一个尾指针和一个表示串长度的变量。其中，尾指针指向链表（链串）的最后一个结点。因为块链结点的数据域可以包含多个字符，所以串的链式存储结构也称为块链结构。

链串的存储类型描述如下：

```
#define CHUNKSIZE 10
#define stuff '#'
/*串的结点类型定义*/
typedef struct Chunk
{
    char ch[CHUNKSIZE];
    struct Chunk *next;
}Chunk;
/*链串的类型定义*/
typedef struct
{
    Chunk *head;
    Chunk *tail;
    int len;
}LinkString;
```

其中，CHUNKSIZE 是结点的大小，可以由用户定义。当 CHUNKSIZE 等于 1 时，链串就变成了一个普通链表。当 CHUNKSIZE 大于 1 时，链串中的每个结点都可以存放多个字符。如果最后一个结点没有填充满，则使用"#"填充，在算法实现中，用 stuff 代替"#"。head 表示头指针，指向链串的第一个结点。tail 表示尾指针，指向链串的最后一个结点。

> 🔊 **注意**：链串中每个结点可存放多个字符，能够有效利用存储空间。

4.1.4 串的模式匹配

扫码看视频

串的模式匹配也称为子串的定位操作，即查找子串在主串中出现的位置。

1. Brute-Force 经典算法

串的模式匹配也称为子串的定位操作。设有主串 S 和子串 T，如果在主串 S 中找到一个与子串 T 相等的子串，则返回串 T 的第一个字符在串 S 中的位置。其中，主串 S 又称为目标串，子串 T 又称为模式串。

Brute-Force 算法的思想是：从主串 S=$"s_0s_1\cdots s_{n-1}"$ 的第 pos 个字符开始与子串 T=$"t_0t_1\cdots t_{m-1}"$ 的第一个字符比较，如果相等则继续逐个比较后续字符，否则从主串的下一个字符开始与子串 T 的第一个字符重新开始比较，以此类推。如果主串 S 中存在与子串 T 相等的连续的字符序列，则匹配成功，函数返回子串 T 中第一个字符在主串 S 中的位置，否则函数返回-1。

例如，主串 S = "abaababaddecab"，子串 T = "abad"，S 的长度为 n=13，T 的长度为 m=4。模式匹配的过程如图 4.6 所示。

假设串采用顺序存储方式存储，则 Brute-Force 匹配算法如下：

```
int B_FIndex(SeqString S,int pos,SeqString T)
/*从主串 S 中的第 pos 个位置开始查找子串 T，如果
找到则返回子串在主串中的位置，否则返回-1*/
{
    int i,j;
    i=pos-1;
    j=0;
    while(i<S.len&&j<T.len)
    {
        if(S.str[i]==T.str[j])   /*如果串 S 和
T 中对应位置的字符相等，则继续比较下一个
字符*/
        {
            i++;
            j++;
        }
        else             /*如果当前
对应位置的字符不相等，则从串 S 的下一个字符、T
的第 0 个字符开始比较*/
        {
            i=i-j+1;
            j=0;
        }
    }
    if(j>=T.len)              /*如果在串 S
中找到串 T，则返回子串 T 在主串 S 中的位置*/
```

图 4.6　Brute-Force 经典算法的
模式匹配过程

```
                return i−j+1;
        else
                return −1;
    }
```

Brute-Force 匹配算法简单，易于理解，但是执行效率不高。在 Brute-Force 算法中，即使主串与子串已有多个字符经过比较是相等的，但只要有一个字符不相等，就需要将主串的比较位置回退。

例如，假设主串 S 为 "aaaaaaaaaaaaab"，子串 T 为 "aaab"。其中，$n=14$，$m=4$。因为子串的前 3 个字符是 "aaa"，主串的前 13 个字符也是 "aaa"，每次比较子串的最后一个字符与主串中的字符时都不相等，所以均需要将主串的指针回退，从主串的下一个字符开始与子串的第一个字符重新比较。在整个匹配过程中，主串的指针需要回退 9 次，匹配不成功的比较次数是 $10×4$，匹配成功的比较次数是 4 次，因此总的比较次数是 $10×4+4=11×4$，即 $(n-m+1)×m$。

对于 Brute-Force 匹配算法，最好的情况是主串的前 m 个字符刚好与子串相等，时间复杂度为 $O(m)$。最坏的情况是 Brute-Force 匹配算法的时间复杂度是 $O(n×m)$。

2. KMP 算法

KMP 算法是由 D. E. Knuth、J. H. Morris、V. R. Pratt 共同提出的，因此被称为 Knuth-Morris-Pratt 算法，简称为 KMP 算法。KMP 算法对比 Brute-Force 算法有了较大改进，主要是消除了主串指针的回退，使算法效率有了很大的提高。

扫码看视频

（1）KMP 算法思想

KMP 算法的主要思想是：当一次匹配过程中出现字符不相等时，不需要回退主串的指针，而是利用已经得到的前面"部分匹配"的结果，将子串向右滑动若干个字符，然后继续与主串中的当前字符进行比较。

例如，仍然假设主串 S = "abaababaddecab"，子串 T = "abad"，KMP 算法的匹配过程如图 4.7 所示。

从图 4.7 可以看出，KMP 算法的匹配次数由原来的 6 次减少为 4 次。在第一次匹配的过程中，当 $i=3$、$j=3$ 时，主串中的字符与子串中的字符不相等，Brute-Force 算法从 $i=1$、$j=0$ 开始比较。而这种将主串的指针回退的比较是没有必要的，在第一次比较时，当主串与子串中的字符不相等时，有 $S_0=T_0=$ "a"，$S_1=T_1=$ "b"，$S_2=T_2=$ "a"，$S_3≠T_3$。因为 $S_1=T_1$ 且 $T_0≠T_1$，所以 $S_1≠T_0$，S_1 与 T_0 不必比较。又因为 $S_2=T_2$ 且 $T_0=T_2$，有 $S_2=T_0$，所以从 S_3 开始与 T_1 比较。

同理，在第三次比较时，当主串中的字符与子串中的字符不相等时，只需要将子串向右滑动两个字符，进行 $i=5$、$j=0$ 的字符比较即可。在整个 KMP 算法中，主串中的 i 指针没有回退。

下面来讨论一般情况。假设主串 S = "$s_0s_1\cdots s_{n-1}$"，T = "$t_0t_1\cdots t_{m-1}$"。在模式匹配的过程中，如果出现字符

图 4.7　KMP 算法的匹配过程

不匹配的情况，即当 $s_i \neq t_j (0 \leq i < n, 0 \leq j < m)$ 时，有：

$$\text{“}s_{i-j}s_{i-j+1}\cdots s_{i-1}\text{”} = \text{“}t_0 t_1 \cdots t_{j-1}\text{”}$$

接下来，主串中的第 i 个字符应该与子串的第几个字符进行比较呢？假设主串中第 i 个字符应该与子串中的第 $k(k<j)$ 个字符进行比较，则子串中的前 k 个字符（不可能存在 $k'>k$）与主串中的字符满足以下关系：

$$\text{“}s_{i-k}s_{i-k+1}\cdots s_{i-1}\text{”} = \text{“}t_0 t_1 \cdots t_{k-1}\text{”}$$

而根据前面部分匹配的结果，有：

$$\text{“}s_{i-k}s_{i-k+1}\cdots s_{i-1}\text{”} = \text{“}t_{j-k}t_{j-k+1}\cdots t_{j-1}\text{”}$$

综合以上两式，有“$t_0 t_1 \cdots t_{k-1}$” = “$t_{j-k}t_{j-k+1}\cdots t_{j-1}$”。

也就是说，子串中存在从 t_0 开始到 t_{k-1} 与从 t_{j-k} 开始到 t_{j-1} 的重叠子串，如图 4.8 所示。因此，下一次直接从 t_k 开始与 s_i 进行比较。

图 4.8　在子串有重叠时主串与子串模式匹配

为了加速主串与子串的匹配过程，利用 next 数组存放主串与子串的某个字符不匹配时的主串中当前字符与子串中下一个匹配的字符位置。如果令 $next[j]=k$，则 $next[j]$ 表示当子串中的第 j 个字符与主串中的对应字符 s_i 不相等时不需要滑动主串，而需要将主串中的字符 s_i 重新与子串中的第 k 个字符进行比较。求子串（即模式串）的 next 数组元素值，即 next 函数定义如下：

$$next[j] = \begin{cases} -1, & \text{当 } j=0 \text{ 时} \\ \text{Max}\{k \,|\, 0<k<j\} \text{ 且 “}t_0 t_1 \cdots t_{k-1}\text{”} = \text{“}t_{j-k}t_{j-k+1}\cdots t_{i-1}\text{”}\}, & \text{当该集合不为空时} \\ 0, & \text{其他情况} \end{cases}$$

其中，第 1 种情况，$next[j]$ 函数是为了方便算法设计而定义的；第 2 种情况，如果子串（模式串）中存在重叠的真子串，则 $next[j]$ 的取值就是 k，即模式串的最长子串的长度；第 3 种情况，如果模式串中不存在重叠的子串，则从子串的第一个字符开始比较。

KMP 算法的模式匹配过程：如果模式串 T 中存在真子串“$t_0 t_1 \cdots t_{k-1}$” = “$t_{j-k}t_{j-k+1}\cdots t_{j-1}$”，当模式串 T 与主串 S 的 s_i 不相等时，则按照 $next[j]=k$ 将模式串向右滑动，从主串中的 s_i 与模式串的 t_k 开始比较。如果 $s_i=t_k$，则主串与子串的指针各自增 1，继续比较下一个字符。如果 $s_i \neq t_k$，则按照 $next[next[j]]$ 将模式串继续向右滑动，将主串中的 s_i 与模式串中的 $next[next[j]]$ 字符进行比较。如果仍然不相等，则按照以上方法，将模式串继续向右滑动，直到 $next[j]=-1$ 为止。这时，模式串不再向右滑动，比较 s_{i+1} 与 t_0。利用 next 函数的模式匹配过程如图 4.9 所示。

利用模式串 T 的 next 函数值求 T 在主串 S 中的第 pos 个字符之后的位置的 KMP 算法描述如下：

```
int KMP_Index(SeqString S,int pos,SeqString T,int next[ ])
／＊KMP 模式匹配算法。利用模式串 T 的 next 函数在主串 S 中的第 pos 个位置开始查找子串 T。如
果找到，则返回子串在主串中的位置，否则返回-1 ＊／
{
```

```
        int i,j;
        i=pos-1;
        j=0;
        while(i<S. len&&j<T. len)
        {
            if(j= =-1||S. str[i]= =T. str[j])        /*如果 j=-1 或当前字符相等，则继续比较后
面的字符*/
            {
                i++;
                j++;
            }
            else                                    /*如果当前字符不相等，则将模式串向右滑
动*/
                j=next[j];                          /*数组 next 保存 next 函数值*/
        }
        if(j>=T. length)                            /*如果匹配成功，则返回子串在主串中的位
置，否则返回-1*/
            return i-T. len+1;
        else
            return -1;
    }
```

扫码看视频

图 4.9　利用 next 函数的模式匹配过程

（2）求 next 函数值

上面的 KMP 模式匹配算法是建立在模式串的 next 函数值已知的基础上的。下面来讨论模式串的 next 函数问题。

从上面的分析可以看出，模式串的 next 函数的取值与主串无关，仅与模式串相关。根据模式串 next 函数的定义可知，next 函数值可以递推得到。

扫码看视频

设 $\text{next}[j]=k$，表示在模式串 T 中存在以下关系：

$$\text{``}t_0 t_1 \cdots t_{k-1}\text{''} = \text{``}t_{j-k} t_{j-k+1} \cdots t_{j-1}\text{''}$$

其中，$0<k<j$，k 为满足等式的最大值，即不可能存在 $k'>k$ 满足以上等式。那么计算 $\text{next}[j+1]$ 的值可能有两种情况出现：

1）如果 $t_j = t_k$，则表示在模式串 T 中满足以下关系：

$$\text{``}t_0 t_1 \cdots t_k\text{''} = \text{``}t_{j-k} t_{j-k+1} \cdots t_j\text{''}$$

并且不可能存在 $k'>k$ 满足以上等式。因此有：

$$\text{next}[j+1]=k+1，即 \text{next}[j+1]=\text{next}[j]+1$$

2）如果 $t_j \neq t_k$，则表示在模式串 T 中满足以下关系：

$$\text{``}t_0 t_1 \cdots t_k\text{''} \neq \text{``}t_{j-k} t_{j-k+1} \cdots t_j\text{''}$$

在这种情况下，可以把求 next 函数值的问题看成一个模式匹配的问题。目前已经有 "$t_0 t_1 \cdots t_{k-1}$" = "$t_{j-k} t_{j-k+1} \cdots t_{j-1}$"，但是 $t_j \neq t_k$，把模式串 T 向右滑动到 $k'=\text{next}[k]$（$0<k'<k<j$），如果有 $t_j = t_{k'}$，则表示模式串中有"$t_0 t_1 \cdots t_{k'}$" = "$t_{j-k'} t_{j-k'+1} \cdots t_j$"，因此有：

$$\text{next}[j+1]=k'+1，即 \text{next}[j+1]=\text{next}[k]+1$$

如果 $t_j \neq t_{k'}$，则将模式串继续向右滑动到第 $\text{next}[k']$ 个字符，并与 t_j 比较。如果仍不相等，则将模式串继续向右滑动到第 $\text{next}[\text{next}[k']]$ 个字符，并与 t_j 比较。以此类推，直到 $\text{next}[0]=-1$ 为止。这时有：

$$\text{next}[j+1]=\text{next}[0]+1=-1+1=0$$

例如，由以上 next 函数值递推方法得到模式串 T="abaabacaba" 的 next 函数值，如图 4.10 所示。

在图 4.10 中，如果已经求得前 5 个字符的 next 函数值，现在求 $\text{next}[5]$，因为 $\text{next}[4]=1$，又因为 $t_4 = t_1$，则 $\text{next}[5]=\text{next}[4]+1=2$。接着求 $\text{next}[6]$，因为 $\text{next}[5]=2$，又因为 $t_5 = t_2$，则 $\text{next}[6]=3$。现在求 $\text{next}[7]$，因为 $\text{next}[6]=3$，又因为 $t_6 \neq t_3$，则需要比较 t_6 与 $\text{next}[3]$，其中 $\text{next}[3]=1$，而 $t_6 \neq t_1$，则需要比较 t_6 与 $\text{next}[1]$，其中 $\text{next}[1]=0$，而 $t_6 \neq t_0$，则需要将模式串继续向右滑动，因为 $\text{next}[0]=-1$，所以 $\text{next}[7]=0$。再求 $\text{next}[8]$ 和 $\text{next}[9]$，以此类推。

j	0	1	2	3	4	5	6	7	8	9
模式串	a	b	a	a	b	a	c	a	b	a
$\text{next}[j]$	-1	0	0	1	1	2	3	0	1	2

图 4.10　模式串的 next 函数值

求 next 函数值的算法如下：

```
void GetNext(SeqString T, int next[])
/*求模式串 T 的 next 函数值并存入数组 next*/
{
    int j,k;
    j=0;
    k=-1;
    next[0]=-1;
    while(j<T.len)
    {
        if(k==-1||T.str[j]==T.str[k])    /*如果 k=-1 或当前字符相等，则继续比较后面
的字符并将函数值存入 next 数组*/
        {
```

```
                    j++;
                    k++;
                    next[j]=k;
            }
            else            /*如果当前字符不相等,则将模式串向右移动,继续比较*/
                    k=next[k];
        }
    }
```

求 next 函数值的算法的时间复杂度是 $O(m)$。

（3）求 next 函数值的改进算法

扫码看视频

前面定义的求 next 函数值在有些情况下存在缺陷。例如主串 S = "aaaa-cabacaaaba"与模式串 T = "aaab"进行匹配时,当 $i=3$、$j=3$ 时,$s_3 \neq t_3$,而 next[0]=-1,next[1]=0,next[2]=1,next[3]=2,因此,需要将主串的 s_3 与子串中的 t_2、t_1、t_0 依次进行比较。因为模式串中的 t_2 与 t_0、t_1 都相等,没有必要将这些字符与主串的 s_3 进行比较,所以只需要直接将 s_4 与 t_0 进行比较。

在 next 算法中,在求得 next[j]=k 后,如果模式串中的 $t_j=t_k$,则当主串中的 $s_i \neq t_j$ 时,不需要再将 s_i 与 t_k 比较,而直接与 $t_{next[k]}$ 比较,此时 next[j]与 next[k]的值相同,s_i 与 $t_{next[j]}$ 的比较就没有意义。解决以上不必要的重复比较的方法是对数组进行修正:在求得 next[j]=k 之后,判断 t_j 是否与 t_k 相等,如果相等,那么还需要继续将模式串向右滑动,使 k=next[k],判断 t_j 是否与 t_k 相等,直到两者不相等为止。

例如,模式串 T = "abcdabcdabd"改进后的 next 函数值如图 4.11 所示。

j	0	1	2	3	4	5	6	7	8	9	10
模式串	a	b	c	d	a	b	c	d	a	b	d
next[j]	-1	0	0	0	0	1	2	3	4	5	6
nextval[j]	-1	0	0	0	-1	0	0	0	-1	0	6

图 4.11　改进后的 next 函数值

其中,nextval[j]中存放改进后的 next 函数值。在图 4.11 中,如果主串中对应的字符 s_i 与模式串 T 对应的 t_8 失配,则应取 $t_{next[8]}$ 与主串的 s_i 比较,即 t_4 与 s_i 比较。因为 $t_4=t_8$= "a",所以也一定与 s_i 失配,此时取 $t_{next[4]}$ 与 s_i 比较,即 t_0 与 s_i 比较,又因为 t_0= "a",也必然与 s_i 失配,则取 next[0]=-1,这时,模式串停止向右滑动。其中,t_4、t_0 与 s_i 比较是没有意义的,所以需要修正 next[8]和 next[4]的值为-1。同理,用类似的方法修正其他 next 函数值。

注意：假设 next[j]=k,且 $t_j=t_k$,当主串 s_i 与 t_j 不相等时,主串 s_i 不需要和 t_k 进行比较,直接与 $t_{next[k]}$ 比较。

求 next 函数值的改进算法如下:

```
void GetNextVal(SeqString T,int nextval[])
/*求模式串 T 的 next 函数值的修正值并存入数组 nextval*/
{
    int j,k;
    j=0;
    k=-1;
    nextval[0]=-1;
```

```
        while(j<T. len)
        {
            if(k==-1||T. str[j]==T. str[k])    /*如果 k=-1 或当前字符相等,则继续比较后面的
字符,并将函数值存入 nextval 数组*/
            {
                j++;
                k++;
                if(T. str[j]!=T. str[k])         /*如果所求的 nextval[j]与已有的 nextval[k]不相
等,则将 k 存放在 nextval 中*/
                    nextval[j]=k;
                else
                    nextval[j]=nextval[k];
            }
            else                           /*如果当前字符不相等,则将模式串向右滑动,继续比较*/
                k=nextval[k];
        }
    }
```

3. 模式匹配应用举例

【例 4.1】 编写程序比较 Brute-Force 算法与 KMP 算法的效果。例如主串 S = "cbaacbcacb-caacbcbc",子串 T = "cbcaacbcbc",输出模式串的 next 函数值与 nextval 函数值,并比较 Brute-Force 算法与 KMP 算法的比较次数。

【分析】 通过主串的模式匹配比较 Brute-Force 算法与 KMP 算法的效果。经典的 Brute-Force 算法是常用的算法,毕竟它不需要计算 next 函数值。在模式串与主串存在许多部分匹配的情况下,KMP 算法的优越性才会显现出来。

(1) 主函数部分

主函数主要包括头文件的引用、函数的声明、主函数及打印输出的实现。

```
#include<stdio. h>
#include<stdlib. h>
#include<string. h>
#include" SeqString. h"
int B_FIndex(SeqString S,int pos,SeqString T,int * count);
int KMP_Index(SeqString S,int pos,SeqString T,int next[],int * count);
int GetNext(SeqString T,int next[]);
int GetNextVal(SeqString T,int nextval[]);
void PrintArray(SeqString T,int next[],int nextval[],int len);
void main()
{
    SeqString S,T;
    int count1=0,count2=0,count3=0,find;
    int next[40],nextval[40];
    /*第一个比较的例子*/
    StrAssign(&S,"abaababaddecab");          /*给主串 S 赋值*/
    StrAssign(&T,"abad");                     /*给模式串 T 赋值*/
    GetNext(T,next);                          /*将 next 函数值保存在 next 数组*/
    GetNextVal(T,nextval);                    /*将改进后的 next 函数值保存在 nextval 数组*/
    printf("模式串 T 的 next 和改进后的 next 函数值:\n");
    PrintArray(T,next,nextval,StrLength(T)); /*输出模式串 T 的 next 函数值和 nextval 函数值*/
    find=B_FIndex(S,1,T,&count1);            /*传统的模式串匹配*/
    if(find>0)
```

```
                    printf("Brute-Force 算法的比较次数为:%2d\n",count1);
                find=KMP_Index(S,1,T,next,&count2);
                if(find>0)
                    printf("利用 next 的 KMP 算法的比较次数为:%2d\n",count2);
                find=KMP_Index(S,1,T,nextval,&count3);
                if(find>0)
                    printf("利用 nextval 的 KMP 匹配算法的比较次数为:%2d\n",count3);
                /*第二个比较的例子*/
                StrAssign(&S,"cbccccbcacbccbacbccbcbcbc");      /*给主串 S 赋值*/
                StrAssign(&T,"cbccbcbc");                       /*给模式串 T 赋值*/
                GetNext(T,next);                      /*将 next 函数值保存在 next 数组*/
                GetNextVal(T,nextval);             /*将改进后的 next 函数值保存在 nextval 数组*/
                printf("模式串 T 的 next 和改进后的 next 函数值:\n");
                PrintArray(T,next,nextval,StrLength(T));  /*输出模式串 T 的 next 函数值和 nextval 函数值*/
                find=B_FIndex(S,1,T,&count1);              /*传统的模式串匹配*/
                if(find>0)
                    printf("Brute-Force 算法的比较次数为:%2d\n",count1);
                find=KMP_Index(S,1,T,next,&count2);
                if(find>0)
                    printf("利用 next 的 KMP 算法的比较次数为:%2d\n",count2);
                find=KMP_Index(S,1,T,nextval,&count3);
                if(find>0)
                    printf("利用 nextval 的 KMP 匹配算法的比较次数为:%2d\n",count3);
            }
    void PrintArray(SeqString T,int next[],int nextval[],int len)
    /*模式串 T 的 next 函数值与 nextval 函数值输出函数*/
    {
        int j;
        printf("j:\t\t");
        for(j=0;j<len;j++)
            printf("%3d",j);
        printf("\n");
        printf("模式串:\t\t");
        for(j=0;j<len;j++)
            printf("%3c",T.str[j]);
        printf("\n");
        printf("next[j]:\t");
        for(j=0;j<len;j++)
            printf("%3d",next[j]);
        printf("\n");
        printf("nextval[j]:\t");
        for(j=0;j<len;j++)
            printf("%3d",nextval[j]);
        printf("\n");
    }
```

（2）模式串匹配实现

模式串匹配主要包括经典的 Brute-Force 算法与 KMP 算法实现代码。

```
int B_FIndex(SeqString S,int pos,SeqString T,int * count)
/*在主串 S 中的第 pos 个位置开始查找子串 T,如果找到,则返回子串在主串中的位置,否则返回-1*/
{
int i,j;
```

```
        i=pos−1;
        j=0;
         * count=0;                        /* count 保存主串与模式串的比较次数 */
        while(i<S. len&&j<T. len)
        {
            if(S. str[i]==T. str[j])  /* 如果串 S 和 T 中对应位置的字符相等, 则继续比较下一个字符 */
            {
                i++;
                j++;
            }
            else          /* 如果当前对应位置的字符不相等, 则从串 S 的下一个字符开始, 从串 T 的第 0
个字符开始比较 */
            {
                i=i−j+1;
                j=0;
            }
            ( * count)++;
        }
        if(j>=T. len)                      /* 如果在串 S 中找到串 T, 则返回子串 T 在主串 S 中的位置 */
            return i−j+1;
        else
            return−1;
}
int KMP_Index( SeqString S, int pos, SeqString T, int next[ ], int * count)
/* KMP 模式匹配算法。利用模式串 T 的 next 函数在主串 S 中的第 pos 个位置开始查找子串 T, 如
果找到则返回子串在主串中的位置, 否则返回−1 */
{
        int i,j;
        i=pos−1;
        j=0;
         * count=0;                        /* count 保存主串与模式串的比较次数 */
        while(i<S. len&&j<T. len)
        {
            if(j==−1||S. str[i]==T. str[j])   /* 如果 j=−1 或当前字符相等, 则继续比较后面的字符 */
            {
                i++;
                j++;
            }
            else                /* 如果当前字符不相等, 则将模式串向右滑动 */
                j=next[j];
            ( * count)++;
        }
        if(j>=T. len)                      /* 匹配成功, 返回子串在主串中的位置, 否则返回−1 */
            return i−T. len+1;
        else
            return −1;
}
```

（3） 求 next 函数值部分

这部分主要通过 KMP 算法中的求 next 函数值及改进的求 next 函数值代码实现, 读者可参见求 next 函数值和求 next 函数值的改进算法部分。

程序运行结果如图 4. 12 所示。

图 4.12　程序运行结果

4.2　数组

数组可看作一种特殊的线性表，表中的元素可以是原子类型的，也可以是一个线性表。

4.2.1　数组的定义

数组是由 n 个类型相同的数据元素组成的有限序列。其中，这 n 个数据元素占用一块地址连续的存储空间。数组中的数据元素可以是原子类型的，如整型、字符型、浮点型等，这种类型的数组称为一维数组；数组中的数据元素也可以是一个线性表，这种类型的数组称为二维数组。二维数组可以看成线性表的线性表。

一个含有 n 个元素的一维数组可以表示成线性表 $A = (a_0, a_1, \cdots, a_{n-1})$。其中，$a_i (0 \leqslant i \leqslant n-1)$ 是表 A 中的元素，表中的元素个数是 n。

一个 m 行 n 列的二维数组可以看成一个线性表，其中数组中的每个元素也是一个线性表。例如，$A = (p_0, p_1, \cdots, p_r)$，其中，$r = n-1$。表中的每个元素 $p_j (0 \leqslant j \leqslant r)$ 又是一个列向量表示的线性表，$p_j = (a_{0,j}, a_{1,j}, \cdots, a_{m-1,j})$，其中 $0 \leqslant j \leqslant n-1$。因此，这样的 m 行 n 列的二维数组可以表示成由列向量组成的线性表，如图 4.13 所示。

在图 4.13 中，二维数组的每一列都可以看成线性表中的每一个元素。线性表 A 中的每一个元素 $p_j (0 \leqslant j \leqslant r)$ 都是一个列向量。同样，还可以把图 4.13 中的矩阵看成一个由行向量构成的线性表：$B = (q_0, q_1, \cdots, q_s)$，其中，$s = m-1$。$q_i$ 是一个行向量，即 $q_i = (a_{i,0}, a_{i,1}, \cdots, a_{i,n-1})$，如图 4.14 所示。

图 4.13　以列向量表示的二维数组　　　　图 4.14　以行向量表示的二维数组

同理，一个 n 维数组也可以看成一个线性表，其中线性表中的每个数据元素都是 $n-1$ 维的数组。n 维数组中的每个元素都处于 n 个向量中，每个元素都有 n 个前驱元素，也有 n 个后继元素。

4.2.2 数组的抽象数据类型

数组的抽象数据类型定义了数组中的数据对象、数据关系及基本操作。数组的抽象数据类型定义如下：

ADT Array
{
　　数据对象：$D = \{a_{j_1 j_2 \cdots j_n} | n(>0)$ 称为数组的维数，j_i 是数组的第 i 维下标，$1 \le j_i \le b_i$，其中，b_i 为数组第 i 维的长度，$a_{j_1 j_2 \cdots j_n} \in ElementSet\}$。

　　数据关系：$R = \{R_1, R_2, \cdots, R_n\}$

　　$R = \{<a_{j_1 \cdots j_i \cdots j_n}, a_{j_1 \cdots j_{i+1} \cdots j_n}> | 1 \le j_k \le b_k, 1 \le k \le n$ 且 $k \neq i, 1 \le j_i \le b_{i-1}, a_{j_1 \cdots j_i \cdots j_n}, a_{j_1 \cdots j_{i+1} \cdots j_n} \in D, i = 1, \cdots, n\}$

　　基本操作：

　　（1）InitArray(&A, n, bound1, ⋯, boundn)

　　如果维数和各维的长度合法，则构造数组 A，并返回 1，表示成功。

　　（2）DestroyArray(&A)

　　销毁数组 A。

　　（3）GetValue(A, &e, index1, ⋯, indexn)

　　如果下标合法，将数组 A 中对应的元素赋给 e，并返回 1，表示成功。

　　（4）SetValue(&A, e, index1, ⋯, indexn)

　　如果下标合法，将数组 A 中由下标 index1, ⋯, indexn 指定的元素值置为 e。

　　（5）LocateArray(A, ap, &offset)

　　根据数组的元素下标，求出该元素在数组中的相对地址。

} ADT Array

4.2.3 数组的顺序表示与实现

如果建立了数组，则数组的维数与各维的长度不再改变，因此，数组采用的是顺序存储方式。

1. 数组的顺序存储结构

在计算机中，存储器的结构是一维（线性）的结构。数组是一个多维的结构，如果要将一个多维的结构存放在一个一维的存储单元里，就必须先将多维的数组转换成一个一维的线性序列，才能将其存放在存储器中。

数组的存储方式有两种：一种是以行序为主序的存储方式，另一种是以列序为主序的存储方式。二维数组 A 以行序为主序的存储顺序为 $a_{0,0}, a_{0,1}, \cdots, a_{0,n-1}, a_{1,0}, a_{1,1}, \cdots, a_{1,n-1}, \cdots, a_{m-1,0}, a_{m-1,1}, \cdots, a_{m-1,n-1}$，以列序为主序的存储顺序为 $a_{0,0}, a_{1,0}, \cdots, a_{m-1,0}, a_{0,1}, a_{1,1}, \cdots, a_{m-1,1}, \cdots, a_{0,n-1}, a_{1,n-1}, \cdots, a_{m-1,n-1}$。数组 A 在计算机中的存储方式如图 4.15 所示。

如果给定了数组的维数和各维的长度，就可以为数组分配存储空间。如果给定数组的下标，就可以求出相应数组元素的存储位置。

下面以行序为主序说明数组在内存中的存储地址与数组下标之间的关系。假设数组中的每个元素都占 L 个存储单元，则二维数组 A 中的任何一个元素 a_{ij} 的存储位置都可以由以下公式确定。

$$Loc(i, j) = Loc(0, 0) + (i \times n + j) \times L$$

其中，$Loc(i, j)$ 表示元素 a_{ij} 的存储地址；$Loc(0, 0)$ 表示元素 a_{00} 的存储地址，即二维数组的起始地址或基地址。

图 4.15　数组 A 在计算机中的存储方式

如果将二维数组推广到更一般的情况，则可以得到 n 维数组中数据元素的存储地址与数组的下标之间的关系：

$$\text{Loc}(j_1, j_2, \cdots, j_n) = \text{Loc}(0, 0, \cdots, 0) + (b_1 \times b_2 \times \cdots \times b_{n-1} \times j_0 + b_2 \times b_3 \times \cdots \times b_{n-1} \times j_1 + \cdots + b_{n-1} \times j_{n-2} + j_{n-1}) \times L$$

其中，$b_i (1 \leqslant i \leqslant n-1)$ 是第 i 维的长度，j_i 是数组的第 i 维下标。

数组顺序存储结构的类型描述如下：

```
#define MaxArraySize 3
#include<stdarg. h>              /*标准头文件,包含 va_start、va-arg、va_end 宏定义*/
typedef struct
{
    DataType * base;            /*数组元素的基地址*/
    int dim;                    /*数组的维数*/
    int * bounds;               /*数组各维之间的界限的地址*/
    int * constants;            /*数组存储映像常量基地址*/
} Array;
```

其中，base 是数组元素的基地址，dim 是数组的维数，bounds 是数组中各维之间的界限的地址，constants 是数组存储映像常量基地址。

2. 数组的基本运算

在顺序存储结构中，数组的基本运算实现如下（以下算法的实现保存在文件"SeqArray. h"中）。

1）数组的初始化。

```
int InitArray(Array * A, int dim, …)        /*数组的初始化*/
{
    int elemtotal = 1, i;                   /*elemtotal 是数组元素总数,初值为 1*/
    va_list ap;
```

115

```
    if(dim<1||dim>MaxArraySize)              /*如果维数不合法，则返回0*/
        return 0;
    A->dim=dim;                              /* 分配一个dim大小的内存单元*/
    A->bounds=(int * )malloc(dim * sizeof(int));
    if(!A->bounds)
        exit(-1);
    va_start(ap,dim);                        /* dim是一个固定参数，即可变参数的前一个参数*/
    for(i=0;i<dim;++i)
    {
        A->bounds[i]=va_arg(ap,int);         /*依次取得可变参数，即各维的长度*/
        if(A->bounds[i]<0)
            return -1;
        elemtotal * =A->bounds[i];           /* 得到数组中元素总的个数*/
    }
    va_end(ap);
    A->base=(DataType * )malloc(elemtotal * sizeof(DataType));  /*为数组的所有元素分配内
存空间*/
    if(!A->base)
        exit(-1);
    A->constants=(int * )malloc(dim * sizeof(int));     /*为数组的常量基址分配内存单元*/
    if(!A->constants)
        exit(-1);
    A->constants[dim-1]=1;
    for(i=dim-2;i>=0;--i)
        A->constants[i]=A->bounds[i+1] * A->constants[i+1];
    return 1;
}
```

在具体的实现中使用了宏 va_list、va_arg、va_start 和 va_end，这些宏定义在 C 语言中的头文件 stdarg.h 中包含了。首先定义一个指向可变参数的指针 ap，然后调用 va_start(ap,dim)使 ap 指向 dim 的下一个参数，即第一个变长参数，然后调用 va_arg(ap,int)返回可变参数的值，最后使用完毕 va_end(ap)，结束对可变参数的获取。

> 📖 **说明：** 在数组的初始化算法中，使用了变长参数表"…"传递参数。变长形式参数主要用于参数不确定的情况。在上面的函数中，数组可能是两维的，此时需要两个参数传递给形式参数，数组也可能是三维的，则需要将 3 个参数传递给形式参数。在函数的形式参数表中，变长形式参数表的前面至少要有一个固定参数。

2）销毁数组。

```
void DestroyArray(Array * A)                  /* 销毁数组*/
{
    if(A->base)
        free(A->base);
    if(A->bounds)
        free(A->bounds);
    if(A->constants)
        free(A->constants);
    A->base=A->bounds=A->constants=NULL;      /*将各个指针指向空*/
    A->dim=0;
}
```

3）返回数组中指定的元素。

```
int GetValue(DataType * e,Array A,…)        /*返回数组中指定的元素,将指定数组的下标的元素
赋给 e*/
{
    va_list ap;
    int offset;
    va_start(ap,A);
    if(LocateArray(A,ap,&offset)= =0)        /*找到元素在数组中的相对位置 */
        return 0;
    va_end(ap);
    *e= *(A. base+offset);                   /*将元素值赋值给 e*/
    return 1;
}
```

4）数组的赋值。

```
int SetValue(Array A,DataType e,…)          /*数组的赋值*/
{
    va_list ap;
    int offset;
    va_start(ap,e);
    if(LocateArray(A,ap,&offset)= =0)        /*找到元素在数组中的相对位置 */
        return 0;
    va_end(ap);
    *(A. base+offset)=e;                     /*将 e 赋值给该元素 */
    return 1;
}
```

5）数组的定位。

```
int LocateArray(Array A,va_list ap,int * offset)   /*根据数组中元素的下标,求出该元素在 A 中的
相对地址 offset */
{
    int i,instand;
    * offset=0;
    for(i=0;i<A. dim;i++)
    {
        instand=va_arg(ap,int);
        if(instand<0||instand>=A. bounds[i])
            return 0;
        * offset+=A. constants[i] * instand;
    }
    return 1;
}
```

3. 数组的应用举例

【例 4.2】利用数组的基本操作实现对数组的初始化、赋值、返回数组的值及定位操作。定义一个二维数组 B,并将 B 初始化,然后将数组 B 的值依次赋值给数组 A,并将数组 A 的元素输出。

```
#include<stdio. h>
#include<malloc. h>
#include<stdlib. h>
```

```
#include<stdarg. h>                          /*标准头文件,包含 va_start、va_arg、va_end 宏定义 */
typedef int DataType;
#include" SeqArray. h"
void main( )
{
    Array A;
    DataType B[4][3]={{12,13,14},{22,23,24},{33,34,35},{45,46,47}};
    int i,j;
    int dim=2,bound1=4,bound2=3;           /*初始化数组的维数和各维的长度 */
    DataType e;
    InitArray(&A,dim,bound1,bound2);       /*构造一个 4×3 的二维数组 A */
    printf("数组 A 的各维的长度是:");
    for(i=0;i<dim;i++)                     /*输出数组 A 的各维的长度 */
        printf("%3d",A. bounds[i]);

    printf("\n%d 行%d 列的矩阵元素:\n",bound1,bound2);
    for(i=0;i<bound1;i++)
    {
        for(j=0;j<bound2;j++)
        {
            SetValue(A,B[i][j],i,j);       /*将数组 B 中的元素赋值给 A */
            GetValue(&e,A,i,j);            /*将数组 A 中的元素赋值给 e */
            printf("A[%d][%d]=%3d\t",i,j,e);      /*输出数组 A 中的元素 */
        }
        printf("\n");
    }
    printf("利用基地址输出元素:\n");
    for(i=0;i<bound1*bound2;i++)           /*按照线性序列输出数组 A 中的元素 */
    {
        printf("第%d 个元素=%3d\t",i+1,A. base[i]);
        if((i+1)%bound2==0)
            printf("\n");
    }
    DestroyArray(&A);
}
```

程序的运行结果如图 4.16 所示。

图 4.16　程序运行结果

4.2.4 特殊矩阵的压缩存储

矩阵是许多科学与工程计算中研究的数学对象。在矩阵运算中，往往会出现矩阵中许多相同的元素或值为零的元素。为了节省空间，需要对这些矩阵进行压缩存储。常见的特殊矩阵有对称矩阵、三角矩阵、对角矩阵。

1. 对称矩阵的压缩存储

如果一个 n 阶的矩阵 A 中的元素满足性质 $a_{ij} = a_{ji}(0 \leqslant i,j \leqslant n-1)$，则称这种矩阵为 n 阶对称矩阵。

由于对称矩阵中的元素关于主对角线对称，因此，在对称矩阵存储时，可以只存储对称矩阵中的上三角或者下三角的元素，使得对称的元素共享一个存储单元。这样就可将 n^2 个元素存储在 $n(n+1)/2$ 的存储单元里。n 阶对称矩阵 A 如图 4.17 所示。这种按照某种规律将矩阵中的元素存储在一个较小的内存单元中的方式，称为矩阵的压缩存储。

$$A_{n \times n} = \begin{bmatrix} a_{0,0} & a_{0,1} & \cdots & a_{0,n-1} \\ a_{1,0} & a_{1,1} & \cdots & a_{1,n-1} \\ \vdots & \vdots & & \vdots \\ a_{n-1,0} & a_{n-1,1} & \cdots & a_{n-1,n-1} \end{bmatrix} \qquad A_{n \times n} = \begin{bmatrix} a_{0,0} & & & \\ a_{1,0} & a_{1,1} & & \\ \vdots & \vdots & \ddots & \\ a_{n-1,0} & a_{n-1,1} & \cdots & a_{n-1,n-1} \end{bmatrix}$$

对称矩阵 　　　　　　　　　　　　　下三角矩阵

图 4.17　n 阶对称矩阵与下三角矩阵

假设以一维数组 s 存储对称矩阵 A 的上三角或下三角元素，则一维数组 s 的下标 k 与 n 阶对称矩阵 A 的元素 a_{ij} 之间的对应关系为：

$$k = \begin{cases} \dfrac{i(i+1)}{2} + j, & \text{当 } i \geqslant j \\[2mm] \dfrac{j(j+1)}{2} + i, & \text{当 } i < j \end{cases}$$

当 $i \geqslant j$ 时，$\dfrac{i(i+1)}{2} + j$ 表示矩阵 A 的下三角元素与 k 之间的对应关系；当 $i < j$ 时，表示矩阵 A 的上三角元素的下标与 k 之间的对应关系。任意给定一组下标 (i,j)，就可以在一维数组 s 中找到矩阵 A 的元素 a_{ij}。反之，任意给定一个 k 值，其中，$0 \leqslant k \leqslant n(n+1)/2-1$，就可以确定元素 $s[k]$ 在矩阵 A 中的位置 (i,j)。此时称 s 为 n 对称矩阵 A 的压缩存储。通常情况下，以行序为主序存储矩阵中的下三角的元素。矩阵的下三角元素的存储表示如图 4.18 所示。

$k=$	0	1	2	3		$\dfrac{n(n-1)}{2}$		$\dfrac{n(n+1)}{2}-1$
	a_{00}	a_{10}	a_{11}	a_{20}	$\cdots$	$a_{n-1,0}$	$\cdots$	$a_{n-1,n-1}$

图 4.18　矩阵的下三角元素的存储表示

2. 三角矩阵的压缩存储

三角矩阵分为两种：上三角矩阵和下三角矩阵。其中，下三角元素均为常数 c 或零的 n 阶矩阵称为上三角矩阵；上三角元素均为常数 c 或零的 n 阶矩阵称为下三角矩阵。上/下三角矩阵的形式如图 4.19 所示。压缩矩阵也同样适用于三角矩阵，重复的元素 c 可以用一个存储单元存储，其他元素可以用对称矩阵的压缩存储方式存储。

$$A_{n\times n}=\begin{bmatrix} a_{0,0} & a_{0,1} & \cdots & a_{0,n-1} \\ & a_{1,1} & \cdots & a_{1,n-1} \\ & & & \vdots \\ & c & & \\ & & & a_{n-1,n-1} \end{bmatrix} \qquad A_{n\times n}=\begin{bmatrix} a_{0,0} & & & \\ a_{1,0} & a_{1,1} & & c \\ \vdots & \vdots & & \\ a_{n-1,0} & a_{n-1,1} & \cdots & a_{n-1,n-1} \end{bmatrix}$$

上三角矩阵　　　　　　　　　　　　　　下三角矩阵

图 4.19　上三角矩阵与下三角矩阵的形式

如果用一维数组来存储三角矩阵，则需要存储 $n(n+1)/2+1$ 个元素。一维数组的下标 k 与矩阵的下标 (i,j) 的对应关系为：

$$k=\begin{cases} \dfrac{i(2n-i+1)}{2}+j-i, & \text{当 } i\leqslant j \\ \dfrac{n(n+1)}{2}, & \text{当 } i>j \end{cases} \qquad k=\begin{cases} \dfrac{i(i+1)}{2}+j, & \text{当 } i\geqslant j \\ \dfrac{n(n+1)}{2}, & \text{当 } i<j \end{cases}$$

上三角矩阵　　　　　　　　　　　　下三角矩阵

其中，第 $k=\dfrac{n(n+1)}{2}$ 个位置存放的是常数 c 或者零元素。

3. 对角矩阵的压缩存储

对角矩阵，也称带状矩阵，就是所有的非零元素都集中在主对角线两侧的带状区域内（对角线的个数为奇数）。一个 3 对角矩阵的示意图如图 4.20 所示。

不难看出，对角矩阵除了主对角线和主对角线两侧的对角线外，其他元素的值均为零。以上对角矩阵具有以下特点：

$$A_{6\times 6}=\begin{bmatrix} 7 & 6 & 0 & 0 & 0 & 0 \\ 9 & 10 & 11 & 0 & 0 & 0 \\ 0 & 5 & 7 & 2 & 0 & 0 \\ 0 & 0 & 4 & 5 & 6 & 0 \\ 0 & 0 & 0 & 1 & 7 & 3 \\ 0 & 0 & 0 & 0 & 5 & 13 \end{bmatrix}$$

图 4.20　3 对角矩阵的示意图

当 $i=0$，$j=1,2$ 时，也就是第一行，有 2 个非零元素；当 $0<i<n-1$，$j=i-1$，i，$i+1$ 时，有 3 个非零元素；当 $i=n-1$，$j=n-2$，$n-1$ 时，有 2 个非零元素。除此以外，其他元素均为零。

在 3 对角矩阵中，第一行和最后一行有两个非零元素，其余各行有 3 个非零元素。因此，如果用一维数组存储矩阵中的非零元素，则需要存储 $2+3\times(n-2)+2=3n-2$ 个非零元素。对角矩阵的压缩存储形式如图 4.21 所示。

$k=$	0	1	2	3	4	5	6	7		$3n-3$
矩阵	a_{00}	a_{01}	a_{10}	a_{11}	a_{12}	a_{21}	a_{22}	a_{23}	$\cdots$	$a_{n-1,n-1}$

图 4.21　对角矩阵的压缩存储形式

下面确定一维数组的下标 k 与矩阵中的下标 (i,j) 之间的关系。首先确定下标为 (i,j) 的元素与第 1 个元素在一维数组中的关系，$\text{Loc}(i,j)$ 表示 a_{ij} 在一维数组中的位置，$\text{Loc}(0,0)$ 表示第 1 个元素在一维数组中的地址。

$\text{Loc}(i,j)=\text{Loc}(0,0)+$ 前 $i-1$ 行中非零元素个数 $+$ 第 i 行中 a_{ij} 的非零元素个数，其中，前 $i-1$ 行（从第 0 行开始计数）的非零元素个数为 $3i-1$，第 i 行的非零元素个数为 $j-i+1$。其中：

$$j-i=\begin{cases} -1, & \text{当 } i>j \\ 0, & \text{当 } i=j \\ 1, & \text{当 } i<j \end{cases}$$

因此，$k=\text{Loc}(0,0)+3i-1+j-i+1=1=\text{Loc}(0,0)+2i+j$，则 $k=2i+j$。这里需要注意：矩阵的下标与一维数组的下标都是从 0 开始的。

4.2.5　稀疏矩阵的压缩存储

扫码看视频

稀疏矩阵中的大多数元素都是零，因此也需要进行压缩存储。

1. 稀疏矩阵的定义

假设在 $m×n$ 矩阵中，有 t 个元素不为零，令 $\delta = \dfrac{t}{m×n}$，δ 为矩阵的稀疏

因子，如果 $\delta \le 0.05$，则称矩阵为稀疏矩阵。也就是说，矩阵中大多数是值为零的元素，只有很少的非零元素，这样的矩阵就是稀疏矩阵。例如，图 4.22 是一个 6×7 的稀疏矩阵。

在稀疏矩阵中，大多数都是元素值为零的元素，只有极少数的非零元素。为了节省内存单元，稀疏矩阵也需要进行压缩存储。

$$M_{6×7} = \begin{bmatrix} 0 & 0 & 0 & 9 & 0 & 0 & 0 \\ 0 & 3 & 0 & 0 & 0 & 0 & 0 \\ 0 & 0 & 7 & 2 & 0 & 0 & 0 \\ 7 & 0 & 0 & 0 & -2 & 0 & 0 \\ 0 & 0 & 4 & 7 & 0 & 0 & 0 \\ 0 & 0 & 0 & 0 & 5 & 0 & 0 \end{bmatrix}$$

图 4.22　6×7 稀疏矩阵

2. 稀疏矩阵的三元组表示与实现

（1）稀疏矩阵的三元组表示

为了实现压缩存储，可以只存储稀疏矩阵的非零元素。在存储稀疏矩阵中的非零元素时，还必须存储非零元素对应的行和列的位置 (i,j)。也就是说，存储一个非零元素时需要存储元素的行号、列号和元素值，即通过存储 (i,j,a_{ij}) 唯一确定一个非零元素。这种存储表示称为稀疏矩阵的三元组表示。三元组的存储结构如图 4.23 所示。

图 4.23 中的非零元素可以用以下三元组表示：

$((0,3,9),(1,1,3),(2,2,7),(2,3,2),(3,0,7),(3,4,-2),(4,2,4),(4,3,7),(5,4,5))$

将这些三元组按照行序为主序用一维数组存放，可以得到图 4.24 所示的三元组的存储表示。其中，k 表示一维数组的下标。

k	i	j	e
0	0	3	9
1	1	1	3
2	2	2	7
3	2	3	2
4	3	0	7
5	3	4	-2
6	4	2	4
7	4	3	7
8	5	4	5

i	j	e
非零元素的行号	非零元素的列号	非零元素的值

图 4.23　稀疏矩阵的三元组存储结构　　　图 4.24　稀疏矩阵的三元组存储表示

通常，数组的存储采用顺序存储结构，采用顺序存储结构的三元组称为三元组顺序表。三元组顺序表的类型定义如下：

```
#define MaxSize 200
typedef struct                    /*三元组类型定义*/
{
    int i,j;
    DataType e;
```

```
    }Triple;
    typedef struct              /*矩阵类型定义*/
    {
        Triple data[MaxSize];
        int m,n,len;            /*矩阵的行数、列数和非零元素的个数*/
    }TriSeqMatrix;
```

其中，i 和 j 分别是非零元素的行号和列号，m、n、len 分别表示矩阵的行数、列数和非零元素的个数。

（2）稀疏矩阵的三元组实现

下面给出稀疏矩阵基本操作的算法实现（算法实现保存在文件"TriSeqMatrix. h"中）。

1）创建稀疏矩阵操作。根据输入的行号、列号和元素值创建一个稀疏矩阵。要求按照行优先顺序输入，创建稀疏矩阵成功返回 1，否则返回 0。

```
    int CreateMatrix(TriSeqMatrix * M)
    /*创建稀疏矩阵操作。要求按照行优先顺序输入非零元素值*/
    {
        int i,m,n;
        DataType e;
        int flag;
        printf("请输入稀疏矩阵的行数、列数、非零元素个数:");
        scanf("%d,%d,%d",&M->m,&M->n,&M->len);
        if(M->len>MaxSize)
            return 0;
        for(i=0;i<M->len;i++)
        {
            do
            {
                printf("请按行序顺序输入第%d 个非零元素所在的行(1~%d),列(1~%d),元素
值:",i,M->m,M->n);
                scanf("%d,%d,%d",&m,&n,&e);
                flag=0;                        /*初始化标志位*/
                if(m<0||m>M->m||n<0||n>M->n)    /*如果行号或列号不正确，则标志位为 1*/
                    flag=1;
                /*如果输入的顺序不正确，则标志位为 1*/
                if(i>0&&m<M->data[i-1].i||m==M->data[i-1].i&&n<=M->data[i-1].j)
                    flag=1;
            }while(flag);
            M->data[i].i=m;
            M->data[i].j=n;
            M->data[i].e=e;
        }
        return 1;
    }
```

2）销毁稀疏矩阵操作。因为稀疏矩阵的内存单元是静态分配的，所有只需要将矩阵的行数、列数及个数设置为 0。

```
    void DestroyMatrix(TriSeqMatrix * M)
    /*销毁稀疏矩阵操作。因为是静态分配，所以只需要将矩阵的行数、列数和个数设置为 0*/
    {
        M->m=M->n=M->len=0;
```

3）稀疏矩阵的复制操作。复制稀疏矩阵 *M* 得到另一个矩阵 *N*，将稀疏矩阵 *M* 的非零元素的行号、列号及元素值依次赋值给矩阵 *N* 的行号、列号及元素值。

```
void CopyMatrix(TriSeqMatrix M,TriSeqMatrix * N)
/*复制稀疏矩阵 M 得到另一个矩阵 N*/
{

    int i;
    N->len=M. len;              /*修改稀疏矩阵 N 的非零元素的个数*/
    N->m=M. m;                  /*修改稀疏矩阵 N 的行数*/
    N->n=M. n;                  /*修改稀疏矩阵 N 的列数*/
    for(i=0;i<M. len;i++)       /*将稀疏矩阵 M 的非零元素的行号、列号及元素值依次赋值给矩
阵 N 的行号、列号及元素值*/
    {
        N->data[i]. i=M. data[i]. i;
        N->data[i]. j=M. data[i]. j;
        N->data[i]. e=M. data[i]. e;
    }
}
```

4）稀疏矩阵的相加操作。将两个稀疏矩阵 *M* 和 *N* 的对应非零元素相加，得到矩阵 *Q*。具体实现：先比较两个稀疏矩阵 *M* 和 *N* 的行号，如果行号相等，则比较列号；如果行号与列号都相等，则将对应的元素值相加，并将下标 *m* 与 *n* 都加 1，再比较下一个元素；如果行号相等，列号不相等，则将列号较小的矩阵的元素赋值给矩阵 *Q*，并使列号加 1，继续比较下一个元素；如果行号与列号都不相等，则将行号较小的矩阵的元素赋值给 *Q*，并使行号加 1，继续比较下一个元素。

```
int AddMatrix(TriSeqMatrix M,TriSeqMatrix N,TriSeqMatrix * Q)
/*两个稀疏矩阵的和。将两个矩阵 M 和 N 对应的元素值相加,得到另一个稀疏矩阵 Q*/
{
    int m=0,n=0,k=-1;
    if(M. m!=N. m||M. n!=N. n)    /*如果两个矩阵的行数与列数不相等,则不能够进行相加运算*/
        return 0;
    Q->m=M. m;
    Q->n=M. n;
    while(m<M. len&&n<N. len)
    {
        switch(CompareElement(M. data[m]. i,N. data[n]. i))    /*比较两个矩阵对应元素的行号*/
        {
        case -1:
            Q->data[++k]=M. data[m++];                /*将矩阵 M(即行号小的元素)赋值给 Q*/
            break;
        case 0:
            /*如果矩阵 M 和 N 的行号相等,则比较列号*/
            switch(CompareElement(M. data[m]. j,N. data[n]. j))
            {
            case -1:             /*如果 M 的列号小于 N 的列号,则将矩阵 M 的元素赋值给 Q*/
                Q->data[++k]=M. data[m++];
                break;
            case 0:              /*如果 M 和 N 的行号、列号均相等,则将两个元素相加,存入 Q*/
                Q->data[++k]=M. data[m++];
                Q->data[k]. e+=N. data[n++]. e;
```

```
                              if(Q->data[k].e==0)              /*如果两个元素的和为0,则不保存*/
                                  k--;
                              break;
                      case  1:              /*如果M的列号大于N的列号,则将矩阵N的元素赋值给Q*/
                          Q->data[++k]=N.data[n++];
                      }
                      break;
                  case  1:                  /*如果M的行号大于N的行号,则将矩阵N的元素赋值给Q*/
                      Q->data[++k]=N.data[n++];
                      }
                  }
          while(m<M.len)            /*如果矩阵M的元素还没处理完毕,则将M中的元素赋值给Q*/
              Q->data[++k]=M.data[m++];
          while(n<N.len)            /*如果矩阵N的元素还没处理完毕,则将N中的元素赋值给Q*/
              Q->data[++k]=N.data[n++];
          Q->len=k;                 /*修改非零元素的个数*/
          if(k>MaxSize)
              return 0;
          return 1;
      }
```

其中，比较两个矩阵的元素值的函数实现代码如下：

```
int CompareElement(int a,int b)
/*比较两个矩阵的元素值大小。前者小于后者,则返回-1;相等,则返回0;大于,则返回1*/
{
    if(a<b)
        return -1;
    if(a==b)
        return 0;
    return 1;
}
```

5) 稀疏矩阵的相减操作。只需要将第二个矩阵的元素值都乘以-1，然后进行矩阵相加操作即可。

```
int SubMatrix(TriSeqMatrix M,TriSeqMatrix N,TriSeqMatrix * Q)
/*稀疏矩阵的相减操作*/
{
    int i;
    for(i=0;i<N.len;i++)
        N.data[i].e * =-1;            /*将矩阵N的元素都乘以-1,然后将两个矩阵相加*/
    return AddMatrix(M,N,Q);
}
```

6) 稀疏矩阵的转置操作。稀疏矩阵的转置就是将矩阵中的元素由原来的存放位置(i,j)变为(j,i)，也就是说将元素的行列互换。例如，图 4.22 是一个 6×7 的矩阵，经过转置后变为7×6 的矩阵，并且矩阵的元素也要以主对角线为准进行交换。

实现稀疏矩阵的转置的方法为：将矩阵 **M** 的三元组中的行和列互换就可以得到转置后的矩阵 **N**，如图 4.25 所示。转置前后的稀疏矩阵的三元组顺序表如图 4.26 所示。

(i,j,e) ——→ (j,i,e)

矩阵 **M**　　　　　矩阵 **N**

图 4.25　稀疏矩阵转置下标的变化情况

转置前：

k	i	j	e
0	0	3	9
1	1	1	3
2	2	2	7
3	2	3	2
4	3	0	7
5	3	4	-2
6	4	2	4
7	4	3	7
8	5	4	5

转置后（$i \longleftrightarrow j$）：

k	i	j	e
0	3	0	9
1	1	1	3
2	2	2	7
3	3	2	2
4	0	3	7
5	4	3	-2
6	2	4	4
7	3	4	7
8	4	5	5

图 4.26　矩阵转置前后的稀疏矩阵的三元组顺序表

　　经过转置后的矩阵还需要对行、列下标进行排序，这样才能保证转置后的矩阵也是以行序优先存放的。为了避免行、列互换后排序，可以采用以矩阵的列序进行转置，这样经过转置得到的三元组顺序表正好是以行序为主序存放的，不需要再对得到的三元组进行排序。

　　具体实现：逐次扫描三元组顺序表 M，第一次扫描 M，找到 $j=0$ 的元素，将行号和列号互换后存入三元组顺序表 N 中。然后第二次扫描 M，找到 $j=1$ 的元素，将行号和列号互换后存入三元组顺序表 N 中。以此类推，直到所有的元素都保存至 N 中。最后得到图 4.27 所示的三元组顺序表 N。

　　在算法实现中，矩阵中的元素以 $(0,0)$ 表示第一个元素的下标。

图 4.27　稀疏矩阵转置的三元组顺序表

稀疏矩阵的转置实现代码如下：

```
void TransposeMatrix(TriSeqMatrix M,TriSeqMatrix *N)
/*稀疏矩阵的转置*/
{
    int i,k,col;
    N->m=M.n;
    N->n=M.m;
    N->len=M.len;
    if(N->len)
    {
```

```
                k=0;
                for(col=0;col<M.n;col++)                    /*按照列号扫描三元组顺序表*/
                        for(i=0;i<M.len;i++)
                                if(M.data[i].j==col)        /*如果元素的列号是当前列，则进行转置*/
                                {
                                        N->data[k].i=M.data[i].j;
                                        N->data[k].j=M.data[i].i;
                                        N->data[k].e=M.data[i].e;
                                        k++;
                                }
                }
        }
```

通过分析该转置算法可知，其时间复杂度主要是在 for 语句的两层循环上，因此算法的时间复杂度是 $O(n×\text{len})$。当非零元素的个数 len 与 $m×n$ 同数量级时，算法的时间复杂度就变为 $O(m×n^2)$ 了。如果稀疏矩阵仍然采用二维数组存放，则转置算法为：

```
        for(col=0;col<M.n;++col)
                for(row=0;row<M.m;row++)
                        N[col][row]=M[row][col];
```

以上算法的时间复杂度为 $O(n×m)$。由此可以看出，采用三元组顺序存储表示虽然节省了存储空间，但是时间复杂度却增加了。

接下来讨论另外一种稀疏矩阵的转置算法。按照三元组顺序表 M 中元素的顺序进行转置，并将转置后的元素存放在三元组顺序表 N 的恰当位置。如果能够事先确定 M 中每一列的第一个非零元素在 N 中的正确位置，则在对 M 进行转置时，可以直接将元素放在 N 的恰当位置。

为了确定元素在 N 中的正确位置，在转置前，应该先求得 M 的每一列中非零元素的个数，然后求出每一列非零元素在 N 中的正确位置。设置两个数组 num 和 position，num[col]用来存放三元组顺序表 M 中第 col 列的非零元素个数，position[col]用来存放 M 中第 col 列的第一个非零元素在 N 中的正确位置。

依次扫描三元组顺序表 M，可以求出每一列非零元素的个数，即 num[col]。position[col]的值可以由 num[col]得到，position[col]与 num[col]存在以下关系：

$$position[0]=0;$$

position[col]=position[col−1]+num[col−1]，其中 $1≤col≤M.n−1$。

例如，图 4.22 的 num[col]和 position[col]的值如表 4.1 所示。

表 4.1　矩阵 M 的 num[col]与 position[col]的值

列号 col	0	1	2	3	4	5	6
num[col]	1	1	2	3	2	0	0
position[col]	0	1	2	4	7	9	9

具体实现：position[col]的初值是 M 的第 col 列第一个非零元素的位置，当 M 中的 col 列有一个元素加入 N 时，则 position[col]加 1，使 position[col]始终存放下一个要转置的非零元素。这种方法称为稀疏矩阵的快速转置，其算法描述如下：

```
        void FastTransposeMatrix(TriSeqMatrix M,TriSeqMatrix *N)
        /*快速稀疏矩阵的转置运算*/
        {
```

```
        int i,k,t,col, * num, * position;
        num=(int * )malloc((M. n+1) * sizeof(int));        /* 数组 num 用于存放 M 中每一列的非零
    元素的个数 */
        position=(int * )malloc((M. n+1) * sizeof(int));   /* 数组 position 用于存放 N 中每一行的非
    零元素的第一个位置 */
        N->m=M. n;
        N->n=M. m;
        N->len=M. len;
        if(N->len)
        {
            for(col=0;col<M. n;++col)
                num[col]=0;                        /* 初始化 num 数组 */
            for(t=0;t<M. len;t++)                   /* 计算 M 中每一列的非零元素的个数 */
                num[M. data[t]. j]++;
            position[0]=0;                         /* N 中第一行的第一个非零元素的序号为 0 */
            for(col=1;col<M. n;col++)               /* N 中第 col 行的第一个非零元素的位置 */
                position[col]=position[col-1]+num[col-1];
            for(i=0;i<M. len;i++)                   /* 依据 position 对 M 进行转置，存入 N */
            {
                col=M. data[i]. j;
                k=position[col];                   /* 取出 N 中非零元素应该存放的位置，赋值给 k */
                N->data[k]. i=M. data[i]. j;
                N->data[k]. j=M. data[i]. i;
                N->data[k]. e=M. data[i]. e;
                position[col]++;                   /* 修改下一个非零元素应该存放的位置 */
            }
        }
        free(num);
        free(position);
    }
```

快速稀疏矩阵转置算法的时间主要耗费在 for 语句的 4 个循环上，循环次数分别是 n 和 len，总的时间复杂度为 $O(n+len)$。当 M 的非零元素的个数 len 与 $m×n$ 处于一个数量级时，算法的时间复杂度变为 $O(m×n)$，与一般矩阵的时间复杂度相同。

3. 稀疏矩阵的十字链表表示

采用三元组顺序表进行两个稀疏矩阵的相加和相乘运算时，需要移动大量的元素，算法的时间复杂度也大大增加。若采用链式结构存储稀疏矩阵，则可有效避免这一问题。

稀疏矩阵的链式存储，就是利用链表来表示稀疏矩阵，链表中的结点用于存储稀疏矩阵中的每个非零元素。每个结点都包含 5 个域：3 个数据域和 2 个指针域。其中，3 个数据域是 i、j 和 e，分别表示非零元素的行号、列号和元素值；2 个指针域是 right 域和 down 域，right 指向同一行中的下一个非零元素，down 指向同一列中的非零元素。

同一行中的非零元素由 right 链接构成一个线性链表，同一列中的非零元素由 down 链接构成一个线性链表。每个非零元素既是某一行链表的一个元素，又是某一列链表的一个元素，整个链表构成一个十字交叉的形状，这样的链表又称为十字链表。

在十字链表中，再增加一个指向行链表的头指针和指向列链表的头指针，每一行的头指针和列指针都存放在一维数组中。十字链表中的结点结构如图 4.28 所示。

例如，稀疏矩阵 M 对应的十字链表如图 4.29 所示。如果该元素的同一行或同一列没有非零元素，则将 right 或 down 置为"∧"。

图 4.28　十字链表中的结点结构

$$M_{3\times4} = \begin{bmatrix} 2 & 0 & 0 & 9 \\ 0 & -1 & 0 & 0 \\ 0 & 0 & 0 & 5 \end{bmatrix}$$

图4.29 稀疏矩阵的十字链表

十字链表的类型描述如下：

```
typedef struct OLNode
{
    int i,j;
    DataType e;
    struct OLNode  * right, * down;
} OLNode, * OLink;
typedef struct
{
    OLink  * rowhead, * colhead;
    int m,n,len;
} CrossList;
```

其中，i 和 j 分别表示稀疏矩阵中非零元素的行号和列号，e 表示非零元素的值，right 指向同一行的下一个非零元素，down 指向同一列的下一个非零元素。rowhead 和 colhead 分别存放指向行链表和列链表的指针，m 和 n 分别表示稀疏矩阵的行数和列数，len 表示稀疏矩阵中非零元素的个数。

4.2.6 稀疏矩阵的应用举例

扫码看视频

1. 稀疏矩阵的相乘三元组表示

两个矩阵相乘是矩阵的一种常用的运算。假设矩阵 M 是 $m_1 \times n_1$ 的矩阵，N 是 $m_2 \times n_2$ 的矩阵，如果矩阵 M 的列数与矩阵 N 的行数相等，即 $n_1 = m_2$，则矩阵 M 和 N 是可以相乘的。

在数学中，两个矩阵相乘的计算公式为：

$$Q[i][j] = \sum_{k=0}^{n_1-1} M[i][k] \times N[k][j], 0 \leq i < m_1, 0 \leq j < n_2$$

相应地，两个矩阵相乘的算法可以描述如下：

```
for(i=0;i<m1;i++)
    for(j=0;j<n2;j++)
    {
        Q[i][j]=0;
        for(k=0;k<n1;k++)
```

$$Q[i][j]=Q[i][j]+M[i][k]*N[k][j];$$

}

该算法的时间复杂度为 $O(m_1 \times n_1 \times n_2)$。

【例 4.3】有两个稀疏矩阵 **M** 和 **N**，使用三元组顺序表实现 **M** 和 **N** 相乘的算法。**M** 和 **N** 相乘后得到结果 **Q**，如图 4.30 所示。

图 4.30　矩阵相乘

对于以上的 3 个矩阵可以使用三元组存放，如图 4.31 所示。

k	i	j	e
0	0	0	2
1	0	3	9
2	1	1	−1
3	2	3	5

三元组顺序表 **M**

k	i	j	e
0	0	0	2
1	1	1	−1
2	2	0	3

三元组顺序表 **N**

k	i	j	e
0	0	0	4
1	1	1	1

三元组顺序表 **Q**

图 4.31　矩阵 **M**、**N**、**Q** 的三元组顺序表

在一般的矩阵相乘运算中，不管 $M[i][k]$ 和 $N[k][j]$ 是否为零，都要进行一次乘法运算。而在稀疏矩阵中，只需要将非零元素相乘，因为零与任何值相乘都是零。三元组顺序表实现的两个矩阵相乘的基本思想是：对于 **M** 中的每个非零元素 $M.data[p]$，在 **N** 中找到满足条件 $M.data[p].j = N.data[q].i$ 的非零元素，然后求 $M.data[p].e$ 与 $N.data[q].e$ 的乘积。按照这种思路，对 **M** 中每一行的元素与 **N** 中对应列的元素求累加和，并保存到相应的 **Q** 中。

另外，需要注意的是，两个稀疏矩阵的乘积不一定是稀疏矩阵，矩阵的每一个向量不为零，但是其累加和可能是零。由于矩阵的乘积是以行为单位处理的，因此，需要一个中间变量保存每一行的累加结果，在一行结束时，判断该中间变量的累加和是否为零，如果不为零，再将其存入 **Q** 中的相应位置。

在求矩阵的每一行的累加和时，需要设置两个数组 num 和 rpos，其中，num[row] 保存三元组顺序表中每一行的非零元素个数，rpos[row] 保存三元组顺序表中第 row 行的第一个非零元素的位置。num[row] 与 rpos[row] 的关系如下：

rpos[0]=0;
rpos[row]=rpos[row−1]+num[row−1]，$1 \leqslant$ row $\leqslant m_1$ 或 m_2

在算法实现过程中，rpos[row] 还需要设置三元组顺序表的最后一行的最后一个元素的位置，作为控制循环的条件。图 4.30 中的矩阵 **M** 和 **N** 的 num[row] 与 rpos[row] 的值如表 4.2 所示。

表 4.2　矩阵 **M** 和 **N** 的 num[row] 和 rpos[row] 的值

矩阵 **M** 的 num[row] 和 rpos[row] 的值					矩阵 **N** 的 num[row] 和 rpos[row] 的值					
行号 row	0	1	2	(3)	行号 row	0	1	2	3	(4)
num[row]	2	1	1		num[row]	1	1	1	0	
rpos[row]	0	2	3	4	rpos[row]	0	1	2	3	3

为了实现的方便，在三元组顺序表的类型定义中增加了一个成员变量 rpos，其类型修改为以下形式：

```
#define MaxSize 200
typedef int DataType;
typedef struct              /*三元组类型定义*/
{
    int i,j;
    DataType e;
}Triple;
typedef struct              /*矩阵类型定义*/
{
    Triple data[MaxSize];
    intrpos[MaxSize];       /*用于存储三元组中每一行的第一个非零元素的位置*/
    int m,n,len;            /*矩阵的行数、列数和非零元素的个数*/
}TriSeqMatrix;
```

2. 稀疏矩阵的相乘三元组实现

算法实现包括两个部分：算法的测试部分和稀疏矩阵的算法实现部分。

（1）算法的测试部分

这部分主要包含需要的头文件、类型定义、函数声明、输出稀疏矩阵和主函数的代码。

```
#include<stdlib.h>
#include<stdio.h>
#include<malloc.h>
/*稀疏矩阵类型定义*/
#define MaxSize 200
typedef int DataType;
typedef struct                      /*三元组类型定义*/
{
    int i,j;
    DataType e;
}Triple;
typedef struct                      /*矩阵类型定义*/
{
    Triple data[MaxSize];
    int rpos[MaxSize];
    int m,n,len;                    /*矩阵的行数、列数和非零元素的个数*/
}TriSeqMatrix;
/*函数声明*/
void MultMatrix(TriSeqMatrix A,TriSeqMatrix B,TriSeqMatrix *C);
void PrintMatrix(TriSeqMatrix M);
int CreateMatrix(TriSeqMatrix *M);    /*创建的稀疏矩阵函数在文件 TriSeqMatrix.h 中*/
void main()
{
    TriSeqMatrix M,N,Q;
    CreateMatrix(&M);
    PrintMatrix(M);
    CreateMatrix(&N);
    PrintMatrix(N);
    MultMatrix(M,N,&Q);
    PrintMatrix(Q);
}
```

```
void PrintMatrix(TriSeqMatrix M)
/* 稀疏矩阵的输出 */
{
    int i;
    printf("稀疏矩阵是%d 行×%d 列，共%d 个非零元素。\n",M.m,M.n,M.len);
    printf("行    列    元素值\n");
    for(i=0;i<M.len;i++)
        printf("%2d%6d%8d\n",M.data[i].i,M.data[i].j,M.data[i].e);
}
```

（2）两个矩阵相乘的算法实现部分

在两个矩阵相乘之前，要先求出 num[row]和 rpos[row]的值。矩阵相乘的算法实现：依次扫描矩阵 A 中的每一行，然后取出第 row 行的元素，并将其列赋值给 brow，即 brow = A.data[p].j，在矩阵 B 中找到第 brow 行的元素，即 $q = B$.rpos[brow]，取出其列号 ccol = B.data[q].j，最后计算 A 和 B 对应元素的乘积，并存入数组中，即 temp[ccol] += A.data[p]. e×B.data[q].e。

也就是在 A 中取出一个元素，该元素的列号为 brow，然后在 B 中找到第 brow 行的元素，计算两个元素的乘积。按照这种方法求元素的累加和，并存入 C 中，即可以得到矩阵的乘积。两个矩阵相乘的算法描述如下：

```
void MultMatrix(TriSeqMatrix A,TriSeqMatrix B,TriSeqMatrix * C)
/* 稀疏矩阵相乘 */
{
    int i,j,k,r,t,p,q,arow,brow,ccol;
    int temp[MaxSize];                  /* 累加器 */
    int num[MaxSize];
    if(A.n!=B.m)                        /* 如果矩阵 A 的列与 B 的行不相等，则返回 */
        return;
    C->m=A.m;                           /* 初始化矩阵 C 的行数、列数和非零元素的个数 */
    C->n=B.n;
    C->len=0;
    if(A.len*B.len==0)                  /* 只要有一个矩阵的长度为 0，则返回 */
        return;
    /* 求矩阵 B 中每一行的第一个非零元素的位置 */
    for(i=0;i<B.m;i++)                  /* 初始化 num */
        num[i]=0;
    for(k=0;k<B.len;k++)                /* num 存放矩阵 B 中每一行的非零元素的个数 */
    {
        i=B.data[k].i;
        num[i]++;
    }
    B.rpos[0]=0;
    for(i=1;i<B.m;i++)                  /* rpos 存放矩阵 B 中每一行的第一个非零元素的位置 */
        B.rpos[i]=B.rpos[i-1]+num[i-1];
    /* 求矩阵 A 中每一行的第一个非零元素的位置 */
    for(i=0;i<A.m;i++)                  /* 初始化 num */
        num[i]=0;
    for(k=0;k<A.len;k++)
    {
        i=A.data[k].i;
        num[i]++;
    }
```

```
        A. rpos[0]=0;
        for(i=1;i<A. m;i++)                    /* rpos 存放矩阵 A 中每一行的第一个非零元素的位置 */
            A. rpos[i]=A. rpos[i-1]+num[i-1];
        /* 计算两个矩阵的乘积 */
        for(arow=0;arow<A. m;arow++)         /* 依次扫描矩阵 A 的每一行 */
        {
            for(i=0;i<B. n;i++)                /* 初始化累加器 temp */
                temp[i]=0;
            C->rpos[arow]=C->len;
            /* 对每个非零元素处理 */
            if(arow<A. m-1)
                t=A. rpos[arow+1];
            else
                t=A. len;
            for(p=A. rpos[arow];p<t;p++)
            {
                brow=A. data[p]. j;        /* 取出 A 中的列号 */
                if(brow<B. m-1)
                    t=B. rpos[brow+1];
                else
                    t=B. len;
                for(q=B. rpos[brow];q<t;q++)      /* 依次取出 B 中的第 brow 行，与 A 中的元素相乘 */
                {
                    ccol=B. data[q]. j;
                    temp[ccol]+=A. data[p]. e*B. data[q]. e;           /* 把乘积存入 temp 中 */
                }
            }
            for(ccol=0;ccol<C->n;ccol++)            /* 将 temp 中的元素依次赋值给 C */
                if(temp[ccol])
                {
                    if(++C->len>MaxSize)
                        return;
                    C->data[C->len-1]. i=arow;
                    C->data[C->len-1]. j=ccol;
                    C->data[C->len-1]. e=temp[ccol];
                }
        }
    }
```

程序运行结果如图 4.32 所示。

图 4.32　程序运行结果

累加器 temp 初始化的时间复杂度为 $O(A.m \times B.n)$，则 C 的所有非零元素的时间复杂度为 $O(A.len \times B.len/B.m)$，进行压缩存储的时间复杂度为 $O(A.m \times B.n)$，因此，总的时间复杂度为 $O(A.m \times B.n + A.len \times B.len/B.m)$。当 $A.len$ 与 $A.m \times A.n$ 且 $B.len$ 与 $B.m \times B.n$ 处于同一数量级时，该算法的时间复杂度接近一般矩阵的相乘运算的时间复杂度 $O(A.m \times A.n \times B.n)$。

4.3 广义表

广义表中的元素可以是单个元素，也可以是一个广义表。

4.3.1 广义表的定义

广义表是由 n 个类型相同的数据元素 $(a_1, a_2, a_3, \cdots, a_n)$ 组成的有限序列。其中，广义表中的元素 a_i 可以是单个元素，也可以是一个广义表。通常，广义表记作 $GL = (a_1, a_2, a_3, \cdots, a_n)$。其中，GL 是广义表的名字，$n$ 是广义表的长度。如果广义表中的 a_i 是单个元素，则称 a_i 是原子。如果广义表中的 a_i 是一个广义表，则称 a_i 是广义表的子表。习惯上，广义表的名字用大写字母表示，原子用小写字母表示。

在非空广义表 GL 中，a_1 称为广义表 GL 的表头，其余元素组成的表 $(a_2, a_3, \cdots, a_n)$ 称为广义表 GL 的表尾。广义表的定义又用到了广义表，因此广义表的定义是一个递归的定义。

1）A=()，广义表 A 是一个空表，A 的长度为零。

2）B=(a)，广义表 B 中只有一个原子 a，B 的长度为 1。

3）C=(a,(b,c))，广义表 C 中有两个元素。其中，第一个元素是原子 a，第二个元素是一个子表 (b,c)，C 的长度为 2。

4）D=(A,B,C)，广义表 D 中有 3 个元素，这 3 个元素都是子表，第一个元素是一个空表 A，D 的长度为 3。

5）E=(a,b,E)，广义表 E 中有 3 个元素，前两个元素都是原子，第三个元素是一个子表 E。E 是一个无穷的表 E=(a,b,(a,b,(a,b,(a,b,(a,b,⋯)))))。原子是不可再分的，子表则是由原子和表构成的。

从上面的例子可以看出：

1）广义表的元素可以是原子，也可以是子表，子表的元素还可以是子表。广义表的结构是一个多层次的结构。

2）广义表的元素可以是其他广义表的元素，也就是说，广义表可以被其他广义表共享。例如，A、B 和 C 是 D 的子表，在 D 中不需要列出 A、B 和 C 的元素。

3）广义表可以是递归的表，即广义表可以是本身的一个子表。例如，E 就是一个递归的广义表。

根据前面对表头和表尾的定义可知，任何一个非空的广义表的表头都可能是一个原子，也可以是一个广义表，而表尾一定是一个广义表。例如：

head(B)=a，tail(B)=()，head(C)=a，tail(C)=((b,c))，head(D)=A，tail(D)=(B,C)

其中，head(B) 表示取广义表 B 的表头元素，tail(B) 表示取广义表 B 的表尾元素。

> **注意：**()和(())不同。前者是空表，长度为 0；后者是含有一个空表的元素，长度为 1。

4.3.2 广义表的抽象数据类型

广义表的抽象数据类型包括数据对象集合和基本操作集合。

ADT Glist
{
    数据对象：$D = \{a_i \mid 1 \leqslant i \leqslant n,\ a_i$可以是原子，也可以是广义表$\}$。

    数据关系：$R = \{<a_j,\ a_{j+1}> \mid 1 \leqslant j \leqslant n-1\}$

    基本操作：

    1）GetHead(L)：求广义表的表头操作。如果广义表是空表，则返回 NULL，否则返回指向表头结点的指针。

    2）GetTail(L)：求广义表的表尾操作。如果广义表是空表，则返回 NULL，否则返回指向表尾结点的指针。

    3）GListLength(L)：返回广义表的长度操作。如果广义表是空表，则返回 0，否则返回广义表的长度。

    4）GListDepth(L)：求广义表的深度操作。广义表的深度就是广义表中括号嵌套的层数。如果广义表是空表，则返回 1，否则返回广义表的深度。

    5）CopyGList(&T,L)：广义表的复制操作。由广义表 L 复制得到广义表 T。复制成功返回 1，否则返回 0。
}

4.3.3 广义表的存储表示

在广义表中，数据元素可以是原子，也可以是广义表，因此，利用定长的顺序存储结构很难表示。通常情况下，广义表采用链式存储结构，即每个数据元素只用一个结点表示。

1. 广义表的头尾链表存储结构

广义表中的每个元素都可以用一个结点表示。表中有两类结点：原子结点和子表结点。广义表可以分解为表头和表尾，一个表头和一个表尾可以唯一确定一个广义表。因此，一个表结点由 3 个域组成：标志域、指向表头的指针域和指向表尾的指针域。一个原子结点由两个域组成：标志域和值域。表结点和原子结点的存储结构如图 4.33 所示。

图 4.33　表结点和原子结点的存储结构

图中，tag=1 表示是子表，hp 和 tp 分别指向表头结点和表尾结点；tag=0 表示原子，atom 用于存储原子的值。

广义表的这种存储结构称为头尾链表存储结构。4.3.1 节定义的几个广义表 A=( )、B=(a)、C=(a,(b,c))、D=(A,B,C)、E=(a,b,E)的存储结构如图 4.34 所示。

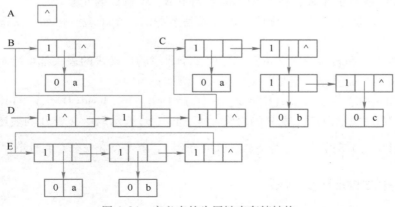

图 4.34　广义表的头尾链表存储结构

广义表的头尾链表存储结构的类型定义描述如下：

```
typedef enum{ATOM,LIST} ElemTag;        /* ATOM=0，表示原子；LIST=1，表示子表 */
typedef struct
{
    ElemTag tag;                        /* 标志位 tag 用于区分元素是原子还是子表 */
    union
    {
        AtomType atom;                  /* AtomType 是原子结点的值域，用户自己定义类型 */
        struct
        {
            struct GLNode *hp, *tp;     /* hp 指向表头，tp 指向表尾 */
        } ptr;
    };
} *GList, GLNode;
```

2. 广义表的扩展线性链表存储

在扩展线性链表的存储结构中，表结点和原子结点都由 3 个域构成。表结点包括 3 个域：标志域、表头指针域和表尾指针域。原子结点包括 3 个域：标志域、原子的值域和表尾指针域。其中，标志域 tag 用来区分表结点和原子结点，tag=1 表示表结点，tag=0 表示原子结点，hp 和 tp 分别指向广义表的表头和表尾，atom 存储原子结点的值。扩展线性链表的结点存储结构如图 4.35 所示。

图 4.35　扩展线性链表的结点存储结构

例如，广义表的扩展线性链表存储结构如图 4.36 所示。

图 4.36　广义表的扩展线性链表存储结构

广义表的扩展线性链表存储结构的类型描述如下：

```
typedef enum{ATOM,LIST} ElemTag;        /* ATOM=0，表示原子；LIST=1，表示子表 */
typedef struct
{
    ElemTag tag;                        /* 标志位 tag 用于区分元素是原子还是子表 */
    union
    {
```

```
                AtomType atom;              /* AtomType 是原子结点的值域, 用户自己定义类型 */
                struct GLNode  * hp;        /* hp 指向表头 */
            }ptr;
            struct GLNode  * tp;            /* tp 指向表尾 */
    } * GList,GLNode;
```

4.3.4　广义表的应用举例

【例4.4】　使用头尾链表存储结构建立一个广义表, 并求出广义表的长度和深度。

【分析】　主要考查广义表的头尾链表的使用。这里要创建一个广义表, 因为广义表是递归定义的, 所以可以采用递归的方式创建。实现代码分为3个部分: 创建广义表、输出广义表和测试函数。

1. 创建广义表

广义表的创建分为3步:

1) 分离出表头和表尾: 找到输入字符串的第一个逗号, 逗号之前的元素为表头, 逗号之后的元素为表尾。

2) 将表头作为参数, 通过递归创建表结点。

3) 如果表尾不空, 则将已经创建的表结点的表尾指针指向表尾结点。然后重新分离出表头和表尾, 为新的表头创建结点, 重复执行以上步骤, 直到串为空为止。

创建广义表的实现代码如下:

```
    void CreateList( GList  * L,SeqString S)
    /* 采用头尾链表创建广义表 */
    {
        SeqString Sub,HeadSub,Empty;
        GList p,q;
        StrAssign( &Empty,"( )" );
        if( !StrCompare(S,Empty))           /* 如果输入的串是空串, 则创建一个空的广义表 */
            * L=NULL;
        else
        {
            if( !( * L=(GList)malloc(sizeof(GLNode))))   /* 为广义表生成一个结点 */
                exit(-1);
            if( StrLength(S)= =1)            /* 广义表是原子, 则将原子的值赋给广义表结点 */
            {
                ( * L)->tag=ATOM;
                ( * L)->atom=S. str[0];
            }
            else                            /* 如果是子表 */
            {
                ( * L)->tag=LIST;
                p= * L;
                SubString(&Sub,S,2,StrLength(S)-2);   /* 去除 S 最外层的括号, 然后赋值给 Sub */
                do
                {
                    DistributeString(&Sub,&HeadSub);   /* 将 Sub 分离出表头和表尾, 分别赋值给
    HeadSub 和 Sub */
                    CreateList(&( p->ptr. hp),HeadSub);   /* 递归调用生成广义表 */
```

```
                        q=p;
                        if(!StrEmpty(Sub))  /* 如果表尾不为空,则生成结点 p,并将尾指针域指向 p */
                        {
                            if(!(p=(GLNode * )malloc(sizeof(GLNode))))
                                exit(-1);
                            p->tag=LIST;
                            q->ptr. tp=p;
                        }
                    }while(!StrEmpty(Sub));
                    q->ptr. tp=NULL;
                }
            }
        }
```

2. 输出广义表

利用广义表的递归定义进行输出。如果该元素是原子,则直接输出,否则先输出广义表的表头,再输出广义表的表尾。这与求广义表的深度操作类似。输出广义表的程序代码如下:

```
void PrintGList( GList L)
/* 输出广义表的元素 */
{
    if(L)                              /* 如果广义表不为空 */
    {
        if(L->tag==ATOM)               /* 如果是原子,则输出 */
            printf("%c ",L->atom);
        else
        {
            PrintGList(L->ptr. hp);    /* 递归访问 L 的表头 */
            PrintGList(L->ptr. tp);    /* 递归访问 L 的表尾 */
        }
    }
}
```

3. 测试函数

测试函数包括主函数和串的处理函数。串的处理函数在创建广义表中被调用,函数 DistributeString()根据串中的第一个逗号将串分离成表头和表尾。串的基本操作在"SeqString. h"中。测试函数的程序代码实现如下:

```
#include<stdio. h>
#include<malloc. h>
#include<stdlib. h>
#include<string. h>
typedef char AtomType;
#include"GList. h"
#include"SeqString. h"
/* 函数声明 */
void CreateList( GList * L,SeqString S) ;
void DistributeString(SeqString * Str,SeqString * HeadStr) ;
void PrintGList( GList L) ;
void main( )
{
    GList L,T;
```

```
                    SeqString S;
                    int depth,length;
                    StrAssign(&S,"(a,(a,(b,c)))");              /*将字符串赋值给串 S */
                    CreateList(&L,S);                           /*由串创建广义表 L */
                    printf("输出广义表 L 中的元素:\n");
                    PrintGList(L);                              /*输出广义表中的元素 */
                    length=GListLength(L);                      /*求广义表的长度 */
                    printf("\n 广义表 L 的长度 length=%2d\n",length);
                    depth=GListDepth(L);                        /*求广义表的深度 */
                    printf("广义表 L 的深度 depth=%2d\n",depth);
                    CopyList(&T,L);
                    printf("由广义表 L 复制得到广义表 T.\n 广义表 T 的元素为:\n");
                    PrintGList(T);
                    length=GListLength(T);                      /*求广义表的长度 */
                    printf("\n 广义表 T 的长度 length=%2d\n",length);
                    depth=GListDepth(T);                        /*求广义表的深度 */
                    printf("广义表 T 的深度 depth=%2d\n",depth);
                }
        void DistributeString(SeqString * Str,SeqString * HeadStr)
        /*将串 Str 分离成两个部分，HeadStr 为第一个逗号之前的子串，Str 为第一个逗号之后的子串 */
        {
                    int len,i,k;
                    SeqString Ch,Ch1,Ch2,Ch3;
                    len=StrLength( * Str);                      /*len 为 Str 的长度 */
                    StrAssign(&Ch1,",");                        /*将字符","""("和")"分别赋给 Ch1、Ch2 和 Ch3 */
                    StrAssign(&Ch2,"(");
                    StrAssign(&Ch3,")");
                    SubString(&Ch, * Str,1,1);                  /*Ch 保存 Str 的第一个字符 */
                    for(i=1,k=0;i<=len&&StrCompare(Ch,Ch1)||k!=0;i++)    /*搜索 Str 最外层的第一个括号 */
                    {
                            SubString(&Ch, * Str,i,1);          /*取出 Str 的第一个字符 */
                            if( !StrCompare(Ch,Ch2))            /*如果第一个字符是"("，则令 k 加 1 */
                                k++;
                            else if( !StrCompare(Ch,Ch3))       /*如果当前字符是")"，则令 k 减 1 */
                                k--;
                    }
                    if(i<=len)                                  /*串 Str 中存在"，"，它是第 i-1 个字符 */
                    {
                            SubString(HeadStr, * Str,1,i-2);    /*HeadStr 保存串 Str"，"前的字符 */
                            SubString(Str, * Str,i,len-i+1);    /*Str 保存串 Str"，"后的字符 */
                    }
                    else                                        /*串 Str 中不存在"，" */
                    {
                            StrCopy(HeadStr, * Str);            /*将串 Str 的内容复制到串 HeadStr */
                            StrClear(Str);                      /*清空串 Str */
                    }
        }
```

程序运行结果如图 4.37 所示。

【例 4.5】 使用扩展线性链表存储结构建立一个广义表，并求出广义表的长度和深度。

【分析】 主要考查广义表的扩展线性链表的使用。这里要创建一个广义表，因为广义表是递归定义的，所以可以采用递归的方式创建广义表。

（1）创建广义表

广义表的创建分为 3 步：

1）分离出表头和表尾：找到输入字符串的第一个逗号，逗号之前的元素为表头，逗号之后的元素为表尾。

2）将表头作为参数，通过递归创建表头结点。

3）如果表尾不为空，则递归创建表尾结点。重复执行以上步骤，直到串为空为止。

图 4.37　程序运行结果

创建广义表的实现代码如下：

```
void CreateList( GList  * L,SeqString S)
/*采用扩展线性链表创建广义表*/
{
    SeqString Sub,HeadSub,Empty;
    GList p,q;
    StrAssign(&Empty,"( )");
    if(!( * L=( GList)malloc( sizeof( GLNode))))          /*为广义表生成一个结点*/
        exit(-1);
    if(!StrCompare(S,Empty))              /*如果输入的串是空串,则创建一个空的广义表*/
    {
        ( * L)->tag=LIST;
        ( * L)->ptr. hp=( * L)->tp=NULL;
    }
    else
    {
        if(StrLength(S)= =1)              /*广义表是原子,则将原子的值赋给广义表结点*/
        {
            ( * L)->tag=ATOM;
            ( * L)->ptr. atom=S. str[0];
            ( * L)->tp=NULL;
        }
        else                             /*如果是子表*/
        {
            ( * L)->tag=LIST;
            ( * L)->tp=NULL;
            SubString(&Sub,S,2,StrLength(S)-2);   /*去除S最外层的括号,然后赋值给 Sub*/
            DistributeString(&Sub,&HeadSub);       /*将 Sub 分离出表头和表尾,分别赋值给
HeadSub 和 Sub*/
            CreateList(&(( * L)->ptr. hp),HeadSub);   /*递归调用生成广义表*/
            p=( * L)->ptr. hp;
            while(!StrEmpty(Sub))/*如果表尾不为空,则生成结点 p,并将尾指针域指向 p*/
            {
                DistributeString(&Sub,&HeadSub);
                CreateList(&(p->tp),HeadSub);
                p=p->tp;
            }
        }
    }
}
```

（2）输出广义表

以广义表的形式输出，具体实现如下：

```
void PrintGList( GList L)
/*以广义表的形式输出*/
{
    if( L->tag == LIST)
    {
        printf( "(" );                        /*如果子表存在，则先输出左括号*/
        if( L->ptr. hp == NULL)               /*如果子表为空，则输出""字符*/
            printf( " " );
        else                                  /*递归输出表头*/
            PrintGList( L->ptr. hp) ;
        printf( ")" );                        /*在子表的最后输出右括号*/
    }
    else                                      /*如果是原子，则输出结点的值*/
        printf( "%c", L->ptr. atom) ;
    if( L->tp != NULL)
    {
        printf( "," );                        /*输出逗号*/
        PrintGList( L->tp) ;                  /*递归输出表尾*/
    }
}
```

（3）测试部分

这部分主要包括要包含的头文件、函数声明和主函数。

```
#include<stdio. h>
typedef char AtomType;
#include" GList2. h"
#include" SeqString. h"
void CreateList( GList *L,SeqString S) ;
void DistributeString( SeqString *Str,SeqString *HeadStr) ;
void PrintGList( GList L) ;
void main( )
{
    GList L,T;
    int length ,depth;
    SeqString S;
    StrAssign( &S,"( ( a) ,( ) ,( a,( b,c) ) ) ") ;
    CreateList( &L,S) ;
    printf( "广义表 L 为:\n") ;
    PrintGList( L) ;
    printf( "\n 由广义表 L 复制得到 T,广义表 T 为:\n") ;
    CopyList( &T,L) ;
    PrintGList( T) ;
    length = GListLength( L) ;
    printf( "\n 广义表 L 的长度为:Length = %2d\n",length) ;
    depth = GListLength( L) ;
    printf( "广义表 L 的深度为:Depth = %2d\n",depth) ;
}
```

程序运行结果如图 4. 38 所示。

图 4.38　程序运行结果

思考题

依据串的模式匹配算法学习过程，你认为利用事物规律性对解决问题有何帮助？

4.4　小结

串是由零个或多个字符组成的有限序列。串中任意个连续的字符组成的子序列称为串的子串。相应地，包含子串的串称为主串。

串也有两种存储结构：顺序存储结构和链式存储结构。其中，串的顺序存储包括静态分配的方式和动态分配的方式。在静态分配的顺序串中，串的连接、插入、替换等操作需要事先分配存储空间，可能会由于事先分配的内存空间不足而出现串的一部分字符被截断的问题。采用动态分配存储单元可以避免出现这种情况，在内存单元使用完毕后，要释放这些单元。

串的链式存储结构也称为块链的存储结构，它是采用一个"块"作为结点的数据域，用来存储串中的若干个字符。但是这种结构在串的各种操作中会带来不便，因为在串的操作过程中，需要判断一个结点是否结束，以及需要一个块一个块地取数据和存储数据。串的长度可能不是块大小的整数倍，因此最后一个结点的数据域空出的部分用"#"填充。

串的模式匹配是串的常见操作。串的模式匹配有两种算法：Brute-Force 算法和 KMP 算法。Brute-Force 是经典的模式匹配算法，每当主串与模式串的字符不相等时，主串的指针均需要回退。其实，主串的指针回退是不必要的。KMP 算法根据模式串中的 next 函数值消除了主串中的字符与模式串中的字符不匹配时主串指针的回退。这种方法有效地提高了模式匹配的效率。

数组和广义表都可看作扩展的线性表。数组分为一维数组和多维数组。多维数组的存储存在非线性排列向线性排列转换的问题，最常见的是二维数组地址向一维数组地址的转换。二维数组向一维数组转换分为以行优先和以列优先两种。

特殊矩阵可以通过转换存储在一个一维数组中，这种存储方式可以节省存储空间，称为特殊矩阵的压缩存储。特殊矩阵的压缩存储一般分为三种：对称矩阵的压缩存储、三角矩阵的压缩存储和对角矩阵的压缩存储。

稀疏矩阵也是一种特殊的矩阵。稀疏矩阵中非零元素的个数远远小于矩阵中零元素的个数。稀疏矩阵也存在压缩存储，稀疏矩阵的压缩存储通常分为两种方式：稀疏矩阵的三元组顺序表表示和稀疏矩阵的十字链表表示。

广义表是由 n 个相同数据类型的数据元素 $(a_0, a_1, a_2, \cdots, a_{n-1})$ 组成的有限序列。其中，广义表中的元素 a_i 可以是单个元素，也可以是一个广义表。习惯上，广义表的名字用大写字母表示，原子用小写字母表示。广义表通常采用链式存储结构表示。广义表的链式存储结构包括两种：广义表的头尾链表存储表示和广义表的扩展线性链表存储表示。

习　题

一、选择题

1. 设有两个串 S1 和 S2，求串 S2 在 S1 中首次出现位置的运算称作（　　）。

  A. 连接　　　　　　　B. 求子串　　　　　　C. 模式匹配　　　　D. 判断子串

2. 已知串 S='aaab'，则 next 数组值为（　　）。

  A. 0123　　　　　　　B. 1123　　　　　　　C. 1231　　　　　　D. 1211

3. 串与普通的线性表相比较，它的特殊性体现在（　　）。

  A. 顺序的存储结构　　　　　　　　　　B. 链式存储结构

  C. 数据元素是一个字符　　　　　　　　D. 数据元素任意

4. 设串长为 n，模式串长为 m，则 KMP 算法所需的附加空间为（　　）。

  A. $O(m)$　　　　　　B. $O(n)$　　　　　　C. $O(m*n)$　　　　D. $O(n\log_2 m)$

5. 空串和空格串（　　）。

  A. 相同　　　　　　　B. 不相同　　　　　　C. 可能相同　　　　D. 无法确定

6. 设 SUBSTR(S,i,k) 是求 S 中从第 i 个字符开始的连续 k 个字符组成的子串的操作，则对于 S='Beijing&Nanjing'，SUBSTR(S,4,5)=（　　）。

  A. 'ijing'　　　　　　B. 'jing&'　　　　　　C. 'ingNa'　　　　　D. 'ing&N'

7. 设广义表 L=((a,b,c))，则 L 的长度和深度分别为（　　）。

  A. 1 和 1　　　　　　B. 1 和 3　　　　　　C. 1 和 2　　　　　D. 2 和 3

8. 广义表((a),a)的表尾是（　　）。

  A. a　　　　　　　　B. (a)　　　　　　　C. ( )　　　　　　D. ((a))

9. 稀疏矩阵的常见压缩存储方法有（　　）两种。

  A. 二维数组和三维数组　　　　　　　　B. 三元组和散列表

  C. 三元组和十字链表　　　　　　　　　D. 散列表和十字链表

10. 一个非空广义表的表头（　　）。

  A. 不可能是子表　　　　　　　　　　　B. 只能是子表

  C. 只能是原子　　　　　　　　　　　　D. 可以是子表或原子

11. 广义表 G=(a,b,(c,d,(e,f)),g)的长度是（　　）。

  A. 3　　　　　　　　B. 4　　　　　　　　C. 7　　　　　　　D. 8

12. 广义表(a,b,c)的表尾是（　　）。

  A. b,c　　　　　　　B. (b,c)　　　　　　C. c　　　　　　　D. (c)

13. 对一些特殊矩阵采用压缩存储的目的主要是（　　）。

  A. 表达变得简单　　　　　　　　　　　B. 对矩阵元素的存取变得简单

  C. 去掉矩阵中的多余元素　　　　　　　D. 减少不必要的存储空间的开销

14. 设矩阵 A 是一个对称矩阵，为了节省存储，将其下三角部分按行序存放在一维数组 $B[1,n(n-1)/2]$ 中，对于下三角部分中的任一元素 $a_{i,j}(i \geqslant j)$，在一维数组 B 的下标位置 k 的值是（　　）。

  A. $i(i-1)/2+j-1$　　　　　　　　　B. $i(i-1)/2+j$

  C. $i(i+1)/2+j-1$　　　　　　　　　D. $i(i+1)/2+j$

15. 广义表 A = ((a),a) 的表头是 (　　　)。

　　A. a 　　　　　　 B. (a) 　　　　　 C. b 　　　　　　 D. ((a))

16. 假设以三元组表表示稀疏矩阵，则与图 4.39 所示三元组表对应的 4×5 的稀疏矩阵是（注：矩阵的行列下标均从 1 开始）(　　　)。

0	1	2	−8
1	1	4	6
2	2	1	7
3	2	5	3
4	3	1	−5
5	3	3	4

图 4.39　习题图

A. $\begin{pmatrix} 0 & -8 & 0 & 6 & 0 \\ 7 & 0 & 0 & 0 & 0 \\ 0 & 0 & 0 & 0 & 0 \\ -5 & 0 & 4 & 0 & 0 \end{pmatrix}$

B. $\begin{pmatrix} 0 & -8 & 0 & 6 & 0 \\ 7 & 0 & 0 & 0 & 3 \\ -5 & 0 & 4 & 0 & 0 \\ 0 & 0 & 0 & 0 & 0 \end{pmatrix}$

C. $\begin{pmatrix} 0 & -8 & 0 & 6 & 0 \\ 0 & 0 & 0 & 0 & 3 \\ 7 & 0 & 0 & 0 & 0 \\ -5 & 0 & 4 & 0 & 0 \end{pmatrix}$

D. $\begin{pmatrix} 0 & -8 & 0 & 6 & 0 \\ 7 & 0 & 0 & 0 & 0 \\ -5 & 0 & 4 & 0 & 3 \\ 0 & 0 & 0 & 0 & 0 \end{pmatrix}$

二、算法分析题

1. 函数实现串的模式匹配算法，请在空格处将算法补充完整。

```
int index_bf(SeqString * s,SeqString * t,int start)
{
    int i=start-1,j=0;
    while(i<s->len&&j<t->len)
        if(s->data[i]==t->data[j])
        {
            i++;
            j++;
        }
        else
        {
            i=_____;
            j=0;
        }
    if(j>=t->len)
        return _____;
    else
        return -1;
}
```

2. 写出下面算法的功能。

```
int function(SeqString * s1,SeqString * s2)
{
    int i;
    for(i=0;i<s1->length&&i<s1->length;i++)
        if(s->data[i]!=s2->data[i])
            return s1->data[i]-s2->data[i];
    return s1->length-s2->length;
}
```

3. 写出下面算法的功能。

```
int fun(SeqString * s,SeqString * t,int start)
{
```

```
        int i=start-1,j=0;
        while(i<s->len&&j<t->len)
            if(s->data[i]==t->data[j])
            {
                i++;j++;
            }
            else
            {
                i=i-j+1;
                j=0;
            }
        if(j>=t->len)
            return i-t->len+1;
        else
            return -1;
    }
```

4. 下面的程序将自然数 1、2、3、…、N^2 依次按蛇形方式存放在二维数组 a[n][n]中，当 n = 4 时，其存放形式如下。

$$a_{4\times4} = \begin{pmatrix} 1 & 2 & 6 & 7 \\ 3 & 5 & 8 & 13 \\ 4 & 9 & 12 & 14 \\ 10 & 11 & 15 & 16 \end{pmatrix}$$

请完善下面的程序。

```
#include<stdio.h>
#define N 10
void main()
{
    int i,j,n,k,p,q,m;
    int a[N][N];
    scanf("%d",&n);
    m=1;
    for(k=1;  (1)  ;k++)
    {
        if(k<n)
            q=k;
        else
             (2)
        for(p=1;p<=q;p++)
        {
            if   (3)
            {
                i=q-p+1;
                j=p;
            }
            else
            {
                i=p;
                j=q-p+1;
            }
```

```
            if    (4)
             {
                  i=i+n-q;
                  j=j+n-q;
             }
             a[i][j]=m;
              (5)
             }
      }
      for(i=1;i<=n;i++)
      {
            for(j=1;j<=n;j++)
                printf("%4d",a[i][j]);
            printf("\n");
      }
}
```

5. 折叠方阵是按照指定的折叠取向排列的正整数方阵，下面是一个 5×5 的折叠方阵，起始数在方阵的左上角，然后从起始数开始递增，每一层先由上而下，然后从右到左。

$$\boldsymbol{a}_{5\times5}=\begin{pmatrix} 1 & 2 & 5 & 10 & 17 \\ 4 & 3 & 6 & 11 & 18 \\ 9 & 8 & 7 & 12 & 19 \\ 16 & 15 & 14 & 13 & 20 \\ 25 & 24 & 23 & 22 & 21 \end{pmatrix}$$

以下代码是折叠方阵的程序实现，请补充完整。

```
#include<stdio.h>
#define N 50
void main()
{
    int a[N][N],i,m,x,y,s;
    printf("请输入起始数:");
    scanf("%d",&s);
    printf("请输入折叠方阵的行数:");
    scanf("%d",&m);
    a[0][0]=s;
    for(i=1;i<m;i++)
    {
        x=0;
        y=i;
        s++;
        a[x][y]=   (1)   ;
        while(x<i)
            (2)   =++s;
        while(   (3)   )
            a[x][--y]=++s;
    }
    printf("折叠方阵为:\n");
    for(x=0;x<m;x++)
    {
        for(y=0;y<m;y++)
```

```
                    printf("%4d",a[x][y]);
              printf("\n");
          }
      }
```

三、算法设计题

1. 利用串的基本运算，编写算法来实现在主串 S 中将子串 T 删除。假设主串 S = "abcaab-cbcacbbc"，子串 T = "caabc"，则将子串删除后，主串 S = "abbcacbbc"。

2. 编写一个算法，计算子串 T 在主串 S 中出现的次数。

3. 实现字符串的比较函数与字符串的复制函数。字符串的比较函数原型为 int strcmp(char * s1,char * s2；字符串的复制函数原型为 char * strcpy(char * dest,char * src)。

4. 已知一个稀疏矩阵以三元组顺序表存储，请写一个将三元组按矩阵形式输出的算法。

5. 以下是 5×5 的螺旋方阵，请编写一个算法输出 $n×n$ 阶方阵。

$$A_{5×5} = \begin{pmatrix} 1 & 2 & 3 & 4 & 5 \\ 16 & 17 & 18 & 19 & 6 \\ 15 & 24 & 25 & 20 & 7 \\ 14 & 23 & 22 & 21 & 8 \\ 13 & 12 & 11 & 10 & 9 \end{pmatrix}$$

6. 例如有两个稀疏矩阵 A 和 B，相加得到 C。请利用十字链表实现两个稀疏矩阵的相加，并输出结果。

$$A_{4×4} = \begin{pmatrix} 2 & 0 & 0 & 0 \\ 0 & 3 & 0 & 0 \\ 0 & 0 & 0 & 2 \\ 1 & 0 & 0 & 0 \end{pmatrix} \quad B_{4×4} = \begin{pmatrix} 0 & 3 & 0 & 1 \\ 0 & -3 & 0 & 0 \\ 0 & 0 & 0 & 0 \\ 0 & 0 & 0 & 1 \end{pmatrix} \quad C_{4×4} = \begin{pmatrix} 2 & 3 & 0 & 1 \\ 0 & 0 & 0 & 0 \\ 0 & 0 & 0 & 2 \\ 1 & 0 & 1 & 0 \end{pmatrix}$$

矩阵中的两个元素相加可能会出现 3 种情况：

第 1 种情况：A 中的元素 $a_{ij} ≠ 0$ 且 B 中的元素 $b_{ij} ≠ 0$，但是结果可能为零。如果结果为零，则将该动态生成的结点释放；如果结果不为零，则将该结点插入到十字链表中，成为 C 的一个新结点。

第 2 种情况：A 中的第 (i,j) 个位置存在非零元素 a_{ij}，而 B 中不存在非零元素，则只需要将该值赋给新结点 p，将 p 插入 C 中即可。

第 3 种情况：B 中的第 (i,j) 个位置存在非零元素 b_{ij}，而 A 中不存在非零元素，则只需要将 b_{ij} 赋值给新结点 p，将 p 插入 C 中即可。

7. 请写出求广义表长度的非递归算法。

8. 编写算法，要求计算一个广义表的原子结点个数。

9. 随着高校教学改革的不断深入，本科生和研究生的培养质量日益受到重视。为了加强本科生的管理和培养质量，提高教师的指导水平和学生的软件工程实践能力，体现因材施教和个性化培养，目前很多学校实行了本科生导师制，主要对本科生的学业情况进行管理。一个班级的学生被分给若干名老师管理，每位老师指导 n 名学生，若该老师同时还指导研究生，那么其研究生也可直接指导本科生。导师−本科生制管理问题中的数据元素关系可描述为如下两种形式：

1）若导师指导研究生，则导师可指导研究生和本科生：

（教师，（（研究生 1，（本科生 1，…，本科生 a）），（研究生 2，（本科生 1，…，本科生 b））…））

2）若导师不指导研究生，则导师直接指导本科生：

（教师，（本科生 1，…，本科生 m））

简单起见，设导师信息包括姓名、职称，研究生和本科生信息包括姓名、班级。若利用头尾链表存储结构表示广义表，则导师-本科生制管理的结点结构定义如下：

```
typedef struct GLNode
{
    char name[MaxStr];              /* 教师或学生的姓名 */
    char pos_or_grade[MaxStr];      /* 教师结点表示职称，学生结点表示班级 */
    int cat;                        /* 结点类型：0-教师，1-研究生，2-本科生 */
    struct ptr
    {
        struct GLNode * hp;         /* hp 指向表头，即指向下级的首结点 */
        struct GLNode * tp;         /* tp 指向表尾，即指向同级的下一结点 */
    } ptr;
} GList;
```

广义表中的人员信息由 3 部分组成：姓名、职称（或班级）和人员类型，如张志锋-教授-0、李雷-二班-1、韩梅梅-二班-2。姓名、职称（或班级）、人员类型用"-"分隔开。例如，张志锋-教授-0，"张志锋"表示姓名，"教授"表示职称，"0"表示人员的类型是教师；杜牧-二班-1，"杜牧"表示姓名，"二班"表示班级，"1"表示人员的类型是研究生；刘晓燕-二班-2，"刘晓燕"表示姓名，"二班"表示班级，"2"表示人员的类型是本科生。

广义表（（张志锋-教授-0，（李雷-二班-1，韩梅梅--班-2））），（马军霞-副教授-0，（杜牧--班-1，刘晓燕-二班-1，（王冲--班-2）））可以用图 4.40 表示。

图 4.40　导师-本科生制管理的广义表表示

请使用广义表存储结构完成创建、插入、删除、查询、统计、输出和退出等功能。

第5章
树和二叉树

第2~4章介绍了线性结构，本章与下章将介绍非线性数据结构。除第一个元素和最后一个元素外，线性结构中的每个元素都有唯一的前驱元素和唯一的后继元素，即前驱元素和后继元素是一对一的关系。而非线性结构中元素间的前驱和后继的关系并不具有唯一性。其中，树形结构中结点间的关系是前驱唯一，而后继不唯一，即结点间是一对多的关系。在图结构中，结点间的前驱和后继都不唯一，即结点间是多对多的关系。树形结构的应用非常广泛，特别是在大量数据处理（如在文件系统、编译系统、目录组织等方面），显得更加突出。

5.1 树的定义和抽象数据类型

树是一种非线性的数据结构，树中元素之间的关系是一对多的层次关系。

5.1.1 树的定义

树（Tree）是 $n(n \geqslant 0)$ 个结点的有限集合。其中，当 $n = 0$ 时，称为空树。当 $n > 0$ 时，称为非空树。该集合满足以下条件：

1）有且只有一个称为根（Root）的结点。

2）当 $n > 1$ 时，其余 $n-1$ 个结点可以划分为 m 个有限集合 $T_1, T_2, \cdots, T_m$，且这 m 个有限集合不相交，其中 $T_i (1 \leqslant i \leqslant m)$ 又是一棵树，称为根的子树（SubTree）。

图 5.1 给出了一棵树的逻辑结构。

只有根结点的树　　　　　　　　一般的树

图 5.1　树的逻辑结构

在图 5.1 中，"A" 为根结点。左边的树只有根结点，右边的树有 14 个结点，除了根结点外，其余的 13 个结点分为 3 个不相交的子集：$T_1 = \{B, E, F, K, L\}$、$T_2 = \{C, G, H, I, M, N\}$ 和 $T_3 = \{D, J\}$。其中，T_1、T_2 和 T_3 是根结点 "A" 的子树，并且它们本身也是一棵树。例如，T_2

的根结点是"C"，其余的 5 个结点又分为 3 个不相交的子集：$T_{21}=\{G,M\}$、$T_{22}=\{H\}$ 和 $T_{23}=\{I,N\}$。其中，T_{21}、T_{22} 和 T_{23} 是 T_2 的子树，"G"是 T_{21} 的根结点，{M}是"G"的子树，"I"是 T_{23} 的根结点，{N}是"I"的子树。

下面介绍关于树的一些基本概念。

树的结点：包含一个数据元素及若干指向子树分支的信息。

结点的度：一个结点拥有子树的个数称为结点的度。例如，结点"C"有 3 棵子树，度为 3。

叶子结点：也称为终端结点，没有子树的结点，也就是度为零的结点，称为叶子结点。例如，结点"K"和"L"不存在子树，度为 0，称为叶子结点，"F""M""H""N"和"J"也是叶子结点。

分支结点：也称为非终端结点，度不为零的结点称为非终端结点。例如，"B""C""D""E"等都是分支结点。

孩子结点：对于任何一个结点，其子树的根结点为该结点的孩子结点。例如，{E,K,L}是根结点"B"的子树，而"E"又是这棵子树的根结点，因此，"E"是"B"的孩子结点。

双亲结点：也称父结点，如果一个结点存在孩子结点，则该结点就称为孩子结点的双亲结点。例如，"E"是"B"的孩子结点，"B"又是"E"的双亲结点。

子孙结点：在一个具有根结点的子树中，任何一个结点都称为该根结点的子孙结点。例如，{G,H,I,M,N}是"C"的子树，子树中的结点"G""H""I""M"和"N"都是"C"的子孙结点。

祖先结点：从根结点开始到达一个结点，所经过的所有分支结点，都称为该结点的祖先结点。例如，"N"的祖先结点为"A""C"和"I"。

兄弟结点：一个双亲结点的所有孩子结点之间互相称为兄弟结点。例如，"E"和"F"是"B"的孩子结点，因此，"E"和"F"互为兄弟结点。

树的度：指树中所有结点的度的最大值。例如，图 5.1 中右边的树的度为 3，因为结点"C"的度为 3，该结点的度是树中拥有最大的度的结点。

树的层次：从根结点开始，根结点为第一层，根结点的孩子结点为第二层，以此类推。如果某一个结点为第 L 层，则其孩子结点位于第 $L+1$ 层。

树的深度：也称为树的高度，树中所有结点的层次最大值称为树的深度。例如，图 5.1 中右边的树的深度为 4。

有序树：如果树中各个子树的次序是有先后次序的，则称该树为有序树。

无序树：如果树中各个子树的次序是没有先后次序的，则称该树为无序树。

森林：m 棵互不相交的树构成一个森林。如果把一棵非空的树的根结点删除，则该树就变成了森林，森林中的树由原来根结点的各个子树构成。如果为一个森林加上一个根结点，将森林中的树变成根结点的子树，则该森林就转换成一棵树。

5.1.2　树的逻辑表示

树的逻辑表示可分为 4 种：树形表示法、文氏图表示法、广义表表示法和凹入表示法。

1）树形表示法。图 5.1 就是树形表示法。树形表示法是最常用的一种表示法，它能直观、形象地表示出树的逻辑结构，能够清晰地反映出树中结点之间的逻辑关系。树中的结点使用圆圈表示，结点间的关系使用直线表示，位于直线上方的结点是双亲结点，位于直线下方的结是孩子结点。

2）文氏图表示法。文氏图表示是指利用数学中的集合来图形化地描述树的逻辑关系。将图 5.1 右边的树用文氏图表示，如图 5.2 所示。

3）广义表表示法。采用广义表的形式表示树的逻辑结构，广义表的子表表示结点的子树。图 5.1 右边的树利用广义表表示如下：

$$(A(B(E(K,L),F),C(G(M),H,I(N)),D(J)))$$

4）凹入表示法。图 5.1 右边的树采用凹入表示法，如图 5.3 所示。

图 5.2　树的文氏图表示法　　　　图 5.3　树的凹入法表示

其中，在这 4 种树的表示法中，树形表示法最为常用。

5.1.3　树的抽象数据类型

树的抽象数据类型定义了树中的数据对象、数据关系及基本操作。树的抽象数据类型定义如下：

```
ADT Tree
{
    数据对象 D：D 是具有相同特性的数据元素的集合。
    数据关系 R：若 D 为空集，则称为空树。若 D 仅含一个数据元素，则 R 为空集，否则 R={H}，
    H 是如下二元关系：
    1）在 D 中存在唯一的称为根的数据元素 root，它在关系 H 下无前驱。
    2）若 D-{root}≠∅，则存在 D-{root} 的一个划分 D₁,D₂,…,Dₘ(m>0)，对任意的 j≠k(1≤j,
    k≤m) 都有 Dⱼ∩Dₖ=∅，且对任意的 i(1≤i≤m) 都唯一存在数据元素 xᵢ∈Dᵢ，有 <root,xᵢ>∈H。
    3）对应于 D-{root} 的划分，H-{<root,x₁>},…,<root,xₙ> 有唯一的一个划分 H₁,H₂,…,Hₘ
    (m>0)，对任意的 j≠k(1≤j,k≤m) 都有 Dⱼ∩Dₖ=∅，且对任意的 i(1≤i≤m)，Hᵢ都是 Dᵢ上的二元
    关系，(Dᵢ,{Hᵢ}) 是一棵符合本定义的树，称为 root 的子树。
    基本操作：
    （1）InitTree(&T)
    初始条件：树 T 不存在。
    操作结果：构造空树 T。
    （2）DestroyTree(&T)
    初始条件：树 T 存在。
    操作结果：销毁树 T。
    （3）CreateTree(&T)
    初始条件：树 T 存在。
    操作结果：根据给定条件构造树 T。
```

（4）TreeEmpty(T)

初始条件：树 T 存在。

操作结果：若树 T 为空树，则返回 1，否则返回 0。

（5）Root(T)

初始条件：树 T 存在。

操作结果：若树 T 非空，则返回树的根结点，否则返回 NULL。

（6）Parent(T,e)

初始条件：树 T 存在，e 是 T 中的某个结点。

操作结果：若 e 不是根结点，则返回该结点的双亲，否则返回空。

（7）FirstChild(T,e)

初始条件：树 T 存在，e 是 T 中的某个结点。

操作结果：若 e 是树 T 的非叶子结点，则返回该结点的第一个孩子结点，否则返回 NULL。

（8）NextSibling(T,e)

初始条件：树 T 存在，e 是 T 中某个结点。

操作结果：若 e 不是其双亲结点的最后一个孩子结点，则返回它的下一个兄弟结点，否则返回 NULL。

（9）InsertChild(&T,p,Child)

初始条件：树 T 存在，p 指向 T 中的某个结点，非空树 Child 与 T 不相交。

操作结果：将非空树 Child 插入 T 中，使 Child 成为 p 指向的结点的子树。

（10）DeleteChild(&T,p,i)

初始条件：树 T 存在，p 指向 T 中的某个结点，$1 \leqslant i \leqslant d$，$d$ 为 p 所指向结点的度。

操作结果：将 p 所指向的结点的第 i 棵子树删除。如果删除成功，则返回 1，否则返回 0。

（11）TraverseTree(T)

初始条件：树 T 存在。

操作结果：按照某种次序对 T 的每个结点访问且仅访问一次。

（12）TreeDepth(T)

初始条件：树 T 存在。

操作结果：若树 T 非空，则返回树的深度；如果是空树，则返回 0。

} ADT Tree

5.2 二叉树

在深入学习树之前，先来认识一种比较简单的树——二叉树。

5.2.1 二叉树的定义

二叉树（Binary Tree）是一种树结构，它的特点是每个结点最多只有两棵子树。在二叉树中，每个结点的度只可能是 0、1 和 2，每个结点的孩子结点有左、右之分，位于左边的孩子结点称为左孩子结点或左孩子，位于右边的孩子结点称为右孩子结点或右孩子。如果 $n = 0$，则称该二叉树为空二叉树。

下面给出二叉树的 5 种基本形态，如图 5.4 所示。

空二叉树　只有根结点的二叉树　　只有左子树的二叉树　只有右子树的二叉树　　左、右子树非空的二叉树

图 5.4　二叉树的 5 种基本形态

　　一个由 12 个结点构成的二叉树如图 5.5 所示。"F" 是 "C" 的左孩子结点，"G" 是
"C" 的右孩子结点，"L" 是 "G" 的右孩子结点，"G" 的
左孩子结点不存在。

　　每层结点都是满的二叉树称为满二叉树。在满二叉树中，
每一层的结点都具有最大的结点个数。图 5.6 就是一棵满二
叉树。在满二叉树中，每个结点的度或者为 2，或者为 0（即
叶子结点），不存在度为 1 的结点。

　　从满二叉树的根结点开始，从上到下、从左到右，依次
对每个结点进行连续编号，如图 5.7 所示。

图 5.5　12 个结点构成的二叉树

图 5.6　满二叉树

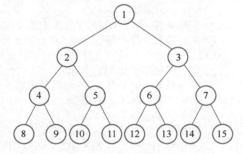

图 5.7　满二叉树及编号

　　如果一棵二叉树有 n 个结点，并且二叉树的 n 个结点的结构与满二叉树的前 n 个结点的结
构完全相同，则称这样的二叉树为完全二叉树。完全二叉树及对应编号如图 5.8 所示。而
图 5.9 所示的树就不是一棵完全二叉树。

图 5.8　完全二叉树及编号

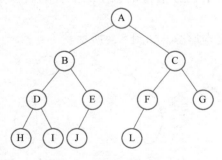

图 5.9　非完全二叉树

由此可以看出，如果二叉树的层数为 k，则满二叉树的叶子结点一定是在第 k 层，而完全二叉树的叶子结点一定在第 k 层或者第 $k-1$ 层出现。满二叉树一定是完全二叉树，而完全二叉树却不一定是满二叉树。

5.2.2　二叉树的性质

二叉树具有以下重要的性质。

性质 1　在二叉树中，第 $m(m \geqslant 1)$ 层上至多有 2^{m-1} 个结点（规定根结点为第一层）。

证明：利用数学归纳法证明。

当 $m=1$ 时，即根结点所在的层次，有 $2^{m-1}=2^{1-1}=2^0=1$，命题成立。

假设当 $m=k$ 时，命题成立，即第 k 层至多有 2^{k-1} 个结点。因为在二叉树中，每个结点的度最大为 2，则在第 $k+1$ 层，结点的个数最多是第 k 层的 2 倍，即 $2 \times 2^{k-1}=2^{k-1+1}=2^k$。即当 $m=k+1$ 时，命题成立。

性质 2　深度为 $k(k \geqslant 1)$ 的二叉树至多有 2^k-1 个结点。

证明：第 i 层结点的个数最多为 2^{i-1}，将深度为 k 的二叉树中的每一层的结点的最大值相加，就得到二叉树中结点的最大值，因此深度为 k 的二叉树的结点总数至多有：

$$\sum_{i=1}^{k} （第 i 层的结点最大个数） = \sum_{i=1}^{k} 2^{i-1} = 2^0 + 2^1 + \cdots + 2^{k-1} = \frac{2^0(2^k-1)}{2-1} = 2^k-1$$

命题成立。

性质 3　对任何一棵二叉树 T，如果叶子结点总数为 n_0，度为 2 的结点总数为 n_2，则有 $n_0 = n_2 + 1$。

证明：假设在二叉树中，结点总数为 n，度为 1 的结点总数为 n_1。二叉树中结点的总数 n 等于度为 0、度为 1 和度为 2 的结点总数的和，即 $n = n_0 + n_1 + n_2$。

假设二叉树的分支数为 Y。在二叉树中，除了根结点外，每个结点都存在一个进入的分支，所以有 $n = Y + 1$。

又因为二叉树的所有分支都由度为 1 和度为 2 的结点发出，所以分支数 $Y = n_1 + 2 \times n_2$，故 $n = Y + 1 = n_1 + 2 \times n_2 + 1$。

联合 $n = n_0 + n_1 + n_2$ 和 $n = n_1 + 2 \times n_2 + 1$ 两式，得到 $n_0 + n_1 + n_2 = n_1 + 2 \times n_2 + 1$，即 $n_0 = n_2 + 1$。命题成立。

性质 4　如果完全二叉树有 n 个结点，则深度为 $\lfloor \log_2 n \rfloor + 1$。符号 $\lfloor x \rfloor$ 表示不大于 x 的最大整数。

证明：假设具有 n 个结点的完全二叉树的深度为 k。k 层完全二叉树的结点个数介于 $k-1$ 层满二叉树与 k 层满二叉树的结点个数之间。根据性质 2，$k-1$ 层满二叉树的结点总数为 $n_1 = 2^{k-1}-1$，k 层满二叉树的结点总数为 $n_2 = 2^k-1$。因此有 $n_1 < n \leqslant n_2$，即 $n_1 + 1 \leqslant n < n_2 + 1$，又因为 $n_1 = 2^{k-1}-1$ 和 $n_2 = 2^k-1$，故得到 $2^{k-1}-1 \leqslant n < 2^k-1$，同时对不等式两边取对数，有 $k-1 \leqslant \log_2 n < k$。因为 k 是整数，$k-1$ 也是整数，所以 $k-1 = \lfloor \log_2 n \rfloor$，即 $k = \lfloor \log_2 n \rfloor + 1$。命题成立。

性质 5　如果完全二叉树有 n 个结点，按照从上到下、从左到右的顺序对二叉树中的每个结点从 1 到 n 进行编号，则对于任意结点 i 有以下性质：

1）如果 $i=1$，则序号 i 对应的结点就是根结点，该结点没有双亲结点。如果 $i>1$，则序号为 i 的结点的双亲结点的序号为 $\lfloor i/2 \rfloor$。

2）如果 $2 \times i > n$，则序号为 i 的结点没有左孩子结点。如果 $2 \times i \leq n$，则序号为 i 的结点的左孩子结点的序号为 $2 \times i$。

3）如果 $2 \times i + 1 > n$，则序号为 i 的结点没有右孩子结点。如果 $2 \times i + 1 \leq n$，则序号为 i 的结点的右孩子结点的序号为 $2 \times i + 1$。

证明：

- 利用性质2）和性质3）证明性质1）。当 $i = 1$ 时，该结点一定是根结点，根结点没有双亲结点。当 $i > 1$ 时，假设序号为 m 的结点是序号为 i 的结点的双亲结点。如果序号为 i 的结点是序号为 m 的结点的左孩子结点，则根据性质2）有 $2 \times m = i$，即 $m = i/2$。如果序号为 i 的结点是序号为 m 的结点的右孩子结点，则根据性质3）有 $2 \times m + 1 = i$，即 $m = (i-1)/2 = i/2 - 1/2$。综上两种情况，当 $i > 1$ 时，序号为 i 的结点的双亲结点序号为 $\lfloor i/2 \rfloor$。结论成立。

- 利用数学归纳法证明。当 $i = 1$ 时，有 $2 \times i = 2$，如果 $2 > n$，则二叉树中不存在序号为 2 的结点，也就不存在序号为 i 的左孩子结点。如果 $2 \leq n$，则该二叉树中存在两个结点，序号 2 是序号为 i 的结点的左孩子结点的序号。

假设序号 $i = k$，当 $2 \times k \leq n$ 时，序号为 k 的结点的左孩子结点存在且序号为 $2 \times k$，当 $2 \times k > n$ 时，序号为 k 的结点的左孩子结点不存在。

当 $i = k + 1$ 时，在完全二叉树中，如果序号为 $k+1$ 的结点的左孩子结点存在 $2 \times i \leq n$，则其左孩子结点的序号是序号为 k 的结点的右孩子结点的序号加 1，即序号为 $k+1$ 的结点的左孩子结点序号为 $(2 \times k + 1) + 1 = 2 \times (k+1) = 2 \times i$。因此，当 $2 \times i > n$ 时，序号为 i 的结点的左孩子不存在。结论成立。

- 同理，利用数学归纳法证明。当 $i = 1$ 时，如果 $2 \times i + 1 = 3 > n$，则该二叉树中不存在序号为 3 的结点，即序号为 i 的结点的右孩子不存在。如果 $2 \times i + 1 = 3 \leq n$，则该二叉树存在序号为 3 的结点，且序号为 3 的结点是序号为 i 的结点的右孩子结点。

假设当序号 $i = k$ 时，当 $2 \times k + 1 \leq n$ 时，序号为 k 的结点的右孩子结点存在且序号为 $2 \times k + 1$，当 $2 \times k + 1 > n$ 时，序号为 k 的结点的右孩子结点不存在。

当 $i = k + 1$ 时，在完全二叉树中，如果序号为 $k+1$ 的结点的右孩子结点存在（$2 \times i + 1 \leq n$），则其右孩子结点的序号是序号为 k 的结点的右孩子结点序号加 2，即序号为 $k+1$ 的结点的右孩子结点序号为 $(2 \times k + 1) + 2 = 2 \times (k+1) + 1 = 2 \times i + 1$。因此，当 $2 \times i + 1 > n$ 时，序号为 i 的结点的右孩子不存在。结论成立。

5.2.3　二叉树的抽象数据类型

二叉树的抽象数据类型定义了二叉树中的数据对象、数据关系及基本操作。二叉树的抽象数据类型定义如下：

```
ADT BinaryTree
{
        数据对象 D：D 是具有相同特性的数据元素的集合。
        数据关系 R：若 D＝∅，则称 BinaryTree 为空二叉树。
        若 D≠∅，则 R＝{H}，H 是如下二元关系：
        1）在 D 中存在唯一的称为根的数据元素 root，它在关系 H 下无前驱。
        2）若 D－{root}≠∅，则存在 D－{root}＝{D₁,Dᵣ}，且 D₁∩Dᵣ＝∅。
```

3）若 $D_1 \neq \varnothing$，则 D_1 中存在唯一的元素 x_1，$<root,x_1> \in H$，且存在 D_1 上的关系 $H_1 \subset H$；若 $D_r \neq \varnothing$，则 D_r 中存在唯一的元素 x_r，$<root,x_r> \in H$，且存在 D_r 上的关系 $H_r \subset H$；$H = \{ <root,x_1>, <root, x_r>, H_1, H_r \}$。

4）$(D_1, \{H_1\})$ 是一棵符合本定义的二叉树，称为根的左子树，$(D_r, \{H_r\})$ 是一棵符合本定义的二叉树，称为根的右子树。

基本操作：

（1）InitBiTree(&T)

初始条件：二叉树 T 不存在。

操作结果：构造空二叉树 T。

（2）CreateBiTree(&T)

初始条件：给出了二叉树 T 的定义。

操作结果：创建一棵非空的二叉树 T。

（3）DestroyBiTree(&T)

初始条件：二叉树 T 存在。

操作结果：销毁二叉树 T。

（4）InsertLeftChild(p,c)

初始条件：二叉树 c 存在且非空，右子树为空。

操作结果：将 c 插入 p 所指向的左子树，使 p 所指向结点的左子树成为 c 的右子树。

（5）InsertRightChild(p,c)

初始条件：二叉树 c 存在且非空，右子树为空。

操作结果：将 c 插入 p 所指向的右子树，使 p 所指向结点的右子树成为 c 的右子树。

（6）LeftChild(&T,e)

初始条件：二叉树 T 存在，e 是 T 中的某个结点。

操作结果：若结点 e 存在左孩子结点，则将 e 的左孩子结点返回，否则返回空。

（7）RigthChild(&T,e)

初始条件：二叉树 T 存在，e 是 T 的某个结点。

操作结果：若结点 e 存在右孩子结点，则将 e 的右孩子结点返回，否则返回空。

（8）DeleteLeftChild(&T,p)

初始条件：二叉树 T 存在，p 指向 T 中的某个结点。

操作结果：将 p 所指向的结点的左子树删除。如果删除成功，则返回 1，否则返回 0。

（9）DeleteRightChild(&T,p)

初始条件：二叉树 T 存在，p 指向 T 中的某个结点。

操作结果：将 p 所指向的结点的右子树删除。如果删除成功，则返回 1，否则返回 0。

（10）PreOrderTraverse(T)

初始条件：二叉树 T 存在。

操作结果：先序遍历二叉树 T，即先访问根结点，再访问左子树，最后访问右子树，对二叉树中的每个结点访问且仅访问一次。

（11）InOrderTraverse(T)

初始条件：二叉树 T 存在。

操作结果：中序遍历二叉树 T，即先访问左子树，再访问根结点，最后访问右子树，对二叉树中的每个结点进行访问，且仅访问一次。

（12）PostOrderTraverse(T)

初始条件：二叉树 T 存在。

操作结果：后序遍历二叉树 T，即先访问左子树，再访问右子树，最后访问根结点，对二叉树中的每个结点进行访问，且仅访问一次。

（13）LevelTraverse(T)

初始条件：二叉树 T 存在。

操作结果：对二叉树进行层次遍历，即按照从上到下、从左到右的顺序依次对二叉树中的每个结点进行访问。

（14）BiTreeDepth(T)

初始条件：二叉树 T 存在。

操作结果：若二叉树非空，则返回二叉树的深度；若是空二叉树，则返回 0。

} ADT BinaryTree

5.2.4　二叉树的存储表示

二叉树的存储结构有两种：顺序存储表示和链式存储表示。

1. 二叉树的顺序存储

完全二叉树中每个结点的编号都可以通过公式计算得到，因此，完全二叉树的存储可以按照从上到下、从左到右的顺序依次存储在一维数组中。完全二叉树及其顺序存储表示如图 5.10 所示。

图 5.10　完全二叉树及其顺序存储表示

如果按照从上到下、从左到右的顺序把非完全二叉树进行同样的编号，则将结点依次存放在一维数组中。为了能够正确反映二叉树中结点之间的逻辑关系，需要在一维数组中将二叉树中不存在的结点位置空出，并用"∧"填充。非完全二叉树、其对应的完全二叉树形式及顺序存储表示如图 5.11 所示。

图 5.11　非完全二叉树的顺序存储表示

顺序存储对于完全二叉树来说是比较适合的，因为采用顺序存储能够节省内存单元，并能够利用公式得到每个结点的存储位置。但是，对于非完全二叉树来说，这种存储方式会浪费内存空间。在最坏的情况下，如果每个结点都只有右孩子结点，而没有左孩子结点，则需要占用 2^k-1 个存储单元，而实际上，该二叉树只有 k 个结点。

2. 二叉树的链式存储

在二叉树中，除了叶子结点外，其余每个结点至多包含两个孩子结点。从一棵二叉树的根结点开始，通过结点的左右孩子地址就可以找到二叉树的每一个结点。因此，二叉树的链式存储结构包括 3 个域：数据域、左孩子指针域和右孩子指针域。其中，数据域存放结点的值，左孩子指针域指向左孩子结点，右孩子指针域指向右孩子结点。这种链式存储结构称为二叉链表存储结构，如图 5.12 所示。

lchild	data	rchild

左孩子指针域　数据域　右孩子指针域

图 5.12　二叉链表存储结构

如果二叉树采用二叉链表存储结构表示，则如图 5.13 所示。

非完全二叉树　　　　　　　　　二叉树对应的二叉链表

图 5.13　非完全二叉树及二叉树对应的二叉链表

有时，为了方便找到结点的双亲结点，在二叉链表的存储结构中增加一个指向双亲结点的指针域 parent。该结点的存储结构如图 5.14 所示。这种存储结构称为三叉链表结点存储结构。

lchild	data	rchild	parent
左孩子指针域	数据域	右孩子指针域	双亲结点指针域

图 5.14　三叉链表结点存储结构

通常情况下，二叉树采用二叉链表进行表示。二叉链表存储结构的类型定义描述如下：

```
typedef struct Node              /* 二叉链表存储结构类型定义 */
{
    DataType data;               /* 数据域 */
    struct Node * lchild;        /* 指向左孩子结点 */
    struct Node * rchild;        /* 指向右孩子结点 */
} * BiTree,BiNode;
```

采用二叉链表存储结构表示的二叉树的基本运算实现保存在文件"LinkBiTree. h"中。

5.3　二叉树的遍历及应用

在二叉树的应用中，常常需要对二叉树中的每个结点进行访问，即二叉树的遍历。

5.3.1　二叉树遍历的定义

二叉树的遍历，即按照某种规律对二叉树的每个结点进行访问，使得每个结点仅被访问一次的操作。这里的访问，可以是对结点的输出、统计结点的个数等。

二叉树的遍历过程其实也是将二叉树的非线性序列转换成一个线性序列的过程。二叉树是一种非线性的结构，通过遍历二叉树，按照某种规律对二叉树中的每个结点进行访问，且仅访问一次，得到一个顺序序列。

由二叉树的定义可知，二叉树由根结点、左子树和右子树构成。如果将这 3 个部分依次遍历，就完成了整个二叉树的遍历。二叉树的结点的基本结构如图 5.15 所示。如果用 D、L、R 分别代表遍历根结点、遍历左子树和遍历右子树，根据组合原理，有 6 种遍历方案：DLR、DRL、LDR、LRD、RDL 和 RLD。

图 5.15　二叉树的结点的基本结构

如果限定先左后右的次序，则在以上6种遍历方案中，只剩下3种方案：DLR、LDR和LRD。其中，DLR称为先序遍历，LDR称为中序遍历，LRD称为后序遍历。

5.3.2 二叉树的先序遍历

扫码看视频

1. 二叉树的先序遍历的递归算法

如果二叉树为空，则执行空操作。如果二叉树非空，则执行以下操作：

1）访问根结点。

2）先序遍历左子树。

3）先序遍历右子树。

根据二叉树的先序递归定义，得到图5.16所示二叉树的先序序列：A、B、D、G、E、H、I、C、F、J。

在二叉树先序的遍历过程中，对每一棵二叉树重复执行以上的递归遍历操作，就可以得到先序序列。例如，在遍历根结点A的左子树{B,D,E,G,H,I}时，根据先序遍历的递归定义，先访问根结点B，然后遍历B的左子树为{D,G}，最后遍历B的右子树为{E,H,I}。访问过B之后，开始遍历B的左子树{D,G}。在子树{D,G}中，先访问根结点D，因为D没有左子树，所以遍历其右子树，右子树只有一个结点G，所以访问G。B的左子树遍历完毕，按照以上方法遍历B的右子树。最后得到结点A的左子树先序序列：B、D、G、E、H、I。

图5.16 二叉树

依据二叉树的先序递归定义，可以得到二叉树的先序递归算法：

```
void PreOrderTraverse( BiTree T)
/* 先序遍历二叉树的递归实现 */
{
    if(T)                              /* 如果二叉树不为空 */
    {
        printf( "%2c",T->data);        /* 访问根结点 */
        PreOrderTraverse( T->lchild);  /* 先序遍历左子树 */
        PreOrderTraverse( T->rchild);  /* 先序遍历右子树 */
    }
}
```

2. 二叉树的非递归算法

在学习栈时，已经对递归的消除进行了具体讲解，现在利用栈来实现二叉树的非递归算法。

算法实现：从二叉树的根结点开始，首先访问根结点，然后将根结点的指针入栈，重复执行以下两个步骤：

1）如果该结点的左孩子结点存在，则访问左孩子结点，并将左孩子结点的指针入栈。重复执行此操作，直到结点的左孩子不存在。

2）将栈顶的元素（指针）出栈，如果该指针指向的右孩子结点存在，则将当前指针指向右孩子结点。重复执行以上两个步骤，直到栈空为止。

以上算法思想的执行流程如图5.17所示。

图 5.17　二叉树的非递归先序遍历执行流程

二叉树的先序遍历非递归算法描述如下：

```
void PreOrderTraverse(BiTree T)
/*先序遍历二叉树的非递归实现*/
{
    BiTree stack[MaxSize];          /*定义一个栈,用于存放结点的指针*/
    int top;                        /*定义栈顶指针*/
    BitNode *p;                     /*定义一个结点的指针*/
    top=0;                          /*初始化栈*/
    p=T;
    while(p!=NULL||top>0)
    {
        while(p!=NULL)              /*如果p不为空,则访问根结点,遍历左子树*/
        {
            printf("%2c",p->data);  /*访问根结点*/
            stack[top++]=p;         /*将p入栈*/
            p=p->lchild;            /*遍历左子树*/
        }
        if(top>0)                   /*如果栈不为空*/
        {
            p=stack[--top];         /*栈顶元素出栈*/
            p=p->rchild;            /*遍历右子树*/
        }
    }
}
```

以上算法直接利用数组来模拟栈的实现，当然也可以通过定义一个栈类型来实现先序遍历。

5.3.3 二叉树的中序遍历

扫码看视频

1. 二叉树的中序遍历的递归算法

如果二叉树为空，则执行空操作。如果二叉树非空，则执行以下操作：

1）中序遍历左子树。

2）访问根结点。

3）中序遍历右子树。

根据二叉树的中序递归定义，图5.16所示二叉树的中序序列为 D、G、B、H、E、I、A、F、J、C。

在二叉树中序的遍历过程中，对每一棵二叉树重复执行以上的递归遍历操作，就可以得到二叉树的中序序列。

例如，如果要中序遍历 A 的左子树{B,D,E,G,H,I}，根据中序遍历的递归定义，需要先中序遍历 B 的左子树{D,G}，然后访问根结点 B，最后中序遍历 B 的右子树{E,H,I}。在子树{D,G}中，D 是根结点，没有左子树，因此访问根结点 D，接着遍历 D 的右子树，因为右子树只有一个结点 G，所以直接访问 G。

在左子树遍历完毕之后，访问根结点 B。最后要遍历 B 的右子树{E,H,I}，E 是子树{E,H,I}的根结点，需要先遍历左子树{H}，因为左子树只有一个 H，所以直接访问 H，然后访问根结点 E，最后遍历右子树{I}，右子树也只有一个结点，所以直接访问 I，此时 B 的右子树访问完毕。因此，A 的左子树的中序序列为 D、G、B、H、E 和 I。

从中序遍历的序列可以看出，A 左边的序列是 A 的左子树元素，右边是 A 的右子树序列。同样，B 的左边是其左子树的元素，右边是其右子树序列。根结点把二叉树的中序序列分为左、右两棵子树序列，左边为左子树序列，右边是右子树序列。

依据二叉树的中序递归定义，可以得到二叉树的中序递归算法：

```
void InOrderTraverse( BiTree T)
/*中序遍历二叉树的递归实现*/
{
    if( T)                              /*如果二叉树不为空*/
    {
        InOrderTraverse( T->lchild);    /*中序遍历左子树*/
        printf( "%2c",T->data);         /*访问根结点*/
        InOrderTraverse( T->rchild);    /*中序遍历右子树*/
    }
}
```

2. 二叉树中序遍历的非递归算法

二叉树的中序遍历非递归算法实现：从二叉树的根结点开始，将根结点的指针入栈，执行以下两个步骤：

1）如果该结点的左孩子结点存在，则将左孩子结点的指针入栈。重复执行此操作，直到结点的左孩子不存在。

2）将栈顶的元素（指针）出栈，并访问该指针指向的结点，如果该指针指向的右孩子结点存在，则将当前指针指向右孩子结点。重复执行步骤1）和步骤2），直到栈空为止。

以上算法思想的执行流程如图 5.18 所示。

图 5.18　二叉树的非递归中序遍历执行流程

二叉树的中序遍历非递归算法描述如下：

```
void InOrderTraverse( BiTree T)
/* 中序遍历二叉树的非递归实现 */
{
    BiTree stack[ MaxSize];            /* 定义一个栈, 用于存放结点的指针 */
    int top;                          /* 定义栈顶指针 */
    BiNode  * p;                      /* 定义一个结点的指针 */
    top=0;                            /* 初始化栈 */
    p=T;
    while( p! =NULL || top>0)
    {
        while( p! =NULL)               /* 如果 p 不为空, 则遍历左子树 */
        {
            stack[ top++] =p;          /* 将 p 入栈 */
            p=p->lchild;              /* 遍历左子树 */
        }
        if( top>0)                     /* 如果栈不为空 */
        {
            p=stack[ --top];           /* 栈顶元素出栈 */
            printf( "%2c", p->data);   /* 访问根结点 */
            p=p->rchild;              /* 遍历右子树 */
        }
    }
}
```

5.3.4　二叉树的后序遍历

扫码看视频

1. 二叉树的后序遍历的递归算法

如果二叉树为空，则执行空操作。如果二叉树非空，则执行以下操作：

1）后序遍历左子树。

2）后序遍历右子树。

3）访问根结点。

根据二叉树的后序递归定义，图 5.16 所示二叉树的后序序列为 G、D、H、I、E、B、J、F、C、A。

在二叉树后序的遍历过程中，对每一棵二叉树重复执行以上的递归遍历操作，就可以得到二叉树的后序序列。

例如，如果要后序遍历 A 的左子树$\{B,D,E,G,H,I\}$，那么根据后序遍历的递归定义，需要先后序遍历 B 的左子树$\{D,G\}$，然后后序遍历 B 的右子树$\{E,H,I\}$，最后访问根结点 B。在子树$\{D,G\}$中，D 是根结点，没有左子树，因此遍历 D 的右子树，因为右子树只有一个结点 G，所以直接访问 G，接着访问根结点 D。

在左子树遍历完毕之后，需要遍历 B 的右子树$\{E,H,I\}$，E 是子树$\{E,H,I\}$的根结点，需要先遍历左子树$\{H\}$，因为左子树只有一个 H，所以直接访问 H，然后遍历右子树$\{I\}$，右子树也只有一个结点，所以直接访问 I，最后访问子树$\{E,H,I\}$的根结点 E。此时，B 的左、右子树均访问完毕。最后访问结点 B。因此，A 的左子树的后序序列为 G、D、H、I、E 和 B。

依据二叉树的后序递归定义，可以得到二叉树的后序递归算法：

```
void PostOrderTraverse(BiTree T)
/*后序遍历二叉树的递归实现*/
{
    if(T)                                  /*如果二叉树不为空*/
    {
        PostOrderTraverse(T->lchild);      /*后序遍历左子树*/
        PostOrderTraverse(T->rchild);      /*后序遍历右子树*/
        printf("%2c",T->data);             /*访问根结点*/
    }
}
```

2. 二叉树后序遍历的非递归算法

二叉树的后序遍历非递归算法实现：从二叉树的根结点开始，将根结点的指针入栈，执行以下两个步骤：

1）如果该结点的左孩子结点存在，则将左孩子结点的指针入栈。重复执行此操作，直到结点的左孩子不存在。

2）取栈顶元素（指针）并赋给 p，如果 p->rchild == NULL 或 p->rchild=q，即 p 没有右孩子或右孩子结点已经访问过，则访问根结点，即 p 指向的结点，并用 q 记录刚刚访问过的结点指针，将栈顶元素退栈。如果 p 有右孩子且右孩子结点没有被访问过，则执行 p=p->rchild。重复执行步骤 1）和步骤 2），直到栈空为止。

以上算法思想的执行流程如图 5.19 所示。

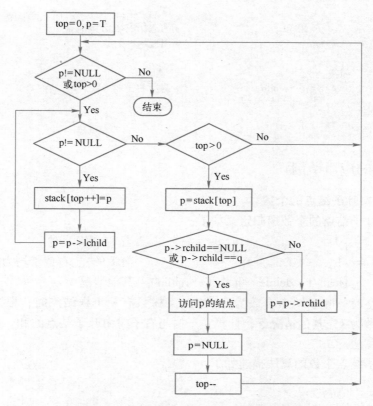

图 5.19 二叉树的非递归后序遍历执行流程

二叉树的后序遍历非递归算法描述如下：

```
void PostOrderTraverse(BiTree T)
/*后序遍历二叉树的非递归实现*/
{
    BiTree stack[MaxSize];              /*定义一个栈，用于存放结点的指针*/
    int top;                            /*定义栈顶指针*/
    BiNode * p, * q;                    /*定义结点的指针*/
    top=0;                              /*初始化栈*/
    p=T,q=NULL;                         /*初始化结点的指针*/
    while(p!=NULL||top>0)
    {
        while(p!=NULL)                  /*如果 p 不为空，则遍历左子树*/
        {
            stack[top++]=p;             /*将 p 入栈*/
            p=p->lchild;                /*遍历左子树*/
        }
        if(top>0)                       /*如果栈不为空*/
        {
            p=stack[top-1];             /*取栈顶元素*/
            if(p->rchild==NULL||p->rchild==q)   /*如果 p 没有右孩子结
点，或右孩子结点已经访问过*/
            {
                printf("%2c",p->data);  /*访问根结点*/
                q=p;                    /*记录刚刚访问过的结点指针*/
```

```
                    p=NULL;              /*为遍历右子树做准备*/
                    top--;               /*出栈*/
                }
            else
                p=p->rchild;             /*遍历右子树*/
            }
        }
    }
```

5.3.5 二叉树的应用举例

1. 计算二叉树叶子结点的个数

求二叉树的叶子结点的个数递归定义如下：

$$leaf(T)=\begin{cases}0 & \text{当 T=NULL 时}\\ 1 & \text{当 T 的左、右孩子均为空时}\\ leaf(T->lchild)+leaf(T->rchild) & \text{其他情况}\end{cases}$$

当二叉树为空时，叶子结点个数为 0；当二叉树只有一个根结点时，根结点就是叶子结点，叶子结点个数为 1；其他情况下，计算左子树与右子树中叶子结点的和。由此可得到统计叶子结点个数的算法。

求二叉树叶子结点个数的算法描述如下：

```
int LeafNum( BiTree T)
/*求二叉树中叶子结点的个数*/
{
    if( !T)                          /*如果是空二叉树，则返回 0*/
        return 0;
    else
        if( !T->lchild&&!T->rchild)   /*如果左子树和右子树都为空，则返回 1*/
            return 1;
        else
            return LeafNum(T->lchild)+LeafNum(T->rchild);  /*将左子树与右子树叶子结点的个数相
加*/
}
```

2. 求二叉树的非叶子结点个数

二叉树的非叶子结点的个数的递归定义如下：

$$NotLeaf(T)=\begin{cases}0 & \text{当 T=NULL 时}\\ 0 & \text{当 T 的左、右孩子均为空时}\\ NotLeaf(T->lchild)+NotLeaf(T->rchild)+1 & \text{其他情况}\end{cases}$$

当二叉树为空时，非叶子结点个数为 0；当二叉树只有根结点时，根结点为叶子结点，非叶子结点个数为 0；在其他情况下，非叶子结点个数为左子树与右子树中非叶子结点的个数加 1（根结点）。

求二叉树中非叶子结点个数的算法描述如下：

```
int NotLeafNum( BiTree T)
/*求二叉树中非叶子结点的个数*/
{
```

```
        if( !T)                              /*如果是空二叉树*/
                return 0;                    /*则返回0*/
        else if( !T->lchild&&!T->rchild)     /*如果是叶子结点*/
                return 0;                    /*则返回0*/
          else                               /*如果是非叶子结点,且不是根结点*/
                return NotLeafNum(T->lchild)+NotLeafNum(T->rchild)+1;   /*左、右子树的非叶
子结点个数与根结点个数之和*/
    }
```

3. 计算二叉树的所有结点数

二叉树的所有结点的个数的递归定义如下:

$$AllNodes(T)=\begin{cases} 0 & \text{当 T=NULL 时} \\ 1 & \text{当 T-lchid=NULL 且 T->rehild=NULL} \\ AllNodes(T->lchild)+AllNodes(T->rchild)+1 & \text{其他情况} \end{cases}$$

若二叉树为空,则结点个数为 0;在二叉树不为空的情况下,若左、右子树为空,则结点数为 1;否则,二叉树的结点数为左、右子树的结点数之和加 1。

求二叉树中所有结点个数的算法描述如下:

```
    int AllNodes( BiTree T)
    /*求二叉树中所有结点的个数*/
    {
        if( !T)                              /*如果是空二叉树*/
                return 0;                    /*则返回0*/
        else if( !T->lchild&&!T->rchild)     /*如果是叶子结点*/
                return 1;                    /*则返回1*/
          else                               /*如果是非叶子结点,且不是根结点*/
                return AllNodes(T->lchild)+AllNodes(T->rchild)+1;   /*左、右子树结点个数与根
结点个数之和*/
    }
```

4. 计算二叉树的深度

二叉树的深度递归定义如下:

$$depth(T)=\begin{cases} 0 & \text{当 T=NULL 时} \\ 1 & \text{当 T 的左、右孩子均为空时} \\ max(depth(T->lchild)+depth(T->rchild))+1 & \text{其他情况} \end{cases}$$

当二叉树为空时,其深度为 0;当二叉树只有根结点时,即结点的左、右子树均为空,二叉树的深度为 1;在其他情况下,求二叉树的左、右子树深度的最大值加 1(根结点)。二叉树的深度的算法如下:

```
    int BitTreeDepth( BiTree T)
    /*计算二叉树的深度*/
    {
        if( T == NULL)                       /*若二叉树为空*/
                return 0;                    /*则深度为0*/
        return BitTreeDepth(T->lchild)>BitTreeDepth(T->rchild)? 1+BitTreeDepth(T->lchild):
        1+BitTreeDepth(T->rchild);           /*深度为二叉树的左、右子树深度的最大值加1*/
    }
```

5. 由先序、中序和后序序列构造二叉树

1）若二叉树的先序序列为（A,B,C,D,E,F,G），中序序列为（C,B,A,E,F,D,G），确定该二叉树结构。

先序序列的第一个结点一定是根结点，故 A 为根结点，则 A 的左子树为{B,C}，右子树为{D,E,F,G}，再观察先序序列和中序序列，对于 A 的左子树来说，先序序列为 B、C，中序序列为 C、B，B 一定是 C 的根结点，而 C 一定是 B 的左孩子，故现在就画出了 A 的左子树。

现在观察 A 的右子树，右子树的先序序列为 D、E、F、G，中序序列为 E、F、D、G，则 D 一定是这棵子树的根结点，那么 E、F 就是 D 的左子树，G 为 D 的右子树。最后观察 D 的左子树先序序列和中序序列，E 为 F 的根，F 为右子树，这样就构造出了整棵二叉树，如图 5.20 所示。

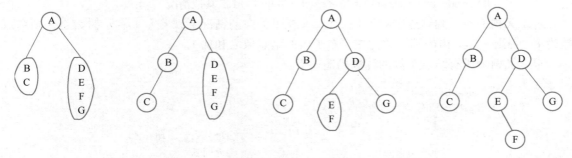

图 5.20　由先序序列和中序序列构造二叉树的过程

2）设结点的中序序列为（C,E,B,D,A,H,G,I,F），后序序列为（E,C,D,B,H,I,G,F,A），确定二叉树的结构。

由后序序列可知，A 为二叉树的根结点，左子树为{C,E,B,D}，右子树为{H,G,I,F}，然后观察 A 的左子树的中序序列和后序序列，从后序序列可知 B 为该子树的根结点，再由中序序列可知{C,B}为 B 的左子树，D 为 B 的右孩子。根据后序遍历序列可知，C 为 B 左子树的根结点，再根据中序遍历序列可知，E 为 C 的右孩子结点，这样就构造出了 A 的左子树。

下面来构造 A 的右子树，因为 A 的右子树中序序列为 H、G、I、F，后序序列为 H、I、G、F，则 A 的右子树的根结点为 F，即后序序列的最后一个结点，再根据其左子树序列，左子树为{H,G,I}，F 没有右子树。然后根据 F 的左子树的后序序列{H,I,G}可知，F 左子树的根结点为 G，再由中序序列可知 H 为 G 的左孩子，I 为 G 的右孩子。这样就构造出了 A 的右子树。构造过程如图 5.21 所示。

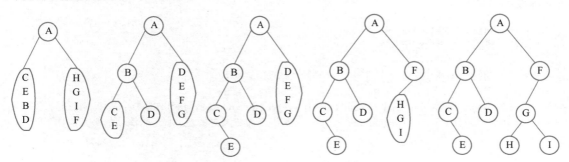

图 5.21　由中序序列和后序序列构造二叉树的过程

5.4 二叉树的线索化

在二叉树中，采用二叉链表作为存储结构，只能找到结点的左孩子结点和右孩子结点。要想找到结点的直接前驱或者直接后继，必须对二叉树进行遍历。通过对二叉树线索化，可以很方便地找到结点的直接前驱和直接后继。

5.4.1 二叉树的线索化定义

为了能够在二叉树的遍历过程中找到结点的直接前驱或者直接后继，可在二叉链表结点中增加两个指针域：一个用来指向结点的前驱，另一个用来指向结点的后继。但这样做需要为结点增加更多的存储单元，使结点结构的利用率大大下降。

在二叉链表的存储结构中，具有 n 个结点的二叉链表有 $n+1$ 个空指针域。由此，可以利用这些空指针域存放结点的直接前驱和直接后继的信息。我们可以做以下规定：如果结点存在左子树，则指针域 lchild 指向其左孩子结点，否则指针域 lchild 指向其直接前驱结点；如果结点存在右子树，则指针域 rchild 指向其右孩子结点，否则指针域 rchild 指向其直接后继结点。

为了区分指针域指向的是左孩子结点还是直接前驱结点，是右孩子结点还是直接后继结点，增加了两个标志域 ltag 和 rtag。结点的存储结构如图 5.22 所示。

lchild	ltag	data	rtag	rchild

前驱结点　　　　　　　后继结点
标志域　　　　　　　　标志域

图 5.22　结点的存储结构

其中，当 ltag＝0 时，lchild 指向结点的左孩子；当 ltag＝1 时，lchild 指向结点的直接前驱结点。当 rtag＝0 时，rchild 指向结点的右孩子；当 rtag＝1 时，rchild 指向结点的直接后继结点。

由这种存储结构构成的二叉链表称为线索二叉树（Threaded Binary Tree）。采用这种存储结构的二叉链表称为线索链表。其中，指向结点直接前驱和直接后继的指针称为线索。在二叉树的先序遍历过程中加上线索之后，得到先序线索二叉树。同理，在二叉树的中序（后序）遍历过程中加上线索之后，得到中序（后序）线索二叉树。按照某种遍历方式使二叉树变为线索二叉树的过程称为二叉树的线索化。图 5.23 就是将二叉树进行先序、中序和后序遍历得到的线索二叉树。

线索二叉树的存储结构类型描述如下：

```
typedef enum {Link,Thread} PointerTag;        /* Link＝0 表示指向孩子结点，Thread＝1 表示指向
前驱结点或后继结点 */
typedef struct Node                            /* 线索二叉树存储结构类型定义 */
{
    DataType data;                             /* 数据域 */
    struct Node * lchild,rchild;               /* 指向左孩子结点的指针和右孩子结点的指针 */
    PointerTag ltag,rtag;                      /* 标志域 */
} * BiThrTree,BiThrNode;
```

二叉树　　　　　　　　　　　　　　　　　二叉树的先序线索化

二叉树的中序线索化　　　　　　　　　　　二叉树的后序线索化

图 5.23　二叉树的线索化

5.4.2　二叉树的线索化

　　二叉树的线索化就是利用二叉树中结点的空指针域表示结点的前驱或后继信息。而要得到结点的前驱信息和后继信息，需要对二叉树进行遍历，同时将结点的空指针域修改为其直接前驱或直接后继信息。因此，二叉树的线索化就是对二叉树遍历的过程。这里以二叉树的中序线索化为例介绍二叉树的线索化。

　　为了方便，在二叉树线索化时，可增加一个头结点，使头结点的指针域 lchild 指向二叉树的根结点，指针域 rchild 指向二叉树中序遍历时的最后一个结点，二叉树中第一个结点的线索指针指向头结点。在初始化时，使二叉树的头结点指针域 lchild 和 rchild 均指向头结点，并将头结点的标志域 ltag 置为 Link，将标志域 rtag 置为 Thread。

　　线索化后的二叉树类似于一个循环链表，操作线索二叉树就像操作循环链表一样，既可以从线索二叉树中第一个结点开始，根据结点的后继线索指针遍历整个二叉树，也可以从线索二叉树的最后一个结点开始，根据结点的前驱线索指针遍历整个二叉树。经过线索化的二叉树及链表如图 5.24 所示。

　　中序线索二叉树的算法描述如下：

```
BiThrTree pre;                                    /* pre 始终指向已经线索化的结点 */
int InOrderThreading( BiThrTree * Thrt, BiThrTree T)
/* 通过中序遍历二叉树 T, 使 T 中序线索化。Thrt 是指向头结点的指针 */
{

    if( !( * Thrt = ( BiThrTree) malloc( sizeof( BiThrNode))))    /* 为头结点分配内存单元 */
        exit( -1);
    /* 将头结点线索化 */
    ( * Thrt) -> ltag = Link;                      /* 修改前驱线索标志 */
```

```
        ( * Thrt)->rtag=Thread;        /*修改后继线索标志*/
        ( * Thrt)->rchild= * Thrt;     /*将头结点的 rchild 指针指向自己*/
        if( !T)                        /*如果二叉树为空，则将 lchild 指针指向自己*/
            ( * Thrt)->lchild= * Thrt;
        else
        {
            ( * Thrt)->lchild=T;       /*将头结点的左指针指向根结点*/
            pre= * Thrt;               /*将 pre 指向已经线索化的结点*/
            InThreading(T);            /*中序遍历进行中序线索化*/
            /*将最后一个结点线索化*/
            pre->rchild= * Thrt;       /*将最后一个结点的右指针指向头结点*/
            pre->rtag=Thread;          /*修改最后一个结点的 rtag 标志域*/
            ( * Thrt)->rchild=pre;     /*将头结点的 rchild 指针指向最后一个结点*/
        }
        return 1;
}
void InThreading( BiThrTree p)
/*二叉树的中序线索化*/
{
    if( p)
    {
        InThreading( p->lchild) ;      /*左子树线索化*/
        if( !p->lchild)                /*前驱线索化*/
        {
            p->ltag=Thread;
            p->lchild=pre;
        }
        if( !pre->rchild)              /*后继线索化*/
        {
            pre->rtag=Thread;
            pre->rchild=p;
        }
        pre=p;                         /*pre 指向的结点线索化完毕，使 p 指向的结点成为前驱*/
        InThreading( p->rchild) ;      /*右子树线索化*/
    }
}
```

中序线索二叉树　　　　　　　　　　　　　　　　中序线索链表

图 5.24　中序线索二叉树及链表

5.4.3　线索二叉树的遍历

利用在线索二叉树中查找结点的前驱和后继的思想，可对线索二叉树进行遍历。

1. 查找指定结点的中序直接前驱

在中序线索二叉树中，指定的结点 *p 即指针 p 指向的结点。如果 p->ltag=1，那么 p->lchild 指向的结点就是 p 的中序直接前驱结点。例如，在图 5.24 中，结点"E"的前驱标志域为 1，即 Thread，则中序直接前驱为"A"，即 lchild 指向的结点。如果 p->ltag=0，那么 p 的中序直接前驱就是 p 的左子树的最右下端的结点。例如，结点"A"的中序直接前驱结点为"D"，即结点"A"的左子树的最右下端的结点。

查找指定结点的中序直接前驱的算法描述如下：

```
BiThrNode *InOrderPre(BiThrNode *p)
/*在中序线索树中查找结点 *p 的中序直接前驱*/
{
    BiThrNode *pre;
    if (p->ltag==Thread)      /*如果 p 的标志域 ltag 为线索，则 p 的左子树结点即为前驱*/
        return p->lchild;
    else{
        pre=p->lchild;        /*查找 p 的左孩子的最右下端的结点*/
        while (pre->rtag==Link)/*右子树非空时，沿右链往下查找*/
            pre=pre->rchild;
        return pre;           /*pre 就是最右下端的结点*/
    }
}
```

2. 查找指定结点的中序直接后继

在中序线索二叉树中，查找指定的结点 *p 的中序直接后继，与查找指定结点的中序直接前驱类似。如果 p->rtag=1，那么 p->rchild 指向的结点就是 p 的直接后继结点。例如，在图 5.24 中，结点"G"的后继标志域为 1，即 Thread，则中序直接后继为"D"，即 rchild 指向的结点。如果 p->rtag=0，那么 p 的中序直接后继就是 p 的右子树的最左下端的结点。例如，结点"B"的中序直接后继为"G"，即结点"B"的右子树的最左下端的结点。

查找指定结点的中序直接后继的算法描述如下：

```
BiThrNode *InOrderPost(BiThrNode *p)
/*在中序线索树中查找结点 *p 的中序直接后继*/
{
    BiThrNode *pre;
    if (p->rtag==Thread)      /*如果 p 的标志域 ltag 为线索，则 p 的右子树结点即为后继*/
        return p->rchild;
    else
    {
        pre=p->rchild;        /*查找 p 的右孩子的最左下端的结点*/
        while (pre->ltag==Link)/*左子树非空时，沿左链往下查找*/
            pre=pre->lchild;
        return pre;           /*pre 就是最左下端的结点*/
    }
}
```

3. 中序遍历线索二叉树

中序遍历线索二叉树的实现思想分为 3 步：

1）从第一个结点开始，找到二叉树的最左下端结点，并访问。

2）判断该结点的右标志域是否为线索指针，如果是线索指针，即 p->rtag == Thread，说明 p->rchild 指向结点的中序后继，则将指针指向右链结点，并访问该结点。

3）将当前指针指向该右孩子结点。

重复执行以上 3 个步骤，直到遍历完毕。整个中序遍历线索二叉树的过程，就是线索查找后继和查找右子树的最左下端的结点的过程。

中序遍历线索二叉树的算法描述如下：

```
int InOrderTraverse(BiThrTree T,int ( * visit)(BiThrTree e))
/*中序遍历线索二叉树。其中，visit 是函数指针，指向访问结点的函数实现*/
{
    BiThrTree p;
    p=T->lchild;                              /*p 指向根结点*/
    while(p!=T)                               /*还未遍历结束*/
    {
        while(p->ltag==Link)
            p=p->lchild;
        if(!visit(p))                         /*打印*/
            return 0;
        while(p->rtag==Thread&&p->rchild!=T)  /*访问后继结点*/
        {
            p=p->rchild;
            visit(p);
        }
        p=p->rchild;
    }
    return 1;
}
```

5.4.4　线索二叉树的应用举例

【例 5.1】编写程序，建立图 5.24 所示的二叉树，并将其中序线索化。任意输入一个结点，输出该结点的中序前驱和中序后继。例如，结点"D"的中序直接前驱是"G"，其中序直接后继是"A"。

测试程序代码如下：

```
#include <stdio. h>
#include <malloc. h>
#include<stdlib. h>
#define MaxSize 100
typedef char DataType;
typedef enum {Link,Thread} PointerTag;
typedef struct Node                    /*结点类型*/
{
    DataType data;
    struct Node * lchild, * rchild;    /*指向左、右孩子结点的指针*/
    PointerTag ltag,rtag;              /*线索标志域*/
```

```
} BiThrNode;
typedef BiThrNode * BiThrTree;                              /* 二叉树类型 */
void DestroyBiTree( BiThrTree * T);
void CreateBitTree2( BiThrTree * T, char str[ ]);           /* 创建线索二叉树 */
void InThreading( BiThrTree p);                             /* 中序线索化二叉树 */
int InOrderThreading( BiThrTree * Thrt, BiThrTree T);       /* 通过中序遍历二叉树 T，使 T 中序线
索化。Thrt 是指向头结点的指针 */
int InOrderTraverse( BiThrTree T, int ( * visit)( BiThrTree e));  /* 中序遍历线索二叉树 */
int Print( BiThrTree T);                                    /* 打印二叉树中的结点及线索标志 */
BiThrNode * FindPoint( BiThrTree T, DataType e);            /* 在线索二叉树中查找结点为 e 的指针 */
BiThrNode * InOrderPre( BiThrNode * p);                     /* 查找中序线索二叉树的中序前驱 */
BiThrNode * InOrderPost( BiThrNode * p);                    /* 查找中序线索二叉树的中序后继 */
BiThrTree pre;                                              /* pre 始终指向已经线索化的结点 */
void main( )
{
    BiThrTree T, Thrt;
    BiThrNode * p, * pre, * post;
    CreateBitTree2( &T, "( A( B( ,D( G)), C( E( ,H), F)))");
    printf( "线索二叉树的输出序列:\n");
    InOrderThreading( &Thrt, T);
    printf( "序列    前驱标志    结点    后继标志\n");
    InOrderTraverse( Thrt, Print);
    p = FindPoint( Thrt, 'D');
    pre = InOrderPre( p);
    printf( "元素 D 的中序直接前驱元素是:%c\n", pre->data);
    post = InOrderPost( p);
    printf( "元素 D 的中序直接后继元素是:%c\n", post->data);
    p = FindPoint( Thrt, 'E');
    pre = InOrderPre( p);
    printf( "元素 E 的中序直接前驱元素是:%c\n", pre->data);
    post = InOrderPost( p);
    printf( "元素 E 的中序直接后继元素是:%c\n", post->data);
    DestroyBiTree( &Thrt);
}
int Print( BiThrTree T)
/* 打印线索二叉树中的结点及线索 */
{
    static int k = 1;
    printf( "%2d\t%s\t   %2c\t   %s\t\n", k++, T->ltag == 0?" Link":" Thread",
                            T->data,
                            T->rtag == 1?" Thread":" Link");
    return 1;
}
void CreateBitTree2( BiThrTree * T, char str[ ])
/* 利用括号嵌套的字符串建立二叉链表 */
{
    char ch;
    BiThrTree stack[ MaxSize];                    /* 定义栈，用于存放指向二叉树中结点的指针 */
    int top = -1;                                 /* 初始化栈顶指针 */
    int flag, k;
    BiThrNode * p;
```

```
        * T = NULL, k = 0;
    ch = str[ k ];
    while( ch! = '\0')              /* 如果字符串没有结束 */
    {
        switch( ch)
        {
        case '(':
            stack[ ++top] = p;
            flag = 1;
            break;
        case ')':
            top--;
            break;
        case ',':
            flag = 2;
            break;
        default:
            p = ( BiThrTree) malloc( sizeof( BiThrNode) );
            p->data = ch;
            p->lchild = NULL;
            p->rchild = NULL;

            if( * T = = NULL)    /* 如果是第一个结点, 则表示是根结点 */
                * T = p;
            else
            {
                switch( flag)
                {
                case 1:
                    stack[ top]->lchild = p;
                    break;
                case 2:
                    stack[ top]->rchild = p;
                    break;
                }
                if( stack[ top]->lchild)
                    stack[ top]->ltag = Link;
                if( stack[ top]->rchild)
                    stack[ top]->rtag = Link;
            }

        }
        ch = str[ ++k];
    }
}
BiThrNode * FindPoint( BiThrTree T, DataType e)
/* 中序遍历线索二叉树, 返回元素值为 e 的结点的指针 */
{
    BiThrTree p;
    p = T->lchild;                   /* p 指向根结点 */
    while( p! = T)                   /* 如果不是空二叉树 */
    {
```

```
            while( p->ltag = = Link)
                p = p->lchild;
            if( p->data = = e)                        /*找到结点,返回指针*/
                return p;
            while( p->rtag = = Thread&&p->rchild! = T)   /*访问后继结点*/
            {
                p = p->rchild;
                if( p->data = = e)                    /*找到结点,返回指针*/
                    return p;
            }
            p = p->rchild;
        }
        return NULL;
    }
    void DestroyBiTree( BiThrTree * T)
    /*销毁线索二叉树*/
    {
        if( * T)                                    /*如果是非空二叉树*/
        {
            if( ( * T)->lchild)
                DestroyBiTree( &( ( * T)->lchild) );
            if( ( * T)->rchild)
                DestroyBiTree( &( ( * T)->rchild) );
            free( * T);
            * T = NULL;
        }
    }
```

程序运行结果如图 5.25 所示。

图 5.25   程序运行结果

5.5   树、森林与二叉树

二叉树、树、森林可以相互转换,本节将介绍树的表示、遍历,以及森林与二叉树的相互转换方法。

5.5.1　树的存储结构

树的存储结构有 3 种：双亲表示法、孩子表示法和孩子兄弟表示法。

1. 双亲表示法

双亲表示法可利用一组连续的存储单元存储树的每个结点，并利用一个指示器表示结点的双亲结点在树中的相对位置。树的双亲表示法如图 5.26 所示。

数组下标	结点	双亲位置
0	A	−1
1	B	0
2	C	0
3	D	0
4	E	1
5	F	3
6	G	3
7	H	3
8	I	4
9	J	4

图 5.26　树的双亲表示法

其中，树的根结点的双亲位置用−1 表示。

树的双亲表示法使得已知结点查找其双亲结点非常容易。通过反复调用求双亲结点，可以找到树的根结点。树的双亲表示法存储结构描述如下：

```
#define MaxSize 200
typedef struct PNode          /*双亲表示法的结点定义*/
{
    DataType data;
    int parent;               /*指示结点的双亲*/
}PNode;
typedef struct                /*双亲表示法的类型定义*/
{
    PNode node[MaxSize];
    int num;                  /*结点的个数*/
}PTree;
```

2. 孩子表示法

把每个结点的孩子结点排列起来，看成是一个线性表，且以单链表作为存储结构，则 n 个结点有 n 个孩子链表（叶子结点的孩子链表为空表），这样的链表称为孩子链表。例如，图 5.26 所示的树，其孩子表示法如图 5.27 所示，其中，"∧"表示空。

树的孩子表示法使得已知结点查找其孩子结点非常容易。但是使用该方法查找双亲结点不方便，为此，可把双亲表示法与孩子表示法结合在一起，使得查找双亲结点和孩子结点都比较方便。图 5.28 就是将两者结合在一起的带双亲的孩子链表。

图 5.27　树的孩子表示法　　　　　　　　图 5.28　带双亲的孩子链表

树的孩子表示法的类型描述如下：

```
#define MaxSize 200
typedef struct CNode               /*孩子结点的类型定义*/
{
    int child;
    struct CNode * next;           /*指向下一个结点*/
}ChildNode;
typedef struct                     /*n 个结点数据与孩子链表的指针构成一个结构*/
{
    DataType data;
    ChildNode  * firstchild;       /*孩子链表的指针*/
}DataNode;
typedef struct                     /*孩子表示法类型定义*/
{
    DataNode node[MaxSize];
    int num,root;                  /*结点的个数，根结点在顺序表中的位置*/
}CTree;
```

3. 孩子兄弟表示法

孩子兄弟表示法也称为树的二叉链表表示法，即以二叉链表作为树的存储结构。链表中结点的两个链域分别指向该结点的第一个孩子结点和下一个兄弟结点，分别命名为 firstchild 域和 nextsibling 域。

图 5.26 所示的树对应的孩子兄弟表示如图 5.29 所示。

树的孩子兄弟表示法的类型描述如下：

```
typedef struct CSNode                          /*孩子兄弟表示法的类型定义*/
{
    DataType data;
    struct CSNode * firstchild, * nextsibling;  /*指向第一个孩子和下一个兄弟*/
}CSNode, * CSTree;
```

其中，指针 firstchild 指向结点的第一个孩子结点，nextsibling 指向结点的下一个兄弟结点。

利用孩子兄弟表示法可以实现各种树的操作。例如，要查找树中"D"的第三个孩子结点，只需要从"D"的 firstchild 找到第一个孩子结点，然后顺着结点的 nextsibling 域走两步，就可以找到"D"的第三个孩子结点。

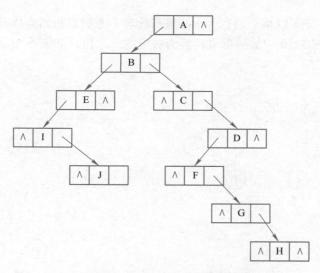

图 5.29　树的孩子兄弟表示法

5.5.2　树转换为二叉树

从树的孩子兄弟表示和二叉树的二叉链表表示来看，它们在物理上的存储方式是相同的，也就是说，从它们的相同的物理结构可以得到一棵树，也可以得到一棵二叉树。因此，树与二叉树存在着一种对应关系。从图 5.30 可以看出，树与二叉树存在相同的存储结构。

图 5.30　树与二叉树的存储结构

下面来讨论树是如何转换为二叉树的。树中双亲结点的孩子结点是无序的，二叉树中的左、右孩子是有序的。为了方便说明，规定树中的每一个孩子结点从左至右按照顺序编号。例如，图 5.30 中，结点 A 有 3 个孩子结点 B、C 和 D，规定 B 是 A 的第一个孩子结点，C 是 A 的第二个孩子结点，D 是 A 的第三个孩子结点。

按照以下步骤可以将一棵树转换为对应的二叉树。

1）在树中的兄弟结点之间加一条连线。

2）在树中，只保留双亲结点与第一个孩子结点之间的连线，将双亲结点与其他孩子结点的连线删除。

3）将树中的各个分支以某个结点为中心进行旋转，子树以根结点成对称形状。

按照以上步骤，图 5.30 中的树可以转换为对应的二叉树，如图 5.31 所示。

图 5.31　将树转换为二叉树

将树转换为对应的二叉树后，树中的每个结点都与二叉树中的结点一一对应，树中每个结点的第一个孩子变为二叉树的左孩子结点，第二个孩子结点变为第一个孩子结点的右孩子结点，第三个孩子结点变为第二个孩子结点的右孩子结点，以此类推。例如，结点"C"变为结点"B"的右孩子结点，结点"D"变为结点"C"的右孩子结点。

5.5.3　森林转换为二叉树

森林是由若干棵树组成的集合，树可以转换为二叉树，那么森林也可以转换为对应的二叉树。如果将森林中的每棵树都转换为对应的二叉树，那么再将这些二叉树按照规则转换为一棵二叉树，就实现了森林到二叉树的转换。森林转换为对应的二叉树的步骤如下：

1）把森林中的所有树都转换为对应的二叉树。

2）从第二棵树开始，将转换后的二叉树作为前一棵树根结点的右孩子，插入前一棵树中，然后将转换后的二叉树进行相应的旋转。

按照以上两个步骤，可以将森林转换为一棵二叉树。图 5.32 所示为森林转换为二叉树的过程。

在图中，将森林中的每棵树都转换为对应的二叉树之后，将第二棵二叉树即根结点为"F"的二叉树，作为第一棵二叉树根结点"A"的右子树，插入第一棵树中。第三棵二叉树即根结点为"I"的二叉树，作为第二棵二叉树根结点"F"的右子树，插入第一棵树中。这样，就构成了图中的二叉树。

5.5.4　二叉树转换为树和森林

二叉树转换为树或者森林，就是将树和森林转换为二叉树的逆过程。树转换为二叉树，二叉树的根结点一定没有右孩子。森林转换为二叉树，根结点有右孩子。按照树或森林转换为二叉树的逆过程，可以将二叉树转换为树或森林。将一棵二叉树转换为树或者森林的步骤如下：

1）在二叉树中，将某结点的所有右孩子结点、右孩子的右孩子结点等与该结点的双亲结点用线条连接。

图 5.32　森林转换为二叉树的过程

2）删除二叉树中双亲结点与右孩子结点的原来的连线。

3）调整转换后的树或森林，使结点的所有孩子结点处于同一层次。

利用以上方法，二叉树转换为树的过程如图 5.33 所示。

图 5.33　二叉树转换为树的过程

同理，利用以上方法，可以将二叉树转换为森林，如图 5.34 所示。

5.5.5　树和森林的遍历

与二叉树的遍历类似，树和森林的遍历也是按照某种规律对树或者森林中的每个结点进行访问，且仅访问一次的操作。

1. 树的遍历

通常情况下，按照访问树中根结点的先后次序，树的遍历方式分为两种：先根遍历和后根

图 5.34　二叉树转换为森林的过程

遍历。先根遍历的步骤如下：

1）访问根结点。

2）按照从左到右的顺序依次先根遍历每一棵子树。

例如，图 5.33 所示的树，先根遍历后得到的结点序列是 A、B、E、H、I、C、D、F、J、G。

后根遍历的步骤如下：

1）按照从左到右的顺序依次后根遍历每一棵子树。

2）访问根结点。

例如，图 5.33 所示的树，后根遍历后得到的结点序列是 H、I、E、B、C、J、F、G、D、A。

2. 森林的遍历

森林遍历的方法有两种：先序遍历和中序遍历。

先序遍历森林的步骤如下：

1）访问森林中第一棵树的根结点。

2）先序遍历第一棵树的根结点的子树。

3）先序遍历森林中剩余的树。

例如，图 5.34 所示的森林，先序遍历得到的结点序列是 A、B、E、C、D、F、G、H、I、J。

中序遍历森林的步骤如下：

1）中序遍历第一棵树的根结点的子树。

2）访问森林中第一棵树的根结点。

3）中序遍历森林中剩余的树。

例如，图 5.34 所示的森林，中序遍历得到的结点序列是 E、B、C、D、A、G、H、F、J、I。

5.6　并查集

并查集（Disjoint Set Union）是一种主要用于处理互不相交集合的合并和查询操作的树形结构。这种数据结构可把一些元素按照一定的关系组合在一起。

5.6.1　并查集的定义

并查集是指在一些有 N 个元素的集合应用问题中，初始时通常将每个元素看成一个单元素的集合，然后按一定次序将属于同一组的元素所在的集合两两合并，其间要反复查找一个元素在哪个集合中。关于并查集的运算，通常可采用树结构实现。其主要操作有并查集的初始化、查找 x 结点所属的根结点、合并 x 和 y 所属的两个集合。并查集的基本运算如表 5.1 所示。

表 5.1　并查集的基本运算

基 本 操 作	基本操作函数名称
初始化	void InitParent(int n)
查找 x 结点所属的根结点	int Find(int x)
将 x 和 y 所属的两个集合（两棵树）合并	void Merge(int x, int y)

5.6.2　并查集的实现

并查集的实现包括初始化、查找和合并操作。

1. 初始化

初始时，每个元素都代表一棵树。假设有 n 个编号分别为 1，2，…，n 的元素，使用数组 parent 存储每个元素的父结点。初始时，先将父结点设为自身。

```
#define MAXSIZE 100
int parent[MAXSIZE];
int rank[MAXSIZE];
void InitParent(int n)          //初始化
{
    for(int i=1;i<=n;i++){
        parent[i]=i;
    }
}
```

并查集的初始状态如图 5.35a 所示。

将 a 和 f 所在的集合（即把 a 和 f 两棵树）合并后，使 a 成为两个结点构成树的父结点，如图 5.35b 所示。将 b 和 c 所在的集合合并，b 成为父结点，如图 5.35c 所示。继续将其他结点进行合并操作，直到所有结点构成一棵树，如图 5.35f 所示。

2. 查找

查找操作是查找 x 结点所在子树的根结点。从图 5.35 中可以看出，一棵子树中的根结点满足条件：parent[y]=y。这可通过不断顺着分支查找双亲结点找到，即 y=parent[y]。例如，查找结点 e 的根结点时，沿着 e→b→a 路径可找到根结点 a。

```
int Find(int x)
{
    if(parent[x] == x)
        return x;
    else
        return Find(parent[x]);
}
```

a) 初始状态　　　　　b) 合并a和f所在的集合　　　　　c) 合并b和c所在的集合

d) 合并a和d所在的集合　　　e) 合并b和e所在的集合　　　f) 合并a和b所在的集合

图 5.35　并查集的合并过程

当树的高度增加时，想从终端结点找到根结点，其效率就会变得越来越低。有没有更好的办法呢？如果每个结点都指向根结点，则查找效率会提高很多，因此，可在查找的过程中使用路径压缩的方法，令查找路径上的结点逐个指向根结点，如图 5.36 所示。

a) 路径压缩前　　　　　　b) 路径压缩后

图 5.36　查找过程中的路径压缩

带路径压缩的查找算法描述如下：

```
int Find( int x )
{
    if( parent[ x ] == x )
        return x;
    else
    {
        parent[ x ] = Find( x );
        return parent[ x ];
```

```
        }
    }
```

为了方便理解，可将以上查找算法转换为以下非递归算法实现：

```
int Find_NonRec(int x)
{
    int y,root = x;
    while(parent[root]! = root)                 //查找根结点 root
        root = parent[root];
    y = x;
    while(y! = root)                            //路径压缩
    {
        parent[y] = root;
        y = parent[y];
    }
    return root;
}
```

经过以上路径压缩后，可以显著提高查找算法的效率。

3. 合并

两棵树的合并操作就是将 x 和 y 所属的两棵子树合并为一棵子树。其合并算法的主要思想是：找到 x 和 y 所属子树的根结点 root_x 和 root_y，若 root_x = = root_y，则表明它们属于同一棵子树，不需要合并，否则需要比较两棵子树的高度，即秩，使合并后的子树的高度尽可能小：

1）若 x 所在子树的秩 rank[root_x]<rank[root_y]，则将秩较小的 root_x 作为 root_y 的孩子结点，此时 root_y 的秩不变。

2）若 x 所在子树的秩 rank[root_x]>rank[root_y]，则将秩较小的 root_y 作为 root_x 的孩子结点，此时 root_x 的秩不变。

3）若 x 所在子树的秩 rank[root_x] = = rank[root_y]，则可将 root_x 作为 root_y 的孩子结点，也可将 root_y 作为 root_x 的孩子结点，合并后子树的秩加 1。

两棵树的合并如图 5.37 所示。

合并算法描述如下：

```
void Merge(int x,int y)
{
    int root_x,root_y;
    root_x = Find(x);                           //找到两个根结点
    root_y = Find(y);
    if(rank[root_x] <= rank[root_y])            //若前者树的高度小于或等于后者
        parent[root_x] = root_y;
    else                                        //否则
        parent[root_y] = root_x;
    if(rank[root_x] = = rank[root_y]&& root_x ! = root_y)
    //如果高度相同且根结点不同，则新的根结点的高度加上 1
        rank[root_y] += 1;
}
```

a) 因为rank[root_x]>rank[root_y]，以第二棵子树作为第一棵子
树根结点的孩子结点，合并后的树的秩为rank[root_x]

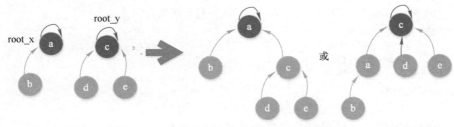

b) 因为rank[root_x]==rank[root_y]，可将第二棵子树作为第一棵子树根结点的孩子结点，或将
第一棵子树作为第二棵子树根结点的孩子结点，合并后的树的秩为rank[root_x]+1

图 5.37　两棵树的合并

5.6.3　并查集的应用举例

【例 5.2】给定一个包含 N 个顶点 M 条边的无向图 G，判断 G 是否为一棵树。

【分析】判断包含 N 个点 M 条边的无向图是否为一棵树的充分必要条件是 $N=M+1$ 且 N 个点连通。因此，关键在于判断这 N 个点是不是连通的。判断连通性一般有两种方法：1）利用图的连通性来判断。从一个顶点（比如 1 号顶点）开始进行深度或广度优先搜索遍历，搜索的过程中把遇到的顶点都进行标记，最后检查这 N 个顶点是否都被标记了。统计被标记顶点的数量是否等于 N，若为 N 则表明这是一棵树，否则不是一棵树。2）用并查集的基本操作实现判断。依次搜索每一条边，把每条边相关联的两个顶点都合并到一个集合里，最后检查是不是 N 个顶点都在同一个集合中。若 N 个顶点都在同一个集合中，则是一棵树，否则不是一棵树。

【算法实现】

```c
#include<stdio. h>
#include<stdlib. h>
#define MAXSIZE 100

int FindParent( int x, int parent[ ])
//在并查集中查找 x 结点的根结点
{
    if( x = = parent[ x] )
        return x;
    parent[ x] =FindParent( parent[ x] ,parent) ;
    return parent[ x] ;
```

```
        }

    void main( )
    {
        int n,m,flag,i,iter,fx,fy,root,x,y;
        int parent[MAXSIZE];
        flag=0;
        printf("请分别输入结点数和边数:");
        scanf("%d%d",&n,&m);
        if(m != n - 1)
            flag=1;
        for(i=1;i<n+1;i++)
            parent[i]=i;
        iter=1;
        while(m!=0)
        {
            printf("请输入第%d 条边:",iter);
            scanf("%d%d",&x,&y);
            fx =FindParent(x,parent);
            fy = FindParent(y,parent);
            if(parent[fx] != parent[fy])
                parent[fx] = parent[fy];
            m-=1;
            iter+=1;
        }
        root =FindParent(parent[1],parent);
        for(i=2;i<n+1;i++)
        {
            if(FindParent(parent[i],parent) != root)
            {
                flag=1;
                break;
            }
        }
        if(flag)
            printf("这不是一棵树!\n");
        else
            printf("这是一棵树!\n");
        system("pause");
    }
```

程序运行结果如图 5.38 所示。

图 5.38　判断是否为一棵树的程序运行结果

5.7　综合应用举例：哈夫曼树

哈夫曼（Huffman）树，也称最优二叉树。它是一种带权路径长度最短的树，有着广泛的应用。

5.7.1　哈夫曼树的定义

扫码看视频

在介绍哈夫曼树之前，先了解以下几个与哈夫曼树相关的定义。

1. 路径和路径长度

路径是指在树中从一个结点到另一个结点所走过的路程。路径长度是一个结点到另一个结点的分支数目。树的路径长度是指从树的树根到每一个结点的路径长度的和。

2. 树的带权路径长度

在一些实际应用中，根据结点的重要程度，将树中的某一个结点赋予一个有意义的值，则这个值就是结点的权。带权路径长度是指在一棵树中将某一个结点的路径长度与该结点的权的乘积。而树的带权路径长度是指树中所有叶子结点的带权路径长度的和。树的带权路径长度公式记作：

$$WPL = \sum_{i=1}^{n} w_i \times l_i$$

其中，n 是树中叶子结点的个数，w_i 是第 i 个叶子结点的权值，l_i 是第 i 个叶子结点的路径长度。

例如，图 5.39 所示的二叉树的带权路径长度分别是：

1）WPL = 8×2+4×2+2×2+3×2 = 34

2）WPL = 8×2+4×3+2×3+3×1 = 37

3）WPL = 8×1+4×2+2×3+3×3 = 31

3. 哈夫曼树的构造

从图 5.39 可以看出，第三棵树的带权路径长度最小，它其实就是一棵哈夫曼树。

a) 带权路径长度为34　　　b) 带权路径长度为37　　　c) 带权路径长度为31

图 5.39　二叉树的带权路径长度

哈夫曼树就是带权路径长度最小的树，权值最小的结点远离根结点，权值越大的结点越靠近根结点。

哈夫曼树的构造算法如下：

1）由给定的 n 个权值 $\{w_1, w_2, \cdots, w_n\}$ 构成 n 棵只有根结点的二叉树集合 $F = \{T_1, T_2, \cdots,$

T_n},每个结点的左右子树均为空。

2)在二叉树集合 F 中,找到两个根结点的权值最小和次小的树,作为左、右子树构造一棵新的二叉树,新二叉树的根结点的权重为左、右子树根结点的权重之和。

3)在二叉树集合 F 中,删除作为左、右子树的两棵二叉树,并将新二叉树加入集合 F 中。

4)重复执行步骤 2)和 3),直到集合 F 中只剩下一棵二叉树为止。这棵二叉树就是要构造的哈夫曼树。

例如,假设给定一组权值{1,3,6,9},按照哈夫曼构造的算法对集合的权重来构造哈夫曼树的过程如图 5.40 所示。

图 5.40 哈夫曼树构造过程

5.7.2 哈夫曼编码

哈夫曼编码常应用在数据通信中,在数据传送时,需要将字符转换为二进制的字符串。例如,假设传送的电文是 ABDAACDA,电文中有 A、B、C 和 D 这 4 种字符,如果规定 A、B、C 和 D 的编码分别为 00、01、10 和 11,则上面的电文代码为 0001110000101100,总共 16 个二进制数。

在传送电文时,希望电文的代码尽可能短。如果对每个字符进行不等长编码,将出现频率高的字符采用尽可能短的编码,则电文的代码长度就会减少。此时,可以利用哈夫曼树对电文进行编码,最后得到的编码就是长度最短的编码。具体构造方法如下:

假设需要编码的字符集合为{$c_1, c_2, \cdots, c_n$},相应地,字符在电文中的出现次数为{$w_1, w_2, \cdots, w_n$},以字符 $c_1, c_2, \cdots, c_n$ 作为叶子结点,以 $w_1, w_2, \cdots, w_n$ 为对应叶子结点的权值构造一棵二叉树,规定哈夫曼树的左孩子分支为 0,右孩子分支为 1,从根结点到每个叶子结点经过的分支组成的 0 和 1 序列就是结点对应的编码。

按照以上构造方法,字符集合为{A,B,C,D},各个字符相应的出现次数为{4,1,1,2},这些字符作为叶子结点构成的哈夫曼树如图 5.41 所示。字符 A 的编码为 0,字符 B 的编码为 110,字符 C 的编码为 111,字符 D 的编码为 10。

因此,可以得到电文 ABDAACDA 的哈夫曼编码为 01101000111100,共 14 个二进制字符。这样就保证了电文的编码达到最短。

在设计不等长编码时,必须使任何一个字符的编码都不是另外一个字符编码的前缀。例如,字符 A 的编码为 10,字符 B 的编码为 100,则字符 A 的编码就称为字符 B 的编码的前缀。如果一个代码为 10010,在进行译码时,无法确定是将前两位译为 A,还是将前三位译为 B。但是在利用哈夫曼树进行编码时,每个编码都是叶子结点的编码,一个字符不会出现在另一个字符的前面,也就不会出现一个字符的编码是另一个字符编码的前缀编码。

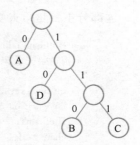

图 5.41 哈夫曼树

5.7.3 哈夫曼编码算法的实现

下面利用哈夫曼编码的设计思想，通过一个实例实现哈夫曼编码的算法实现。

【例5.3】 假设一个字符序列为{A,B,C,D}，对应的权重为{1,3,6,9}。设计一个哈夫曼树，并输出相应的哈夫曼编码。

【分析】 在哈夫曼的算法中，为了方便设计，利用一个二维数组实现。需要保存字符的权重、双亲结点的位置、左孩子结点的位置和右孩子结点的位置。因此需要设计 n 行4列。哈夫曼树的类型定义如下：

```
typedef struct                        /*哈夫曼树类型定义*/
{
    unsigned int weight;
    unsigned int parent,lchild,rchild;
}HTNode, * HuffmanTree;
typedef char * * HuffmanCode;         /*存放哈夫曼编码*/
```

算法实现：定义一个类型为 HuffmanCode 的变量 HT，用来存放每一个叶子结点的哈夫曼编码。初始时，将每一个叶子结点的双亲结点域、左孩子域和右孩子域初始化为0。如果有 n 个叶子结点，则非叶子结点有 $n-1$ 个，所以总共的结点数目是 $2×n-1$ 个。同时也要将剩下的 $n-1$ 个双亲结点域初始化为0，这主要是为了方便查找权值最小的结点。

依次选择两个权值最小的结点，分别作为左子树结点和右子树结点，修改它们的双亲结点域，使它们指向同一个双亲结点，同时修改双亲结点的权值，使其等于两个左、右子树结点权值的和，并修改左、右孩子结点域，使其分别指向左、右孩子结点。重复执行这种操作 $n-1$ 次，即求出 $n-1$ 个非叶子结点的权值。这样就得到了一棵哈夫曼树。

通过求得的哈夫曼树，得到每一个叶子结点的哈夫曼编码。从叶子结点 c 开始，通过结点 c 的双亲结点域找到结点的双亲，然后通过双亲结点的左孩子域和右孩子域判断该结点 c 是其双亲结点的左孩子还是右孩子，如果是左孩子，则编码为"0"，否则编码为"1"。按照这种方法，直到找到根结点，即可以求出叶子结点的编码。

1. 哈夫曼编码的实现

这部分主要是哈夫曼树的实现和哈夫曼编码的实现。程序代码如下：

```
void HuffmanCoding(HuffmanTree * HT,HuffmanCode * HC,int * w,int n)
/*构造哈夫曼树 HT,哈夫曼树的编码存放在 HC 中,w 为 n 个字符的权值*/
{
    int m,i,s1,s2,start;
    unsigned int c,f;
    HuffmanTree p;
    char * cd;
    if(n<=1)
        return;
    m=2 * n-1;
    * HT=(HuffmanTree)malloc((m+1) * sizeof(HTNode));   /*第0个单元未用*/
    for(p= * HT+1,i=1;i<=n;i++,p++,w++)                 /*初始化 n 个叶子结点*/
    {
        ( * p). weight= * w;
        ( * p). parent=0;
        ( * p). lchild=0;
```

```
                (*p).rchild=0;
        }
        for(;i<=m;i++,p++)                    /*将 n-1 个非叶子结点的双亲结点初始化为 0*/
                (*p).parent=0;
        for(i=n+1;i<=m;++i)                   /*构造哈夫曼树*/
        {
                Select(HT,i-1,&s1,&s2);       /*查找树中权值最小的两个结点*/
                (*HT)[s1].parent=(*HT)[s2].parent=i;
                (*HT)[i].lchild=s1;
                (*HT)[i].rchild=s2;
                (*HT)[i].weight=(*HT)[s1].weight+(*HT)[s2].weight;
        }
        /*从叶子结点到根结点求每个字符的哈夫曼编码*/
        *HC=(HuffmanCode)malloc((n+1)*sizeof(char*));
        cd=(char*)malloc(n*sizeof(char));               /*为哈夫曼编码动态分配空间*/
        cd[n-1]='\0';
        /*求 n 个叶子结点的哈夫曼编码*/
        for(i=1;i<=n;i++)
        {
                start=n-1;                                  /*编码结束符位置*/
                for(c=i,f=(*HT)[i].parent;f!=0;c=f,f=(*HT)[f].parent)   /*从叶子结点到根结
点求编码*/
                        if((*HT)[f].lchild==c)
                                cd[--start]='0';
                        else
                                cd[--start]='1';
                (*HC)[i]=(char*)malloc((n-start)*sizeof(char));  /*为第 i 个字符编码分配空间*/
                strcpy((*HC)[i],&cd[start]);        /*将当前求出结点的哈夫曼编码复制到 HC*/
        }
        free(cd);
}
```

2. 查找权值最小和次小的两个结点

这部分主要是在结点的权值中，选择两个权值最小的和次小的结点作为二叉树的叶子结
点。其程序代码实现如下：

```
int Min(HuffmanTree t,int n)
/*返回树中 n 个结点中权值最小的结点序号*/
{
        int i,flag;
        int f=infinity;                 /*f 为一个无限大的值*/
        for(i=1;i<=n;i++)
                if(t[i].weight<f&&t[i].parent==0)
                        f=t[i].weight,flag=i;
                        t[flag].parent=1;        /*给选中的结点的双亲结点赋值 1，避免再次查找该结点*/
                        return flag;
}
void Select(HuffmanTree *t,int n,int *s1,int *s2)
/*在 n 个结点中选择两个权值最小的结点序号，其中 s1 最小，s2 次小*/
{
        int x;
        *s1=Min(*t,n);
```

189

```
        * s2=Min( * t,n);
        if(( * t)[ * s1].weight>( * t)[ * s2].weight)/ * 如果序号 s1 的权值大于序号 s2 的权值,将两
    者交换,使 s1 最小,s2 次小 * /
        {
            x= * s1;
             * s1= * s2;
             * s2=x;
        }
    }
```

3. 测试代码部分

这部分主要包括头文件、宏定义、函数的声明和主函数。程序代码实现如下:

```
/ * 包含头文件 * /
#include<stdio. h>
#include<stdlib. h>
#include<string. h>
#include<malloc. h>
#define infinity 10000                              / * 定义一个无限大的值 * /
/ * 哈夫曼树类型定义 * /
typedef struct
{
    unsigned int weight;
    unsigned int parent,lchild,rchild;
} HTNode, * HuffmanTree;
typedef char * * HuffmanCode;                        / * 存放哈夫曼编码 * /
int Min( HuffmanTree t,int n);
void Select( HuffmanTree * t,int n,int * s1,int * s2);
void HuffmanCoding( HuffmanTree * HT,HuffmanCode * HC,int * w,int n);
void main( )
{
    HuffmanTree HT;
    HuffmanCode HC;
    int * w,n,i;
    printf("请输入叶子结点的个数: ");
    scanf("%d",&n);
    w=( int * )malloc( n * sizeof(int));             / * 为 n 个结点的权值分配内存空间 * /
    for(i=0;i<n;i++)
    {
        printf("请输入第%d 个结点的权值:",i+1);
        scanf("%d",w+i);
    }
    HuffmanCoding(&HT,&HC,w,n);
    for(i=1;i<=n;i++)
    {
        printf("哈夫曼编码:");
        puts(HC[i]);
    }
    / * 释放内存空间 * /
    for(i=1;i<=n;i++)
        free(HC[i]);
    free(HC);
```

```
        free( HT) ;
    }
```

在算法的实现过程中，数组 HT 在初始时的状态和哈夫曼树生成后的状态如图 5.42 所示。

数组下标	weight	parent	lchild	rchild
1	1	0	0	0
2	3	0	0	0
3	6	0	0	0
4	9	0	0	0
5		0		
6		0		
7		0		

HT 数组初始时状态

数组下标	weight	parent	lchild	rchild
1	1	5	0	0
2	3	5	0	0
3	6	6	0	0
4	9	7	0	0
5	4	6	1	2
6	10	7	5	3
7	19	0	4	6

生成哈夫曼树后HT的状态

图 5.42　数组 HT 在初始时和生成哈夫曼树后的状态

生成的哈夫曼树如图 5.43 所示。从图中可以看出，权值为 1、3、6 和 9 的哈夫曼编码分别是 100、101、11 和 0。

<table>
<tr><th colspan="1">思考题</th></tr>
<tr><td>　　以上算法是从叶子结点开始到根结点逆向求哈夫曼编码，也可以从根结点开始到叶子结点正向求哈夫曼编码，这个问题留作思考题。</td></tr>
</table>

程序运行结果如图 5.44 所示。

图 5.43　哈夫曼树

图 5.44　程序运行结果

<table>
<tr><th colspan="1">思考题</th></tr>
<tr><td>　　哈夫曼树的带权路径长度是所有二叉树中最小的，你从哈夫曼树构造过程中学到了什么？你觉得哈夫曼树的构造过程体现出整体和部分的关系了吗？你觉得整体和部分存在什么关系？</td></tr>
</table>

5.8　小结

树在数据结构中占据着非常重要的地位，树反映的是一种层次结构的关系。在树中，除了根结点和叶子结点，其余的每个结点只允许有一个双亲结点，允许有多个孩子结点，结点与结点之间是一种一对多的关系。

树的定义是递归的。一棵树或者为空，或者由 m 棵子树 $T_1, T_2, \cdots, T_m$ 组成，这 m 棵子树又由其他子树构成。树中的孩子结点没有次序之分，是一种无序树。

二叉树最多有两棵子树，两棵子树分别叫作左子树和右子树。二叉树可以看作树的特例，但是与树不同的是，二叉树的两棵子树有次序之分。二叉树也是递归定义的，二叉树的两棵子树又由左子树和右子树构成。

在二叉树中，有两种特殊的树：满二叉树和完全二叉树。满二叉树中，每个非叶子结点都存在左子树和右子树，所有的叶子结点都处在同一层次上。完全二叉树与满二叉树的前 n 个结点的结构相同，满二叉树是一种特殊的完全二叉树。

采用顺序存储的完全二叉树可实现随机存取，实现起来也比较方便。但是，如果二叉树不是完全二叉树，则采用顺序存储会浪费大量的存储空间。因此，一般情况下，二叉树采用链式存储——二叉链表。在二叉链表中，结点有一个数据域和两个指针域。其中的一个指针域指向左孩子结点，另一个指针域指向右孩子结点。

二叉树的遍历分为先序遍历、中序遍历和后序遍历。二叉树遍历的过程就是将二叉树这种非线性结构转换成线性结构的过程。将二叉树线索化，不仅可充分利用二叉链表中的空指针域，还能很方便地找到指定结点的前驱结点。

在哈夫曼树中，只有叶子结点和度为 2 的结点。哈夫曼树是带权路径最小的二叉树，通常用于解决最优化问题。

树、森林和二叉树可以相互进行转换，树的实现比较复杂，在实际应用中，可以将问题转换为二叉树的相关问题加以实现。

习 题

一、选择题

1. 二叉树的深度为 k，则二叉树最多有（ ）个结点。

    A. $2k$ B. 2^{k-1} C. 2^k-1 D. $2k-1$

2. 用顺序存储的方法将完全二叉树中的所有结点按层逐个从左到右存放在一维数组 R[$1\cdots N$] 中，若结点 R[i] 有右孩子，则其右孩子是（ ）。

    A. R[$2i-1$]   B. R[$2i+1$]   C. R[$2i$]   D. R[$i/2$]

3. 在一棵具有 5 层的满二叉树中，结点总数为（ ）。

    A. 31   B. 32   C. 33   D. 16

4. 下列关于树的表述中，正确的是（ ）。

Ⅰ. 对于有 n 个结点的二叉树，其高度为 $\log_2 n$

Ⅱ. 在完全二叉树中，若一个结点没有左孩子，则它必是叶子结点

Ⅲ. 高度为 $h(h>0)$ 的完全二叉树对应的森林所含的树的个数一定是 h

Ⅳ. 一棵树中的叶子数一定等于与其对应的二叉树的叶子数

    A. Ⅰ和Ⅲ   B. Ⅳ   C. Ⅰ和Ⅱ   D. Ⅱ

5. 某二叉树的中序序列为 ABCDEFG，后序序列为 BDCAFGE，则其左子树中的结点数目为（ ）。

    A. 3   B. 2   C. 4   D. 5

6. 若以 {4,5,6,7,8} 作为权值构造哈夫曼树，则该树的带权路径长度为（　　　）。

    A. 67　　　　　B. 68　　　　　C. 69　　　　　D. 70

7. 将一棵有 100 个结点的完全二叉树从根这一层开始，在每一层上从左到右依次对结点进行编号，根结点的编号为 1，则编号为 49 的结点的左孩子编号为（　　　）。

    A. 98　　　　　B. 99　　　　　C. 50　　　　　D. 48

8. 已知一棵有 2011 个结点的树，其叶子结点个数为 116，则该树对应的二叉树中无右孩子的结点个数是（　　　）。

    A. 115　　　　B. 116　　　　C. 1895　　　　D. 1896

9. 对某二叉树进行先序遍历的结果为 ABDEFC，中序遍历的结果为 DBFEAC，则后序遍历的结果是（　　　）。

    A. DBFEAC　　　B. DFEBCA　　　C. BDFECA　　　D. BDEFAC

10. 若一棵二叉树的先序序列为 aebdc，后序序列为 bcdea，则根结点的孩子结点（　　　）。

    A. 只有 e　　　B. 有 e、b　　　C. 有 e、c　　　D. 无法确定

11. 表达式 A∗(B+C)/(D−E+F) 的后缀表达式是（　　　）。

    A. A∗B+C/D−E+F　　　　　　　B. AB∗C+D/E−F+

    C. ABC+∗DE−F+/　　　　　　　D. ABCDED∗+/−+

12. 将森林转换为对应的二叉树，若在二叉树中，结点 u 是结点 v 的父结点的父结点，则原来的森林中，u 和 v 可能具有的关系是（　　　）。

  Ⅰ. 父子结点　　　Ⅱ. 兄弟结点　　　Ⅲ. u 的父结点与 v 的父结点是兄弟关系

    A. 只有 Ⅱ　　　B. Ⅰ 和 Ⅱ　　　C. Ⅰ 和 Ⅲ　　　D. Ⅱ 和 Ⅲ

13. 按照二叉树的定义，具有 3 个结点的二叉树有（　　　）种。

    A. 3　　　　　B. 4　　　　　C. 5　　　　　D. 6

14. 若 X 是后序线索二叉树中的叶子结点，且 X 存在左兄弟结点 Y，则 X 的右线索指向的是（　　　）。

    A. X 的父结点　　　　　　　　B. 以 Y 为根的子树的最左下结点

    C. X 的左兄弟结点 Y　　　　　D. 以 Y 为根的子树的最右下结点

15. 由权值为 3、6、7、2、5 的叶子结点生成一棵哈夫曼树，它的带权路径长度为（　　　）。

    A. 51　　　　　B. 23　　　　　C. 53　　　　　D. 74

16. 下列选项给出的是从根分别到达两个叶子结点路径上的权值序列，属于同一棵哈夫曼树的是（　　　）。

    A. 24，10，5 和 24，10，7　　　　　B. 24，10，5 和 24，12，7

    C. 24，10，10 和 24，14，11　　　　D. 24，10，5 和 24，14，6

二、算法分析题

1. 函数 depth() 实现返回二叉树的高度，请在空格处将算法补充完整。

```
int depth(Bitree ∗t){
    if(t==NULL)
        return 0;
    else{
        hl=depth(t->lchild);
        hr=_____;
        if(_____)
```

```
                return hl+1;
        else
                return hr+1;
        }
    }
```

2. 写出下面算法的功能。

```
Bitree * function(Bitree * bt){
    Bitree * t, * t1, * t2;
    if(bt==NULL)
        t=NULL;
    else{
        t=(Bitree * )malloc(sizeof(Bitree));
        t->data=bt->data;
        t1=function(bt->left);
        t2=function(bt->right);
        t->left=t2;
        t->right=t1;
    }
    return(t);
}
```

3. 写出下面算法的功能。

```
void function(Bitree * t){
    if(t!=NULL){
        function(t->lchild);
        function(t->rchild);
        printf("%d",t->data);
    }
}
```

三、综合分析题

1. 已知二叉树的先序遍历序列为 ABCDEFGH，中序遍历序列为 CBEDFAGH，请画出该二叉树。

2. 已知权值集合为{5,7,2,3,6,9}，要求给出哈夫曼树，并计算带权路径长度 WPL。

3. 已知一棵二叉树的中序序列为 BDAECF，后序序列为 DBEFCA，请画出该二叉树。

4. 已知由图 5.45 所示的 3 棵树组成的森林，请将其转换为二叉树。

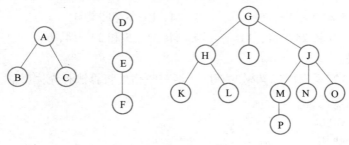

图 5.45 森林

5. 若某非空二叉树的先序序列和后序序列相反，则该二叉树的形态是什么？

6. 若某非空二叉树的先序序列和后序序列相同，则该二叉树的形态是什么？

1）设计一棵哈夫曼树（画出其树结构）。

2）计算其带权路径长度 WPL。

7. 一个单位有 12 个部门，每个部门都有一部电话，但是整个单位只有一根外线，当有电话打过来的时候，由转接员转到内线电话，已知各部门使用外线电话的频率为（次/天）：5 20 10 12 8 43 2 6 9 15 19。应该如何设计内线电话号码，才能使得接线员拨号次数尽可能少？

8. 已知某森林的二叉树如图 5.46 所示，试画出它所表示的森林。

9. 已知图 5.47 所示的二叉树，请写出先序、中序、后序遍历的序列。

图 5.46　二叉树 1　　　　　　　　　　图 5.47　二叉树 2

四、算法设计题

1. 编写一个算法，判断二叉树是否是完全二叉树。

2. 在二叉链表存储结构的二叉树中，p 是指向二叉树中某个结点的指针，编写算法，求 p 的所有祖先结点。

3. 创建一个二叉树，按照层次输出二叉树的每个结点，并按照树状打印二叉树。例如，一棵二叉树如图 5.48 所示，按照层次输出的序列为 A、B、C、D、E、F、G、H、I，按照树状输出的二叉树如图 5.49 所示。

图 5.48　二叉树 3　　　　　　　图 5.49　二叉树的树状输出

4. 创建一个二叉树，计算二叉树的叶子结点数目、非叶子结点数目和二叉树的深度。例如，图 5.50 所示的二叉树的叶子结点数为 5 个，非叶子结点数为 7 个，深度为 5。

5. 编写一个判断两棵二叉树是否相似的算法。相似二叉树指的是二叉树的结构相似。假设存在两棵二叉树 T1 和 T2，T1 和 T2 都是空二叉树，或者 T1 和 T2 都不为空树，且 T1 和 T2 的左、右子树的结构分别相似，则称 T1 和 T2 是相似二叉树。

　　6. 编写算法，给定一棵二叉树的先序序列和中序序列，可唯一确定这棵二叉树。例如，已知先序序列(A,B,C,D,E,F,G)和中序序列(B,D,C,A,F,E,G)，则可以确定一棵二叉树，如图 5.51 所示。

图 5.50　二叉树 4

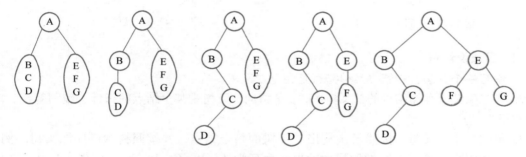

图 5.51　由先序序列和中序序列确定二叉树的过程

　　7. 编写算法，给定一棵二叉树的中序序列和后序序列，可唯一确定这棵二叉树。例如，已知中序序列(D,B,G,E,A,C,F)和后序序列(D,G,E,B,F,C,A)，则可以唯一确定一棵二叉树，如图 5.52 所示。

图 5.52　由中序序列和后序序列确定二叉树的过程

第 6 章

图

　　图（Graph）是一种比树更复杂的非线性数据结构，图结构中的结点关系是任意的，每个元素都可以与其他任何元素相关，元素之间是多对多的关系，即一个元素对应多个直接前驱元素和多个直接后继元素。图作为一种非线性数据结构，被广泛应用于许多技术领域，如系统工程、化学分析、遗传学、控制论、人工智能等领域。本章主要讨论图在计算机中的表示与处理。

6.1　图的定义与相关概念

6.1.1　图的定义

　　图由数据元素的集合与边的集合构成。在图中，数据元素常称为顶点（Vertex），因此数据元素集合称为顶点集合。其中，顶点集合（V）不能为空，边（E）表示顶点之间的关系，用连线表示。图（G）的形式化定义为 $G=(V,E)$，其中，$V=\{x\,|\,x\in$ 数据元素集合$\}$，$E=\{<x,y>\,|\,\mathrm{Path}(x,y)\wedge(x\in V,y\in V)\}$。$\mathrm{Path}(x,y)$ 表示从 x 到 y 的关系属性。

　　如果 $<x,y>\in E$，则 $<x,y>$ 表示从顶点 x 到顶点 y 的一条弧（Arc），x 称为弧尾（Tail）或起始点（Initial Node），y 称为弧头（Head）或终端点（Terminal Node）。这种图的边是有方向的，这样的图被称为有向图（Digraph）。如果 $<x,y>\in E$ 且有 $<y,x>\in E$，则用无序对 (x,y) 代替有序对 $<x,y>$ 和 $<y,x>$，表示 x 与 y 之间存在一条边（Edge），将这样的图称为无向图。

　　在图 6.1 中，有向图 G_1 可以表示为 $G_1=(V_1,E_1)$，其中，顶点集合 $V_1=\{A,B,C,D\}$，边的集合 $E_1=\{<A,B>,<A,C>,<A,D>,<C,A>,<C,B>,<D,A>\}$。无向图 G_2 可以表示为 $G_2=(V_2,E_2)$，其中，顶点集合 $V_2=\{A,B,C,D\}$，边的集合 $E_2=\{(A,B),(A,D),(B,C),(B,D),(C,D)\}$。

图 6.1　有向图 G_1 与无向图 G_2

　　在图中，通常将有向图的边称为弧，将无向图的边称为边。顶点的顺序可以是任意的。

　　假设图的顶点数目是 n，图的边数或者弧的数目是 e。如果不考虑顶点到自身的边或弧，即如果 $<v_i,v_j>$，则 $v_i\neq v_j$。对于无向图，边数 e 的取值范围为 $0\sim n(n-1)/2$。将具有 $n(n-1)/2$

条边的无向图称为完全图（Completed Graph）。对于有向图，弧度 e 的取值范围是 $0 \sim n(n-1)$。将具有 $n(n-1)$ 条弧的有向图称为有向完全图。具有 $e \ll n(n-1)/2$ 条弧或边的图，称为稀疏图（Sparse Graph）。边数接近 $n(n-1)/2$ 条弧或边的图，称为稠密图（Dense Graph）。

6.1.2 图的相关概念

下面介绍一些有关图的概念。

1. 邻接点

在无向图 $G = (V, E)$ 中，如果存在边 $(v_i, v_j) \in E$，则称 v_i 和 v_j 互为邻接点（Adjacent），即 v_i 和 v_j 相互邻接。边 (v_i, v_j) 依附于顶点 v_i 和 v_j，或者称边 (v_i, v_j) 与顶点 v_i 和 v_j 相互关联。在有向图 $G = (V, A)$ 中，如果存在弧 $<v_i, v_j> \in A$，则称顶点 v_j 邻接自顶点 v_i，顶点 v_i 邻接到顶点 v_j。弧 $<v_i, v_j>$ 与顶点 v_i 和 v_j 相互关联。

在图 6.1 中，无向图 G_2 的边的集合为 $E = \{(A,B), (A,D), (B,C), (B,D), (C,D)\}$，如顶点 A 和 B 互为邻接点，边 (A,B) 依附于顶点 A 和 B。顶点 B 和 C 互为邻接点，边 (B,C) 依附于顶点 B 和 C。有向图 G_1 的弧的集合为 $A = \{<A,B>, <A,C>, <A,D>, <C,A>, <C,B>, <D,A>\}$，如顶点 A 邻接到顶点 B，弧 $<A,B>$ 与顶点 A 和 B 相互关联；顶点 A 邻接到顶点 C，弧 $<A,C>$ 与顶点 A 和 C 相互关联。

2. 顶点的度

在无向图中，顶点 v 的度是指与 v 相关联的边的数目，记作 $TD(v)$。在有向图中，以顶点 v 为弧头的数目称为顶点 v 的入度（InDegree），记作 $ID(v)$。以顶点 v 为弧尾的数目称为 v 的出度（OutDegree），记作 $OD(v)$。顶点 v 的度为以 v 为顶点的入度和出度之和，即 $TD(v) = ID(v) + OD(v)$。

在图 6.1 中，无向图 G_2 边的集合为 $E = \{(A,B), (A,D), (B,C), (B,D), (C,D)\}$，如顶点 A 的度为 2，顶点 B 的度为 3，顶点 C 的度为 2，顶点 D 的度为 3。有向图 G_1 的弧的集合为 $A = \{<A,B>, <A,C>, <A,D>, <C,A>, <C,B>, <D,A>\}$，顶点 A、B、C 和 D 的入度分别为 2、2、1 和 1，顶点 A、B、C 和 D 的出度分别为 3、0、2 和 1，顶点 A、B、C 和 D 的度分别为 5、2、3 和 2。

在图中，假设顶点的个数为 n，边数或弧数记为 e，顶点 v_i 的度记作 $TD(v_i)$，则顶点的度与弧或者边数满足关系：$e = \frac{1}{2} \sum_{i=1}^{n} TD(v_i)$。

3. 路径

在图中，从顶点 v_i 出发经过一系列的顶点序列到达顶点 v_j，称为从顶点 v_i 到 v_j 的路径（Path）。路径的长度是路径上弧或边的数目。在路径中，如果第一个顶点与最后一个顶点相同，则这样的路径称为回路或环。在路径所经过的顶点序列中，如果顶点不重复出现，则称这样的路径为简单路径。在回路中，除了第一个顶点和最后一个顶点外，如果其他的顶点不重复出现，则称这样的回路为简单回路或环（Cycle）。

例如，在图 6.1 的有向图 G_1 中，顶点序列 A、C 和 A 就构成了一个简单回路。在无向图 G_2 中，从顶点 A 到顶点 C 所经过的路径为 A、B 和 C。

4. 子图

假设存在两个图 $G = \{V, E\}$ 和 $G' = \{V', E'\}$，如果 G' 的顶点和关系都是 V 的子集，即有 $V' \subseteq V$，$E' \subseteq E$，则 G' 为 G 的子图。子图的示例如图 6.2 所示。

有向图G₁的子图

无向图G₂的子图

图 6.2　有向图 G₁ 与无向图 G₂ 的子图

5. 连通图和强连通图

在无向图中，如果从顶点 v_i 到顶点 v_j 存在路径，则称顶点 v_i 到 v_j 是连通的。推广到图的所有顶点，如果图中的任何两个顶点之间都是连通的，则称图是连通图（Connected Graph）。无向图中的极大连通子图称为连通分量（Connected Component）。无向图 G_3 及其连通分量如图 6.3 所示。

无向图G₃

无向图G₃的两个连通分量

图 6.3　无向图 G₃ 及其连通分量

在有向图中，对于任意两个顶点 v_i 和 v_j 都有 $v_i \neq v_j$，从顶点 v_i 到顶点 v_j 和顶点 v_j 到顶点 v_i 都存在路径，则该图称为强连通图。在有向图中，极大强连通子图称为强连通分量。有向图 G_4 及其强连通分量如图 6.4 所示。

有向图G₄

有向图G₄的两个强连通分量

图 6.4　有向图 G₄ 及其强连通分量

6. 生成树

一个连通图（假设有 n 个顶点）的生成树是一个极小连通子图，它含有图中的全部顶点，但只有足以构成一棵树的 $n-1$ 条边。如果在该生成树中添加一条边，则必定构成一个环。如果少于 $n-1$ 条边，则该图是非连通的。反过来，具有 $n-1$ 条边的图不一定能构成生成树。一个图的生成树不一定是唯一的。图 6.3 中的无向图 G_3 的生成树如图 6.5 所示。

7. 网

在实际应用中，图的边或弧往往与具有一定意义的数有关，即每一条边都有与它相关的数，称为权，这些权可以表示从一个顶点到另一个顶点的距离或花费等信息。这种带权的图称为带权图或网。一个网如图 6.6 所示。

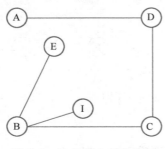

图 6.5　无向图 G_3 的生成树

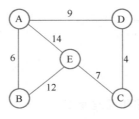

图 6.6　网

6.1.3 图的抽象数据类型

图的抽象数据类型定义了图中的数据对象、数据关系和基本操作。图的抽象数据类型定义如下：

```
ADT Graph
{
    数据对象 V:V 是具有相同特性的数据元素的集合,称为顶点集。
    数据关系 R:R={VR}
            VR={<x,y>|x,y∈V 且 P<x,y>,<x,y>表示从 x 到 y 的弧,P<x,y>定义了弧<x,y>
    的意义或信息}
    基本操作:
    (1)CreateGraph(&G)
    初始条件:图 G 不存在。
    操作结果:创建一个图 G。
    (2)DestroyGraph(&T)
    初始条件:图 G 存在。
    操作结果:销毁图 G。
    (3)LocateVertex(G,v)
    初始条件:图 G 存在,顶点 v 合法。
    操作结果:若图 G 存在顶点 v,则返回顶点 v 在图 G 中的位置。若图 G 中没有顶点 v,则函数返
    回值为空。
    (4)GetVertex(G,i)
    初始条件:图 G 存在。
    操作结果:返回图 G 中序号 i 对应的值。i 是图 G 某个顶点的序号,返回图 G 中序号 i 对应
    的值。
    (5)FirstAdjVertex(G,v)
    初始条件:图 G 存在,顶点 v 的值合法。
    操作结果:返回图 G 中 v 的第一个邻接顶点。若 v 无邻接顶点或图 G 中无顶点 v,则函数返回-1。
    (6)NextAdjVertex(G,v,w)
    初始条件:图 G 存在,w 是图 G 中顶点 v 的某个邻接顶点。
```

操作结果:返回顶点 v 的下一个邻接顶点。若 w 是 v 的最后一个邻接顶点,则函数返回-1。
(7)InsertVertex(&G,v)
初始条件:图 G 存在,v 和图 G 中的顶点有相同的特征。
操作结果:在图 G 中增加新的顶点 v,并将图的顶点数加 1。
(8)DeleteVertex(&G,v)
初始条件:图 G 存在,v 是图 G 中的某个顶点。
操作结果:删除图 G 中的顶点 v 及相关的弧。
(9)InsertArc(&G,v,w)
初始条件:图 G 存在,v 和 w 是 G 中的两个顶点。
操作结果:在图 G 中增加弧<v,w>。对于无向图,还要插入弧<w,v>。
(10)DeleteArc(&G,v,w)
初始条件:图 G 存在,v 和 w 是 G 中的两个顶点。
操作结果:在 G 中删除弧<v,w>。对于无向图,还要删除弧<w,v>。
(11)DFSTraverseGraph(G)
初始条件:图 G 存在。
操作结果:从图中的某个顶点出发,对图进行深度遍历。
(12)BFSTraverseGraph(G)
初始条件:图 G 存在。
操作结果:从图中的某个顶点出发,对图进行广度遍历。
}ADT Graph

6.2　图的存储结构

图的存储方式有 4 种:邻接矩阵表示法、邻接表表示法、十字链表表示法和邻接多重表表示法。

6.2.1　邻接矩阵表示法

图的邻接矩阵表示(Adjacency Matrix)也称为数组表示。它采用两个数组来表示图:一个是用于存储顶点信息的一维数组,另一个是用于存储图中顶点之间的关联关系的二维数组,这个关联关系数组称为邻接矩阵。对于无权图,邻接矩阵表示为:

$$A[i][j]=\begin{cases}1 & 当<v_i,v_j>\in E \text{ 或 } (v_i,v_j)\in E \\ 0 & 反之\end{cases}$$

对于带权图,有:

$$A[i][j]=\begin{cases}w_{ij} & 当<v_i,v_j>\in E \text{ 或 } (v_i,v_j)\in E \\ \infty & 反之\end{cases}$$

其中,w_{ij} 表示顶点 i 与顶点 j 构成的弧或边的权值,如果顶点之间不存在弧或边,则用 ∞ 表示。

在图 6.1 中,两个图的弧和边的集合分别为 A={<A,B>,<A,C>,<A,D>,<C,A>,<C,B>,<D,A>}、E={(A,B),(A,D),(B,C),(B,D),(C,D)}。它们的邻接矩阵表示如图 6.7 所示。

$$G_1=\begin{bmatrix}0&1&1&1\\0&0&0&0\\1&1&0&0\\1&0&0&0\end{bmatrix}\begin{matrix}A\\B\\C\\D\end{matrix}\qquad G_2=\begin{bmatrix}0&1&0&1\\1&0&1&1\\0&1&0&1\\1&1&1&0\end{bmatrix}\begin{matrix}A\\B\\C\\D\end{matrix}$$

有向图 G_1 的邻接矩阵表示　　　无向图 G_2 的邻接矩阵表示

图 6.7　图的邻接矩阵表示

在无向图的邻接矩阵中，如果有边(A,B)存在，则需要将<A,B>和<B,A>的对应位置都置为1。

带权图的邻接矩阵表示如图6.8所示。

$$G = \begin{bmatrix} \infty & 6 & \infty & \infty & \infty & 14 \\ \infty & \infty & 8 & \infty & \infty & 12 \\ \infty & \infty & \infty & \infty & \infty & \infty \\ \infty & \infty & 3 & \infty & 4 & \infty \\ 9 & \infty & \infty & \infty & \infty & \infty \\ \infty & \infty & \infty & 7 & \infty & \infty \end{bmatrix} \begin{matrix} A \\ B \\ C \\ D \\ E \\ F \end{matrix}$$

图 6.8　带权图的邻接矩阵表示

图的邻接矩阵存储结构描述如下：

```
#define INFINITY 65535              /* 一个无限大的值 */
#define MaxSize 50                  /* 最大顶点个数 */
typedef enum{DG,DN,UG,UN}GraphKind; /* 图的类型：有向图、有向网、无向图和无向网 */
typedef struct
{
    VRType adj;                     /* 对于无权图，用1表示相邻，0表示不相邻；对于带权
图，存储权值 */
    InfoPtr * info;                 /* 与弧或边的相关信息 */
}ArcNode,AdjMatrix[MaxSize][MaxSize];
typedef struct                      /* 图的类型定义 */
{
    VertexType vex[MaxSize];        /* 用于存储顶点 */
    AdjMatrix arc;                  /* 邻接矩阵、存储边或弧的信息 */
    int vexnum,arcnum;              /* 顶点数和边（弧）的数目 */
    GraphKind kind;                 /* 图的类型 */
}MGraph;
```

其中，数组 vex 用于存储图中的顶点信息，如 A、B、C、D；arc 用于存储图中的顶点信息，称为邻接矩阵。

【例6.1】编写算法，利用邻接矩阵表示法创建一个有向网。

```
#include<stdio. h>
#include<string. h>
#include<malloc. h>
#include<stdlib. h>
typedef char VertexType[4];
typedef char InfoPtr;
typedef int VRType;
#define INFINITY 65535              /* 定义一个无限大的值 */
#define MaxSize 50                  /* 最大顶点个数 */
typedef enum{DG,DN,UG,UN}GraphKind; /* 图的类型：有向图、有向网、无向图和无向网 */
typedef struct
{
    VRType adj;                     /* 对于无权图，用1表示相邻，0表示不相邻；对于带
权图，存储权值 */
```

```
        InfoPtr  * info;                        /* 与弧或边的相关信息 */
} ArcNode, AdjMatrix[ MaxSize][ MaxSize];
typedef struct                                  /* 图的类型定义 */
{
        VertexType vex[ MaxSize];               /* 用于存储顶点 */
        AdjMatrix arc;                          /* 邻接矩阵、存储边或弧的信息 */
        int vexnum, arcnum;                     /* 顶点数和边（弧）的数目 */
        GraphKind kind;                         /* 图的类型 */
} MGraph;
void CreateGraph( MGraph * N);
int LocateVertex( MGraph N, VertexType v);
void DestroyGraph( MGraph * N);
void DisplayGraph( MGraph N);
void main( )
{
        MGraph N;
        printf("创建一个网 N:\n");
        CreateGraph( &N);
        printf("输出网的顶点和弧:\n");
        DisplayGraph( N);
        printf("销毁网:\n");
        DestroyGraph( &N);
}
void CreateGraph( MGraph * N)
/* 采用邻接矩阵表示法创建有向网 N */
{
        int i,j,k,w,InfoFlag,len;
        char s[ MaxSize];
        VertexType v1,v2;
        printf("请输入有向网 N 的顶点数、弧数、弧的信息（是:1,否:0）: ");
        scanf("%d,%d,%d",&( * N).vexnum,&( * N).arcnum,&InfoFlag);
        printf("请输入%d 个顶点的值(<%d 个字符):\n",N->vexnum,MaxSize);
        for(i=0;i<N->vexnum;i++)                /* 创建一个数组,用于保存网的各个顶点 */
            scanf("%s",N->vex[i]);
        for(i=0;i<N->vexnum;i++)                /* 初始化邻接矩阵 */
            for(j=0;j<N->vexnum;j++)
                {
                    N->arc[i][j].adj=INFINITY;
                    N->arc[i][j].info=NULL;     /* 弧的信息初始化为空 */
                }
        printf("请输入%d 条弧的弧尾 弧头 权值(以空格作为间隔): \n",N->arcnum);
        for(k=0;k<N->arcnum;k++)
        {
            scanf("%s%s%d",v1,v2,&w);           /* 输入两个顶点和弧的权值 */
            i=LocateVertex( * N,v1);
            j=LocateVertex( * N,v2);
            N->arc[i][j].adj=w;
            if( InfoFlag)                       /* 如果弧包含其他信息 */
            {
                printf("请输入弧的相关信息: ");
                gets(s);
                len=strlen(s);
                if(len)
```

```
                     {
                        N->arc[i][j].info=(char*)malloc((len+1)*sizeof(char));    /*有向*/
                        strcpy(N->arc[i][j].info,s);
                     }
                 }
            }
        N->kind=DN;                                      /*图的类型为有向网*/
}
int LocateVertex(MGraph N,VertexType v)
/*在顶点向量中查找顶点v,找到返回在向量中的序号,否则返回-1*/
{
    int i;
    for(i=0;i<N.vexnum;++i)
        if(strcmp(N.vex[i],v)==0)
            return i;
        return -1;
}
void DestroyGraph(MGraph * N)
/*销毁网N*/
{
    int i,j;
    for(i=0;i<N->vexnum;i++)                             /*释放弧的相关信息*/
        for(j=0;j<N->vexnum;j++)
            if(N->arc[i][j].adj!=INFINITY)               /*如果存在弧*/
                if(N->arc[i][j].info!=NULL)              /*如果弧有相关信息,则释放该信息所占用空
间*/
                {
                    free(N->arc[i][j].info);
                    N->arc[i][j].info=NULL;
                }
    N->vexnum=0;                                         /*将网的顶点数置为0*/
    N->arcnum=0;                                         /*将网的弧的数目置为0*/
}
void DisplayGraph(MGraph N)
/*输出邻接矩阵存储表示的图N*/
{
    int i,j;
    printf("有向网具有%d个顶点%d条弧,顶点依次是:",N.vexnum,N.arcnum);
    for(i=0;i<N.vexnum;++i)                              /*输出网的顶点*/
        printf("%s ",N.vex[i]);
    printf("\n有向网N的:\n");                             /*输出网N的弧*/
    printf("序号i=");
    for(i=0;i<N.vexnum;i++)
        printf("%4d",i);
    printf("\n");
    for(i=0;i<N.vexnum;i++)
    {
        printf("%6d",i);
        for(j=0;j<N.vexnum;j++)
        {
            if(N.arc[i][j].adj<INFINITY)
                printf("%4d",N.arc[i][j].adj);
            else
```

```
                    printf("%4s","∞");
                }
            printf("\n");
        }
    }
```

程序运行结果如图 6.9 所示。

```
■ D:\数据结构\例6-01\Debug\例6-01.exe        —    □    ×
创建一个网N:
请输入有向网N的顶点数,弧数,弧的信息(是:1,否:0): 5,6,0
请输入5个顶点的值(<50个字符):
A B C D E
请输入6条弧的弧尾 弧头 权值(以空格作为间隔):
A B 6
A D 9
A E 14
B E 12
D C 4
E C 7
输出网的顶点和弧:
有向网具有5个顶点6条弧,顶点依次是: A B C D E
有向网N的:
序号i=   0    1    2    3    4
       0  ∞    6    ∞    9   14
       1  ∞    ∞    ∞    ∞   12
       2  ∞    ∞    ∞    ∞    ∞
       3  ∞    ∞    4    ∞    ∞
       4  ∞    ∞    7    ∞    ∞
销毁网:
请按任意键继续. . .
```

图 6.9　程序运行结果

6.2.2　邻接表表示法

图的邻接矩阵表示法虽然有很多优点,但对于稀疏图来讲,用邻接矩阵表示会造成存储空间的很大浪费。邻接表(Adjacency List)表示法实际上是一种链式存储结构。它克服了邻接矩阵的弊病,基本思想是只存储与顶点相关联的信息,对图中存在的边信息进行存储,对不相邻接的顶点则不保留信息。在邻接表中,对于图中的每个顶点都建立一个带头结点的边链表,如第 i 个单链表中的结点表示依附于顶点 v_i 的边。每个边链表的头结点又构成一个表头结点表。这样,一个 n 个顶点的图的邻接表表示由表头结点和边表结点两个部分构成。

表头结点由两个域组成:数据域和指针域。其中,数据域用来存放顶点信息,指针域用来指向边表中的第一个结点。通常情况下,表头结点采用顺序存储结构实现,这样可以随机地访问任意顶点。边表结点由三个域组成:邻接点域、数据域和指针域。其中,邻接点域表示与相应的表头顶点邻接点的位置,数据域存储与边或弧的信息,指针域用来指示下一个边或弧的结点。表头结点和边表结点的存储结构如图 6.10 所示。

数据域	指针域
data	firstarc

表头结点

邻接点域	数据域	指针域
adjvex	info	nextarc

边表结点

图 6.10　表头结点与边表结点的存储结构

图 6.1 的两个图 G_1 和 G_2 用邻接表表示如图 6.11 所示。

图 6.11　图的邻接表表示

图 6.8 所示带权图用邻接表表示如图 6.12 所示。

图 6.12　带权图的邻接表表示

图的邻接表存储结构描述如下：

```
#define MaxSize 50                      /* 最大顶点个数 */
typedef enum{ DG,DN,UG,UN}GraphKind;    /* 图的类型：有向图、有向网、无向图和无向网 */
typedef struct ArcNode                  /* 边表结点的类型定义 */
{
    int adjvex;                         /* 弧指向的顶点的位置 */
    InfoPtr *info;                      /* 与弧相关的信息 */
    struct ArcNode *nextarc;            /* 指向下一个与该顶点相邻接的顶点 */
}ArcNode;
typedef struct VNode                    /* 表头结点的类型定义 */
{
    VertexType data;                    /* 用于存储顶点 */
    ArcNode *firstarc;                  /* 指向第一个与该顶点相邻接的顶点 */
}VNode,AdjList[MaxSize];
typedef struct                          /* 图的类型定义 */
{
    AdjList vertex;
    int vexnum,arcnum;                  /* 图的顶点数目与弧的数目 */
    GraphKind kind;                     /* 图的类型 */
}AdjGraph;
```

如果无向图 G 中有 n 个顶点和 e 条边，则图采用邻接表表示，需要 n 个表头结点和 $2e$ 个边表结点。在 e 远小于 $n(n-1)/2$ 时，采用邻接表存储表示显然要比采用邻接矩阵表示更能节省空间。

　　在图的邻接表存储结构中，表头结点并没有存储顺序的要求。某个顶点的度正好等于该顶点对应链表的结点个数。在有向图的邻接表存储结构中，某个顶点的出度等于该顶点对应链表的结点个数。为了方便求某个顶点的入度，需要建立一个有向图的逆邻接链表，也就是为每个顶点 v_i 建立一个以 v_i 为弧头的链表。图 6.1 所示的有向图 G_1 的逆邻接链表如图 6.13 所示。

图 6.13　有向图 G_1 的逆邻接链表

　　【例 6.2】编写算法，采用邻接表创建一个无向图 G。

```
#include<stdlib. h>
#include<stdio. h>
#include<malloc. h>
#include<string. h>
typedef char VertexType[4];
typedef char InfoPtr;
typedef int VRType;
#define MaxSize 50                      /* 最大顶点个数 */
typedef enum{DG,DN,UG,UN}GraphKind;     /* 图的类型：有向图、有向网、无向图和无向网 */
typedef struct ArcNode                  /* 边表结点的类型定义 */
{
    int adjvex;                         /* 弧（边）指向的顶点的位置 */
    InfoPtr * info;                     /* 与弧（边）相关的信息 */
    struct ArcNode * nextarc;           /* 指向下一个与该顶点相邻接的顶点 */
}ArcNode;
typedef struct VNode                    /* 表头结点的类型定义 */
{
    VertexType data;                    /* 用于存储顶点 */
    ArcNode * firstarc;                 /* 指向第一个与该顶点相邻接的顶点 */
}VNode,AdjList[MaxSize];
typedef struct                          /* 图的类型定义 */
{
    AdjList vertex;
    int vexnum,arcnum;                  /* 图的顶点数目与弧的数目 */
    GraphKind kind;                     /* 图的类型 */
}AdjGraph;
/* 函数声明 */
int LocateVertex(AdjGraph G,VertexType v);
void CreateGraph(AdjGraph * G);
void DisplayGraph(AdjGraph G);
void DestroyGraph(AdjGraph * G);
void main()
{
    AdjGraph G;
    printf("采用邻接表创建无向图 G:\n");
    CreateGraph(&G);
    printf("输出无向图 G:");
    DisplayGraph(G);
    DestroyGraph(&G);
}
```

```
void CreateGraph(AdjGraph * G)
/*采用邻接表存储结构，创建无向图 G*/
{
    int i,j,k;
    VertexType v1,v2;                    /*定义两个顶点 v1 和 v2*/
    ArcNode * p;
    printf("请输入图的顶点数,边数(逗号分隔):");
    scanf("%d,%d",&( * G).vexnum,&( * G).arcnum);
    printf("请输入%d 个顶点的值:\n",G->vexnum);
    for(i=0;i<G->vexnum;i++)             /*将顶点存储在头结点中*/
    {
        scanf("%s",G->vertex[i].data);
        G->vertex[i].firstarc=NULL;      /*将相关联的顶点置为空*/
    }
    printf("请输入弧尾和弧头(以空格作为间隔):\n");
    for(k=0;k<G->arcnum;k++)             /*建立边链表*/
    {
        scanf("%s%s",v1,v2);
        i=LocateVertex( * G,v1);
        j=LocateVertex( * G,v2);
        /*以 j 为入边,以 i 为出边创建邻接表*/
        p=(ArcNode * )malloc(sizeof(ArcNode));
        p->adjvex=j;
        p->info=NULL;
        p->nextarc=G->vertex[i].firstarc;
        G->vertex[i].firstarc=p;
        /*以 i 为入边,以 j 为出边创建邻接表*/
        p=(ArcNode * )malloc(sizeof(ArcNode));
        p->adjvex=i;
        p->info=NULL;
        p->nextarc=G->vertex[j].firstarc;
        G->vertex[j].firstarc=p;
    }
    ( * G).kind=UG;
}
int LocateVertex(AdjGraph G,VertexType v)
/*返回图中顶点对应的位置*/
{
    int i;
    for(i=0;i<G.vexnum;i++)
        if(strcmp(G.vertex[i].data,v)==0)
            return i;
    return -1;
}
void DestroyGraph(AdjGraph * G)
/*销毁无向图 G*/
{
    int i;
    ArcNode * p, * q;
    for(i=0;i<( * G).vexnum;++i)          /*释放图中的边表结点*/
    {
        p=G->vertex[i].firstarc;         /*p 指向边表的第一个结点*/
```

```
            if(p!=NULL)              /*如果边表不为空,则释放边表结点*/
            {
                q=p->nextarc;
                free(p);
                p=q;
            }
        }
        (*G).vexnum=0;              /*将顶点的数目置为0*/
        (*G).arcnum=0;              /*将边的数目置为0*/
    }
    void DisplayGraph(AdjGraph G)
    /*图的邻接表存储结构的输出*/
    {
        int i;
        ArcNode *p;
        printf("%d 个顶点:\n",G.vexnum);
        for(i=0;i<G.vexnum;i++)
            printf("%s ",G.vertex[i].data);
        printf("\n%d 条边:\n",2*G.arcnum);
        for(i=0;i<G.vexnum;i++)
        {
            p=G.vertex[i].firstarc;  /*将p指向边表的第一个结点*/
            while(p)                 /*输出无向图的所有边*/
            {
                printf("%s→%s ",G.vertex[i].data,G.vertex[p->adjvex].data);
                p=p->nextarc;
            }
            printf("\n");
        }
    }
```

程序运行结果如图 6.14 所示。

图 6.14　程序运行结果

6.2.3　十字链表表示法

十字链表（Orthogonal List）是有向图的又一种链式存储结构，可以把它看成将有向图的邻接表与逆邻接链表结合起来的一种链表。在十字链表中，将表头结点称为顶点结点，将边表结点称为弧结点。其中，顶点结点包含 3 个域：一个数据域和两个指针域。两个指针域，一个指向以顶点为弧头的顶点，另一个指向以顶点为弧尾的顶点，数据域存放顶点的信息。

　　弧结点包含 5 个域：尾域 tailvex、头域 headvex、infor 域，以及两个指针域 hlink、tlink。其中，尾域 tailvex 用于表示弧尾顶点在图中的位置，头域 headvex 表示弧头顶点在图中的位置，infor 域表示弧的相关信息，指针域 hlink 指向弧头相同的下一条弧，tlink 指向弧尾相同的下一条弧。

　　有向图 G_1 的十字链表存储表示如图 6.15 所示。

图 6.15　有向图 G_1 的十字链表存储表示

　　有向图的十字链表存储结构描述如下：

```
#define MaxSize 50              /* 最大顶点个数 */
typedef struct ArcNode          /* 弧结点的类型定义 */
{
    int headvex,tailvex;        /* 弧的头顶点和尾顶点位置 */
    InfoPtr * info;             /* 与弧相关的信息 */
    struct ArcNode * hlink, * tlink;   /* 指向弧头和弧尾相同的结点 */
}ArcNode;
typedef struct VNode            /* 顶点结点的类型定义 */
{
    VertexType data;            /* 用于存储顶点 */
    ArcNode * firstin, * firstout;     /* 分别指向顶点的第一条入弧和出弧 */
}VNode;
typedef struct                  /* 图的类型定义 */
{
    VNode vertex[ MaxSize];
    int vexnum,arcnum;          /* 图的顶点数目与弧的数目 */
}OLGraph;
```

在十字链表存储表示的图中，可以很容易找到以某个顶点为弧尾和弧头的弧。

6.2.4　邻接多重表表示法

　　邻接多重表（Adjacency Multi_list）表示是无向图的另一种链式存储结构。邻接多重表可以提供更为方便的边处理信息。在无向图的邻接表表示法中，每一条边 (v_i,v_j) 在邻接表中都对应着两个结点，它们分别在第 i 个边链表和第 j 个边链表中。这给图的某些边操作带来不便，如检测某条边是否被访问过，则需要同时找到表示该条边的两个结点，而这两个结点又分别在两个边链表中。邻接多重表是将图的一条边用一个结点表示，它的结点存储结构如图 6.16 所示。

图 6.16 邻接多重表的结点存储结构

顶点结点由两个域构成：data 域和 firstedge 域。数据域 data 用于存储顶点的数据信息，firstedga 域指向依附于顶点的第一条边。边结点包含 6 个域：mark 域、ivex 域、ilink 域、jvex 域、jlink 域和 info 域。其中，mark 域用来表示边是否被检索过，ivex 域和 jvex 域表示依附于边的两个顶点在图中的位置，ilink 域指向依附于顶点 ivex 的下一条边，jlink 域指向依附于顶点 jvex 的下一条边，info 域表示与边的相关信息。

无向图 G_2 的多重表表示如图 6.17 所示。

图 6.17 无向图 G_2 的多重表表示

无向图的多重表存储结构描述如下：

```
#define MaxSize 50                    /*最大顶点个数*/
typedef struct EdgeNode               /*边结点的类型定义*/
{
    int mark,ivex,jvex;               /*访问标志和边的两个顶点位置*/
    InfoPtr *info;                    /*与边相关的信息*/
    struct EdgeNode *ilink,*jlink;    /*指向与边顶点相同的结点*/
}EdgeNode;
typedef struct VNode                  /*顶点结点的类型定义*/
{
    VertexType data;                  /*用于存储顶点*/
    EdgeNode *firstedge;              /*指向依附于顶点的第一条边*/
}VexNode;
typedef struct                        /*图的类型定义*/
{
    VexNode vertex[MaxSize];
    int vexnum,edgenum;               /*图的顶点数目与边的数目*/
}AdjMultiGraph;
```

6.3 图的遍历

与树的遍历一样，图的遍历是图中每个顶点仅被访问一次的操作。图的遍历方式主要有两种：深度优先遍历和广度优先遍历。

扫码看视频

6.3.1 图的深度优先遍历

1. 图的深度遍历的定义

图的深度优先遍历（Depth First Search，DFS）是树的先根遍历的推广。图的深度优先遍历的思想是：从图中某个顶点 v_0 出发，访问顶点 v_0。访问顶点 v_0 的第一个邻接点，然后以该邻接点为新的顶点，访问该顶点的邻接点。重复执行以上操作，直到当前顶点没有邻接点为止。此时，返回到上一步，查看当前顶点是否还有未被访问的邻接顶点，如果有未被访问的邻接顶点，则按以上方式继续进行深度优先遍历，否则继续返回到上一步，对未访问过的邻接顶点进行深度优先遍历。以此类推，直到图中所有的顶点都被访问过。

图的深度优先遍历如图 6.18 所示。访问顶点的方向用实箭头表示，回溯用虚箭头表示，图中的数字表示访问或回溯的次序。

无向图G₆   无向图G₆的深度优先遍历过程

图 6.18 无向图 G_6 及其深度优先遍历过程

无向图 G_6 的深度优先遍历过程如下：

1）首先访问 A，顶点 A 的邻接点有 B、C、D，然后访问 A 的第一个邻接点 B。

2）顶点 B 未访问的邻接点只有顶点 E，因此访问顶点 E。

3）顶点 E 的邻接点只有 F 且未被访问过，因此访问顶点 F。

4）顶点 F 的邻接点只有 C 且未被访问过，因此访问顶点 C。

5）顶点 C 的邻接点只有 A 但已经被访问过，因此要回溯到上一个顶点 F。

6）同理，顶点 F、E、B 都已经被访问过，且没有其他未访问的邻接点，因此，回溯到顶点 A。

7）顶点 A 的未被访问的邻接点只有顶点 D，因此访问顶点 D。

8）顶点 D 的邻接点有顶点 G 和顶点 H，访问第一个顶点 G。

9）顶点 G 的邻接点有顶点 H 和顶点 I，访问第一个顶点 H。

10）顶点 H 的邻接点只有 D 且已经被访问过，因此回溯到上一个顶点 G。

11）顶点 G 的未被访问过的邻接点有顶点 I，因此访问顶点 I。

12）顶点 I 已经没有未被访问的邻接点，因此回溯到顶点 G。

13）同理，顶点 G、D 都没有未被访问的邻接点，因此回溯到顶点 A。

14）顶点 A 也没有未被访问的邻接点。因此，图的深度优先遍历的序列为 A、B、E、F、C、D、G、H、I。

在图的深度优先的遍历过程中，图中可能存在回路，因此，在访问了某个顶点之后，沿着某条路径遍历，有可能又回到该顶点。例如，在访问了顶点 A 之后，接着访问顶点 B、E、F、C，顶点 C 的邻接点是顶点 A，沿着边（C,A）会再次访问顶点 A。为了避免再次访问已经访问过的顶点，需要设置一个数组 visited[n]，作为一个标志记录结点是否被访问过。

2. 图的深度遍历的算法实现

图的深度优先遍历（邻接表实现）的算法描述如下：

```
int visited[MaxSize];                    /* 访问标志数组 */
void DFSTraverse(AdjGraph G)
/* 从第一个顶点起,深度优先遍历图 G */
{
    int v;
    for(v=0;v<G.vexnum;v++)
        visited[v]=0;                    /* 访问标志数组初始化为未被访问 */
    for(v=0;v<G.vexnum;v++)
        if(!visited[v])
            DFS(G,v);                    /* 对未访问的顶点 v 进行深度优先遍历 */
    printf("\n");
}
void DFS(AdjGraph G,int v)
/* 从顶点 v 出发递归深度优先遍历图 G */
{
    int w;
    visited[v]=1;                        /* 访问标志设置为已访问 */
    Visit(G.vertex[v].data);             /* 访问第 v 个顶点 */
    for(w=FirstAdjVertex(G,G.vertex[v].data);w>=0;w=NextAdjVertex(G,G.vertex[v].data,
G.vertex[w].data))
        if(!visited[w])
            DFS(G,w);                    /* 递归调用 DFS 对 v 的尚未访问的序号为 w 的邻接顶点 */
}
```

如果该图是一个无向连通图或者一个强连通图，则只需要调用一次 DFS(G,v)就可以遍历整个图，否则需要多次调用 DFS(G,v)。在上面的算法中，对于查找序号为 v 的顶点的第一个邻接点算法 FirstAdjVex(G,G.vexs[v])、查找序号为 v 的相对于序号 w 的下一个邻接点的算法 NextAdjVex(G,G.vexs[v],G.vexs[w])的实现，采用不同的存储表示，其时间耗费也是不一样的。当采用邻接矩阵作为图的存储结构时，如果图的顶点个数为 n，则查找顶点的邻接点需要的时间为 $O(n^2)$。如果无向图中的边数或有向图的弧的数目为 e，当采用邻接表作为图的存储结构时，则查找顶点的邻接点需要的时间为 $O(e)$。

以邻接表作为存储结构，查找 v 的第一个邻接点的算法描述如下：

```
int FirstAdjVertex(AdjGraph G,VertexType v)
/* 返回顶点 v 的第一个邻接顶点的序号 */
{
    ArcNode *p;
    int v1;
    v1=LocateVertex(G,v);                /* v1 为顶点 v 在图 G 中的序号 */
    p=G.vertex[v1].firstarc;
    if(p)                                /* 如果顶点 v 的第一个邻接点存在,则返回邻接点的序号,否
则返回-1 */
        return p->adjvex;
```

```
        else
            return −1;
}
```

以邻接表作为存储结构，查找 v 的相对于 w 的下一个邻接点的算法描述如下：

```
int NextAdjVertex( AdjGraph G, VertexType v, VertexType w)
/* 返回 v 的相对于 w 的下一个邻接点的序号 */
{
    ArcNode * p, * next;
    int v1, w1;
    v1 = LocateVertex( G, v) ;              /* v1 为顶点 v 在图 G 中的序号 */
    w1 = LocateVertex( G, w) ;              /* w1 为顶点 w 在图 G 中的序号 */
    for( next = G. vertex[ v1]. firstarc; next;)
        if( next−>adjvex! = w1)
            next = next−>nextarc;
        else
            break;
    p = next;                               /* p 指向顶点 v 的邻接顶点 w 的结点 */
    if( !p||!p−>nextarc)                     /* 如果 w 不存在或 w 是最后一个邻接点，则返回−1 */
        return −1;
    else
        return p−>nextarc−>adjvex;          /* 返回 v 的相对于 w 的下一个邻接点的序号 */
}
```

图的非递归实现深度优先遍历的算法如下：

```
int DFSTraverse2( AdjGraph G, int v)
/* 图的非递归深度优先遍历 */
{
    int i, visited[ MaxSize], top;
    ArcNode * stack[ MaxSize], * p;
    for( i = 0; i<G. vexnum; i++)                    /* 将所有顶点都添加未访问标志 */
        visited[ i] = 0;
    Visit( G. vertex[ v]. data) ;                    /* 访问顶点 v 并将访问标志置为 1，表示已
经访问 */
    visited[ v] = 1;
    top = −1;                                        /* 初始化栈 */
    p = G. vertex[ v]. firstarc;                     /* p 指向顶点 v 的第一个邻接点 */
    while( top>−1||p! = NULL)
    {
        while( p! = NULL)
            if( visited[ p−>adjvex] = = 1)          /* 如果 p 指向的顶点已经访问过，则 p 指
向下一个邻接点 */
                p = p−>nextarc;
            else
            {
                Visit( G. vertex[ p−>adjvex]. data) ; /* 访问 p 指向的顶点 */
                visited[ p−>adjvex] = 1;
                stack[ ++top] = p;                   /* 保存 p 指向的顶点 */
                p = G. vertex[ p−>adjvex]. firstarc; /* p 指向当前顶点的第一个邻接点 */
            }
        if( top>−1)
        {
```

```
p=stack[top--];    /*如果当前顶点都已经被访问，则退栈*/
p=p->nextarc;      /*p 指向下一个邻接点*/
      }
   }
}
```

6.3.2　图的广度优先遍历

1. 图的广度优先遍历的定义

扫码看视频

图的广度优先遍历（Breadth First Search，BFS）与树的层次遍历类似。
图的广度优先遍历的思想是：从图的某个顶点 v 出发，首先访问顶点 v，然
后按照次序访问顶点 v 的未被访问的每一个邻接点，接着访问这些邻接点
的邻接点，并保证先被访问的邻接点的邻接点先访问，后被访问的邻接点的邻接点后访问的原
则，依次访问邻接点的邻接点。按照这种思想，直到图的所有顶点都被访问，这样就完成了对
图的广度优先遍历。

例如，图 G_6 的广度优先遍历过程如图 6.19 所示。其
中，箭头表示广度遍历的方向，图中的数字表示遍历的
次序。

图 G_6 的广度优先遍历过程如下：

1）首先访问顶点 A，顶点 A 的邻接点有 B、C、D，
然后访问 A 的第一个邻接点 B。

2）访问顶点 A 的第二个邻接点 C，再访问顶点 A 的
第三个邻接点 D。

3）顶点 B 的邻接点只有 E，因此访问顶点 E。

图 6.19　图 G_6 的广度优先遍历过程

4）顶点 C 的邻接点只有 F 且未被访问过，因此访问
顶点 F。

5）顶点 D 的邻接点有 G 和 H，且都未被访问过，因此先访问第一个顶点 G，然后访问第
二个顶点 H。

6）顶点 E 和 F 不存在未被访问的邻接点，顶点 G 的未被访问的邻接点有 I，因此访问顶
点 I。至此，图 G_6 所有的顶点已经被访问完毕。

因此，图 G_6 的广度优先遍历的序列为 A、B、C、D、E、F、G、H、I。

2. 图的广度优先遍历的算法实现

在图的广度优先遍历过程中，同样也需要一个数组 visited［MaxSize］指示顶点是否被访
问过。图的广度优先遍历的算法实现思想：将图中的所有顶点对应的标志数组 visited［v_i］都
初始化为 0，表示顶点未被访问。从第一个顶点 v_0 开始，访问该顶点且将标志数组置为 1。然
后将 v_0 入队，当队列不为空时，将队头元素（顶点）出队，依次访问该顶点的所有邻接点，
并将邻接点依次入队，同时将标志数组对应位置为 1，表示已经被访问过。以此类推，直到图
中的所有顶点都已经被访问过。

图的广度优先遍历的算法描述如下：

```
void BFSTraverse(AdjGraph G)
/*从第一个顶点出发，按广度优先非递归遍历图 G*/
```

215

```
    {
        int v,u,w,front,rear;
        ArcNode  * p;
        int queue[ MaxSize];                    /*定义一个队列 Q */
        front = rear = -1;                       /* 初始化队列 Q */
        for(v=0;v<G. vexnum;v++)                 /* 初始化标志位 */
            visited[ v] =0;
        v=0;
        visited[ v] =1;                          /*设置访问标志为 1,表示已经被访问过*/
        Visit( G. vertex[ v]. data);
        rear =( rear+1)%MaxSize;
        queue[ rear] =v;                         /* v 入队列 */
        while( front<rear)                       /* 如果队列不为空 */
        {
            front =( front+1)%MaxSize;
            v=queue[ front];                     /* 队头元素出队赋值给 v */
            p=G. vertex[ v]. firstarc;
            while( p! =NULL)                     /* 遍历序号为 v 的所有邻接点 */
            {
                if( visited[ p->adjvex] = =0)   /* 如果该顶点未被访问过 */
                {
                    visited[ p->adjvex] =1;
                    Visit( G. vertex[ p->adjvex]. data);
                    rear =( rear+1)%MaxSize;
                    queue[ rear] =p->adjvex;
                }
                p=p->nextarc;                    /* p 指向下一个邻接点 */
            }
        }
    }
```

假设图的顶点个数为 n，边（弧）的数目为 e，则采用邻接表实现图的广度优先遍历的时间复杂度为 $O(n+e)$。图的深度优先遍历和广度优先遍历的结果并不是唯一的，这主要与图的存储结点的位置有关。

6.4　图的连通性问题

6.1 节已经介绍了连通图和强连通图的概念，那么，如果判断一个图是否为连通图呢？怎样求一个连通图的连通分量呢？本节就来讨论如何利用遍历算法求解图的连通性问题并讨论最小代价生成树算法。

6.4.1　无向图的连通分量与生成树

在无向图的深度优先遍历和广度优先遍历的过程中，对于连通图，从任何一个顶点出发，都可以遍历图中的每一个顶点。而对于非连通图，则需要从多个顶点出发对图进行遍历，每次从新顶点开始遍历得到的序列就是图的各个连通分量的顶点集合。图 6.3 中的无向图 G_3 的邻接表如图 6.20 所示。对图 G_3 进行深度优先遍历，因为图 G_3 是非连通图且有两个连通分量，所以需要从图的至少两个顶点（顶点 A 和顶点 F）出发，才能完成对图中每个顶点的访问。对图 G_3 进行深度遍历，得到的序列为 A、B、C、D、I、E 和 F、G、H。

无向图G_3的邻接表

图 6.20 无向图 G_3 的邻接表

由此可以看出，对非连通图进行深度或广度优先遍历，就可以分别得到连通分量的顶点序列。对于连通图，从某一个顶点出发，对图进行深度优先遍历，按照访问路径得到一棵生成树，称为深度优先生成树；从某一个顶点出发，对图进行广度优先遍历，得到的生成树称为广度优先生成树。图 6.21 所示为图 G_6 的深度优先生成树和广度优先生成树。

图G_6的深度优先生成树　　　　　图G_6的广度优先生成树

图 6.21 图 G_6 的深度优先生成树和广度优先生成树

对于非连通图而言，从某一个顶点出发，对图进行深度优先遍历或者广度优先遍历，按照访问路径会得到一系列的生成树，这些生成树在一起构成生成森林。对图 G_3 进行深度优先遍历构成的深度优先生成森林如图 6.22 所示。

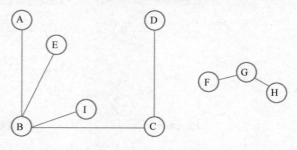

利用图的深度优先遍历或广度优先遍历可以判断一个图是否是连通图。如果不止一次地调用遍历图，则说明该图是非连通图，否则该图是连通图。进一步，对图进行遍历还可以得到生成树。

图 6.22 图 G_3 的深度优先生成森林

6.4.2 最小生成树

最小生成树（Minimum Cost Spanning Tree）就是指在一个连通网的所有生成树中，所有边的代价之和最小的那棵生成树。代价在网中通过权值来表示，一棵生成树的代价就是生成树各边的代价之和。例如要在 n 个城市建立一个交通图，就是要在 $n(n-1)/2$ 条线路中选择 $n-1$ 条代价最小的线路，各个城市可以看作图的顶点，城市的线路可以看作边。

最小生成树具有以下重要的性质：

假设一个连通网 $N=(V,E)$，V 是顶点的集合，E 是边的集合，V 有一个非空子集 U。如果 (u,v) 是一条具有最小权值的边，其中，$u \in U$，$v \in V-U$，那么该连通网的最小生成树一定包含边 (u,v)。

下面用反证法证明以上性质。

假设所有的最小生成树都不存在这样的一条边 (u,v)。设 T 是连通网 N 中的一棵最小生成树，如果将边 (u,v) 加入 T 中，根据生成树的定义，T 一定出现包含 (u,v) 的回路。另外，T 中一定存在一条边 (u',v') 的权值大于或等于 (u,v) 的权值，如果删除边 (u',v')，则得到一棵代价小于或等于 T 的生成树 T′。T′ 是包含边 (u,v) 的最小生成树，这与假设矛盾。由此，性质得证。

最小生成树的构造算法有两个：普里姆算法和克鲁斯卡尔算法。

1. 普里姆算法

普里姆算法的描述如下：

扫码看视频

假设 $N=\{V,E\}$ 是连通网，TE 是 N 的最小生成树的边的集合。执行以下操作：

1）初始时，令 $U=\{u_0\}$（$u_0 \in V$），$TE=\Phi$。

2）对于所有的边 $u \in U$，$v \in V-U$ 的边 $(u,v) \in E$，将一条代价最小的边 (u_0,v_0) 放到集合 TE 中，同时将顶点 v_0 放进集合 U 中。

3）重复执行步骤2），直到 $U=V$ 为止。

这时，边集合 TE 一定有 $n-1$ 条边，$T=\{V,TE\}$ 就是连通网 N 的最小生成树。

例如，图 6.23 就是利用普里姆算法构造最小生成树的过程。

图 6.23 利用普里姆算法构造最小生成树的过程

初始时，集合 $U=\{A\}$，集合 $V-U=\{B,C,D,E\}$，边集合为 Φ。$A \in U$ 且 U 中只有一个元素，将 A 从 U 中取出，比较顶点 A 与集合 $V-U$ 中的顶点构成的代价最小边，在 (A,B)、(A,D)、(A,E) 中，最小的边是 (A,B)。将顶点 B 加入集合 U 中，边 (A,B) 加入 TE 中，因此有 $U=$

{A,B}，$V-U$={C,D,E}，$TE=${(A,B)}。然后在集合 U 与集合 $V-U$ 构成的所有边(A,E)、(A,D)、(B,E)、(B,C)中，最小边为(A,D)，故将顶点 D 加入集合 U 中，将边(A,D)加入 TE 中，因此有 U={A,B,D}，$V-U$={C,E}，$TE=${(A,B,D)}。以此类推，直到所有的顶点都加入 U 中。

在算法实现时，需要设置一个数组 closedge[MaxSize]，用来保存 U 到 $V-U$ 代价最小的边。对于每个顶点 v∈$V-U$，在数组中存在一个分量 closedge[v]，它包括两个域 adjvex 和 lowcost，其中，adjvex 域用来表示该边中属于 U 的顶点，lowcost 域存储该边对应的权值。用公式描述如下：

closedge[v].lowcost=Min({cost(u,v)|u∈U})

根据普里姆算法构造最小生成树，其对应过程中各个参数的变化情况如表 6.1 所示。

表 6.1 普里姆算法各个参数的变化情况

closedge[i]	i					U	$V-U$	k	(u_0,v_0)
	0	1	2	3	4				
adjvex		A	A	A	A	{A}	{B,C,D,E}	1	(A,B)
lowcost	0	6	∞	7	12				
adjvex			B	A	B	{A,B}	{C,D,E}	3	(A,D)
lowcost	0	0	8	7	9				
adjvex			D		D	{A,B,D}	{C,E}	4	(D,E)
lowcost	0	0	6	0	5				
adjvex			E			{A,B,D,E}	{C}	2	(E,C)
lowcost	0	0	4	0	0				
adjvex						{A,B,D,E,C}	{}		
lowcost	0	0	0	0	0				

普里姆算法描述如下：

```
/* 记录从顶点集合 U 到 V-U 的代价最小的边的数组定义 */
typedef struct
{
    VertexType adjvex;
    VRType lowcost;
} closedge[MaxSize];
void Prim(MGraph G, VertexType u)
/* 利用普里姆算法求从第 u 个顶点出发构造网 G 的最小生成树 T */
{
    int i,j,k;
    closedge closedge;
    k=LocateVertex(G,u);              /* k 为顶点 u 对应的序号 */
    for(j=0;j<G.vexnum;j++)           /* 数组初始化 */
    {
        strcpy(closedge[j].adjvex,u);
        closedge[j].lowcost=G.arc[k][j].adj;
    }
    closedge[k].lowcost=0;            /* 初始时集合 U 只包括顶点 u */
    printf("最小代价生成树的各条边为:\n");
    for(i=1;i<G.vexnum;i++)           /* 选择剩下的 G.vexnum-1 个顶点 */
    {
        k=MiniNum(closedge,G);        /* k 为与 U 中顶点相邻接的下一个顶点的序号 */
```

```
                printf("(%s-%s)\n",closedge[k].adjvex,G.vex[k]);      /*输出生成树的边*/
                closedge[k].lowcost=0;                                 /*第 k 个顶点并入 U 集*/
                for(j=0;j<G.vexnum;j++)
                    if(G.arc[k][j].adj<closedge[j].lowcost)            /*新顶点加入 U 集后重新将最
   小边存入数组*/
                    {
                        strcpy(closedge[j].adjvex,G.vex[k]);
                        closedge[j].lowcost=G.arc[k][j].adj;
                    }
            }
    }
```

普里姆算法中有两个嵌套的 for 循环，假设顶点的个数是 n，则第一层循环的频度为 $n-1$，第二层循环的频度为 n，因此该算法的时间复杂度为 $O(n^2)$。

【例 6.3】 利用邻接矩阵创建一个图 6.23 所示的无向网 N，然后利用普里姆算法求无向网的最小生成树。

【分析】 主要考查普里姆算法生成网的最小生成树算法。数组 closedge 有两个域：adjvex 域和 lowcost 域。其中，adjvex 域用来存放依附于集合 U 的顶点，lowcost 域用来存放数组下标对应的顶点到顶点（adjvex 中的值）的最小权值。因此，查找无向网 N 中的最小权值的边就是在数组 lowcost 中找到最小值，输出生成树的边后，要将新的顶点对应的数组值赋值为 0，即将新顶点加入集合 U。以此类推，直到所有的顶点都加入集合 U 中。

数组 closedge 中 adjvex 域和 lowcost 域的变化情况如图 6.24 所示。

图 6.24　数组 closedge 中 adjvex 域和 lowcost 域的变化情况

```
int MiniNum(closeedge edge,MGraph G)
/*将 lowcost 的最小值的序号返回*/
{
    int i=0,j,k,min;
    while(!edge[i].lowcost)                              /*忽略数组中为 0 的值*/
```

```
            i++;
        min=edge[i].lowcost;                          /*min 为第一个不为 0 的值*/
        k=i;
        for(j=i+1;j<G.vexnum;j++)
            if(edge[j].lowcost>0&&edge[j].lowcost<min)    /*将最小值对应的序号赋值给 k*/
            {
                min=edge[j].lowcost;
                k=j;
            }
        return k;
    }
    void main()
    {
        MGraph N;
        printf("创建一个无向网:\n");
        CreateGraph(&N);
        DisplayGraph(N);
        Prim(N,"A");
        DestroyGraph(&N);
    }
    void CreateGraph(MGraph *N)
    /*采用邻接矩阵表示法创建无向网 N*/
    {
        int i,j,k,w,InfoFlag;
        VertexType v1,v2;
        printf("请输入无向网 N 的顶点数,弧数: ");
        scanf("%d,%d,%d",&(*N).vexnum,&(*N).arcnum,&InfoFlag);
        printf("请输入%d 个顶点的值(<%d 个字符):\n",N->vexnum,MaxSize);
        for(i=0;i<N->vexnum;i++)                       /*创建一个数组,用于保存网的各个顶点*/
            scanf("%s",N->vex[i]);
        for(i=0;i<N->vexnum;i++)                       /*初始化邻接矩阵*/
            for(j=0;j<N->vexnum;j++)
            {
                N->arc[i][j].adj=INFINITY;
                N->arc[i][j].info=NULL;               /*弧的信息初始化为空*/
            }
        printf("请输入%d 条弧的弧尾 弧头 权值(以空格作为间隔): \n",N->arcnum);
        for(k=0;k<N->arcnum;k++)
        {
            scanf("%s%s%d",v1,v2,&w);                 /*输入两个顶点和弧的权值*/
            i=LocateVertex(*N,v1);
            j=LocateVertex(*N,v2);
            N->arc[i][j].adj=N->arc[j][i].adj=w;
        }
        N->kind=UN;                                    /*图的类型为无向网*/
    }
```

程序运行结果如图 6.25 所示。

2. 克鲁斯卡尔算法

克鲁斯卡尔算法的基本思想是:假设 $N = \{V, E\}$ 是连通网,TE 是 N 的最小生成树的边的集合。执行以下操作:

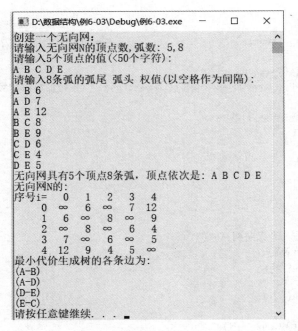

图 6.25　程序运行结果

1）初始时，最小生成树中只有 n 个顶点，这 n 个顶点分别属于不同的集合，而边的集合 $TE = \Phi$。

2）从连通网 N 中选择一个代价最小的边，如果边所依附的两个顶点在不同的集合中，则将该边加入最小生成树 TE 中，并将该边依附的两个顶点合并到同一个集合中。

3）重复执行步骤 2），直到所有的顶点都属于同一个顶点集合为止。

例如，图 6.26 就是利用克鲁斯卡尔算法构造最小生成树的过程。

图 6.26　利用克鲁斯卡尔算法构造最小生成树的过程

初始时，边的集合 TE 为空集，顶点 A、B、C、D、E 分别属于不同的集合，假设 $U_1 = \{A\}$，$U_2 = \{B\}$，$U_3 = \{C\}$、$U_4 = \{D\}$、$U_5 = \{E\}$。图中含有 8 条边，将这 8 条边按照权值从小到大排列，依次取出最小的边且依附于边的两个顶点属于不同的集合，则将该边加入集合 TE

中，并将这两个顶点合并为一个集合。重复执行类似操作，直到所有顶点都属于一个集合为止。

这 8 条边中，权值最小的是边(C,E)，其权值 $cost(C,E)=4$，并且 $C \in U_3$，$E \in U_5$，$U_3 \neq U_5$，因此，将边(C,E)加入集合 TE 中，并将两个顶点集合合并为一个集合，$TE = \{(C,E)\}$，$U_3 = U_5 = \{C,E\}$。在剩下的边的集合中，边(D,E)权值最小，其权值 $cost(D,E)=5$，并且 $D \in U_4$，$E \in U_3$，$U_3 \neq U_4$，因此，将边(D,E)加入边的集合 TE 中并且合并顶点集合，有 $TE = \{(C,E),(D,E)\}$，$U_3 = U_5 = U_4 = \{C,E,D\}$。然后继续从剩下的边的集合中选择权值最小的边，依次加入 TE 中，合并顶点集合，直到所有的顶点都加入顶点集合。

克鲁斯卡尔算法描述如下：

```
void Kruskal(MGraph G)
/*克鲁斯卡尔算法求最小生成树*/
{
    int set[MaxSize],i,j;
    int a=0,b=0,min=G.arc[a][b].adj,k=0;
    for(i=0;i<G.vexnum;i++)              /*初始时,各顶点分别属于不同的集合*/
        set[i]=i;
    printf("最小生成树的各条边为:\n");
    while(k<G.vexnum-1)                  /*查找所有最小权值的边*/
    {
        for(i=0;i<G.vexnum;i++)          /*在矩阵的上三角查找最小权值的边*/
            for(j=i+1;j<G.vexnum;j++)
                if(G.arc[i][j].adj<min)
                {
                    min=G.arc[i][j].adj;
                    a=i;
                    b=j;
                }
        min=G.arc[a][b].adj=INFINITY;    /*删除上三角中最小权值的边,下次不再查找*/
        if(set[a]!=set[b])               /*如果边的两个顶点在不同的集合*/
        {
            printf("%s-%s\n",G.vex[a],G.vex[b]);   /*输出最小权值的边*/
            k++;
            for(i=0;i<G.vexnum;i++)
                if(set[i]==set[b])       /*将顶点b所在集合并入顶点a集合中 */
                    set[i]=set[a];
        }
    }
}
```

6.5 有向无环图

有向无环图（Directed Acyclic Graph）是指一个无环的有向图，它用来描述工程或系统的进行过程。在有向无环图描述工程的过程中，将工程分为若干个活动，即子工程。这些子工程（即活动）之间互相制约，例如，一些活动必须在另一些活动完成之后才能开始。整个工程涉及两个问题：一个是工程的顺序进行，另一个是整个工程的最短完成时间。其实这就是有向图的两个应用：拓扑排序和关键路径。

6.5.1 AOV 网与拓扑排序

由 AOV 网可以得到拓扑排序。在学习拓扑排序之前，先了解 AOV 网。

1. AOV 网

在每一个工程过程中，可以将工程分为若干个子工程，这些子工程称为活动。如果用图中的顶点表示活动，以有向图的弧表示活动之间的优先关系，则这样的有向图称为 AOV 网 (Activity On Vertex Network)，即顶点表示活动的网。在 AOV 网中，如果从顶点 v_i 到顶点 v_j 之间存在一条路径，则顶点 v_i 是顶点 v_j 的前驱，顶点 v_j 为顶点 v_i 的后继。如果 $<v_i,v_j>$ 是有向网的一条弧，则称顶点 v_i 是顶点 v_j 的直接前驱，顶点 v_j 是顶点 v_i 的直接后继。

活动中的制约关系可以通过 AOV 网中的弧表示。例如，计算机科学与技术专业的学生必须修完一系列专业基础课程和专业课程才能毕业，学习这些课程的过程可以被看成一项工程，每一门课程可以被看成一个活动。计算机科学与技术专业的基本课程及先修课程的关系如表 6.2 所示。

表 6.2　计算机科学与技术专业的基本课程及先修课程的关系

基本课程编号	课 程 名 称	先修课程编号
C_1	程序设计语言	无
C_2	汇编语言	C_1
C_3	离散数学	C_1
C_4	数据结构	C_1，C_3
C_5	编译原理	C_2，C_4
C_6	高等数学	无
C_7	大学物理	C_6
C_8	数字电路	C_7
C_9	计算机组成结构	C_8
C_{10}	操作系统	C_4，C_9

在这些课程中，"高等数学"是基础课，它独立于其他课程。在修完了"程序设计语言"和"离散数学"才能学习"数据结构"。这些课程构成的有向无环图如图 6.27 所示。

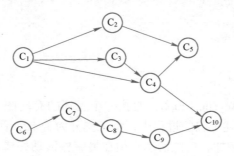

图 6.27　表示课程之间优先关系的有向无环图

在 AOV 网中，不允许出现环，如果出现环就表示某个活动是自己的先决条件。因此，需要对 AOV 网判断是否存在环，可以利用有向图的拓扑排序进行判断。

2. 拓扑排序

拓扑排序就是将 AOV 网中的所有顶点排列成一个线性序列，并且序列满足以下条件：在 AOV 网中，如果从顶点 v_i 到 v_j 存在一条路径，则在该线性序列中，顶点 v_i 一定出现在顶点 v_j 之前。因此，拓扑排序的过程就是将 AOV 网排成线性序列的操作。AOV 网表示一个工程图，而拓扑排序则是将 AOV 网中的各个活动组成一个可行的实施方案。

对 AOV 网进行拓扑排序的方法如下：

1）在 AOV 网中任意选择一个没有前驱的顶点（即顶点的入度为零），将该顶点输出。

2）从 AOV 网中删除该顶点和从该顶点出发的弧。

3）重复执行步骤 1）和 2），直到 AOV 网中的所有顶点都已经被输出，或者 AOV 网中不存在无前驱的顶点为止。

按照以上步骤，图 6.27 的 AOV 网的拓扑序列为：

$(C_1, C_2, C_3, C_4, C_5, C_6, C_7, C_8, C_9, C_{10})$ 或 $(C_6, C_7, C_8, C_9, C_1, C_2, C_3, C_4, C_5, C_{10})$

图 6.28 是 AOV 网拓扑序列的构造过程。其拓扑序列为 v_1、v_2、v_3、v_5、v_4、v_6。

图 6.28　AOV 网拓扑序列的构造过程

在对 AOV 网进行拓扑排序结束后，可能会出现两种情况：一种是 AOV 网中的顶点全部输出，表示网中不存在回路；另一种是 AOV 网中还存在没有输出的顶点，未输出顶点的入度都不为零，表示网中存在回路。

采用邻接表存储结构的 AOV 网的拓扑排序的算法实现：遍历邻接表，将各个顶点的入度保存在数组 indegree 中。将入度为零的顶点入栈，依次将栈顶元素出栈并输出该顶点，将该顶点的邻接顶点的入度减 1，如果邻接顶点的入度为零，则入栈，否则将下一个邻接顶点的入度减 1 并进行相同的处理。然后继续将栈中元素出栈，重复执行以上操作，直到栈空为止。

AOV 网的拓扑排序算法如下：

```
int TopologicalSort( AdjGraph G)
/*有向图 G 的拓扑排序。如果图 G 没有回路，则输出 G 的一个拓扑序列并返回 1，否则返回 0*/
{
    int i,k,count=0;
    int indegree[ MaxSize];              /*存放各顶点当前入度*/
    SeqStack S;
    ArcNode  * p;
    /*将图中各顶点的入度保存在数组 indegree 中*/
    for( i=0;i<G. vexnum;i++)             /*将数组 indegree 赋初值*/
        indegree[ i]=0;
    for( i=0;i<G. vexnum;i++)
```

```
                {
                    p=G. vertex[i]. firstarc;
                    while( p! =NULL)
                    {
                        k=p->adjvex;
                        indegree[k]++;
                        p=p->nextarc;
                    }
                }
            /*对图 G 进行拓扑排序*/
            InitStack(&S);                              /*初始化栈 S*/
            for(i=0;i<G. vexnum;i++)                    /*将所有入度为零的顶点入栈*/
                if( !indegree[i])
                    PushStack(&S,i);
                while( !StackEmpty(S))          /*如果栈 S 不为空，则将栈顶元素出栈，输出该顶点*/
                {
                    PopStack(&S,&i);                    /*将栈顶元素出栈*/
                    printf("%s ",G. vertex[i]. data);  /*输出编号为 i 的顶点*/
                    count++;                            /*将已输出顶点数加 1*/
                    for(p=G. vertex[i]. firstarc;p;p=p->nextarc)/*处理编号为 i 的顶点的所有邻接顶点*/
                    {
                        k=p->data. adjvex;
                        if( !( --indegree[k]))          /*如果编号为 i 的邻接顶点的入度减 1 后变为
0，则将其入栈*/
                            PushStack(&S,k);
                    }
                }
            if( count<G. vexnum)/*图 G 中还有未输出的顶点，则存在回路，否则可以构成一个拓扑
序列*/
                {
                    printf("该有向图有回路\n");
                    return 0;
                }
            else
                {
                    printf("该图可以构成一个拓扑序列。\n");
                    return 1;
                }
        }
```

在拓扑排序的实现过程中，入度为零的顶点入栈的时间复杂度为 $O(n)$，有向图的顶点进栈、出栈操作及 while 循环语句的执行次数是 e 次，因此，拓扑排序的时间复杂度为 $O(n+e)$。

6.5.2　AOE 网与关键路径

AOE 网是以边表示活动的有向无环网。AOE 网在工程计划和工程管理中非常有用。在 AOE 网中，具有最大路径长度的路径称为关键路径，关键路径表示了完成工程的最短工期。

扫码看视频

1. AOE 网

AOE 网是一个带权的有向无环图。其中，顶点表示事件，弧表示活动，权值表示两个活动持续的时间。AOE 网是以边表示活动的网（Activity On Edge Network）。

AOV 网描述了活动之间的优先关系，可以认为是一个定性的研究，但是有时候还需要定量地研究工程的进度，如整个工程的最短完成时间、各个子工程影响整个工程的程度、每个子工程的最短完成时间和最长完成时间。在 AOE 网中，通过研究事件与活动之间的关系，从而可以确定整个工程的最短完成时间，明确活动之间的相互影响，确保整个工程的顺利进行。

在用 AOE 网表示一个工程计划时，顶点表示各个事件，弧表示子工程的活动，权值表示子工程的活动需要的时间。在顶点表示事件发生之后，从该顶点出发的有向弧所表示的活动才能开始。在进入某个顶点的有向弧所表示的活动完成之后，该顶点表示的事件才能发生。

图 6.29 是一个具有 10 个活动、8 个事件的 AOE 网。v_1，v_2，…，v_8 表示 8 个事件，$<v_1, v_2>$，$<v_1, v_3>$，…，$<v_7, v_8>$ 表示 10 个活动，a_1，a_2，…，a_{10} 表示活动的执行时间。进入顶点的有向弧表示的活动已经完成，从顶点出发的有向弧表示的活动可以开始。顶点 v_1 表示整个工程的开始，v_8 表示整个工程的结束。顶点 v_5 表示活动 a_4、a_5 已经完成，活动 a_7 和 a_8 可以开始。其中，完成活动 a_1 和活动 a_3 分别需要 5 天和 6 天。

图 6.29　一个 AOE 网

对于一个工程来说，只有一个开始状态和一个结束状态，因此，在 AOE 网中，只有一个入度为零的点表示工程的开始，称为源点；只有一个出度为零的点表示工程的结束，称为汇点。

2. 关键路径

关键路径（Critical Path）是指在 AOE 网中从源点到汇点路径最长的路径。这里的路径长度是指路径上各个活动的持续时间之和。在 AOE 网中，有些活动是可以并行执行的，关键路径其实就是完成工程的最短时间所经过的路径。关键路径上的活动称为关键活动。

下面是与关键路径有关的几个概念。

1）事件 v_i 的最早发生时间：从源点到顶点 v_i 的最长路径长度，称为事件 v_i 的最早发生时间，记作 ve(i)。求解 ve(i) 可以从源点 ve(0) = 0 开始，按照拓扑排序规则递推得到：

$$ve(i) = Max\{ve(k) + dut(<k,i>) | <k,i> \in T, 1 \le i \le n-1\}$$

其中，T 是所有以第 i 个顶点为弧头的弧的集合，dut(<k,i>) 表示弧<k,i>对应的活动的持续时间。

2）事件 v_i 的最晚发生时间：在保证整个工程完成的前提下，活动最迟必须开始的时间，记作 vl(i)。在求解事件 v_i 的最早发生时间 ve(i) 的前提 vl(n-1) = ve(n-1) 下，从汇点开始向源点推进，得到 vl(i)：

$$vl(i) = Min\{vl(k) - dut(<i,k>) | <i,k> \in S, 0 \le i \le n-2\}$$

其中，S 是所有以第 i 个顶点为弧尾的弧的集合，dut(<i,k>) 表示弧<i,k>对应的活动的持续时间。

3）活动 a_i 的最早开始时间 e(i)：如果弧$<v_k, v_j>$表示活动 a_i，当事件 v_k 发生之后，活动 a_i 才开始。因此，事件 v_k 的最早发生时间也就是活动 a_i 的最早开始时间，即 e(i) = ve(k)。

4）活动 a_i 的最晚开始时间 $l(i)$：在不推迟整个工程完成时间的基础上，活动 a_i 最迟必须开始的时间。如果弧 $<v_k,v_j>$ 表示活动 a_i，持续时间为 $dut(<k,j>)$，则活动 a_i 的最晚开始时间 $l(i)=vl(j)-dut(<k,j>)$。

5）活动 a_i 的松弛时间：活动 a_i 的最晚开始时间与最早开始时间之差就是活动 a_i 的松弛时间，记作 $l(i)-e(i)$。

在图 6.29 所示 AOE 网中，从源点 v_1 到汇点 v_8 的关键路径是 (v_1,v_2,v_5,v_6,v_8)，路径长度为 16，也就是说 v_8 的最早发生时间为 16。活动 a_7 的最早开始时间是 7，最晚开始时间也是 7。活动 a_8 的最早开始时间是 7，最晚开始时间是 8，如果 a_8 推迟 1 天开始，则不会影响整个工程的进度。

当 $e(i)=l(i)$ 时，对应的活动 a_i 称为关键活动。关键路径上的所有活动都称为关键活动，非关键活动提前完成或推迟完成并不会影响整个工程的进度。例如，活动 a_8 是非关键活动，a_7 是关键活动。

求 AOE 网的关键路径的算法如下：

1）对 AOE 网中的顶点进行拓扑排序，如果得到的拓扑序列顶点个数小于网中顶点数，则说明网中有环存在，不能求关键路径，终止算法。否则，从源点 v_0 开始，求出各个顶点的最早发生时间 $ve(i)$。

2）从汇点 v_n 出发 $vl(n-1)=ve(n-1)$，按照逆拓扑序列求其他顶点的最晚发生时间 $vl(i)$。

3）由各顶点的最早发生时间 $ve(i)$ 和最晚发生时间 $vl(i)$，求出每个活动 a_i 的最早开始时间 $e(i)$ 和最晚开始时间 $l(i)$。

4）找出所有满足条件 $e(i)=l(i)$ 的活动 a_i，a_i 即是关键活动。

利用求 AOE 网的关键路径的算法，图 6.29 所示网中顶点对应事件最早发生时间 v_e、最晚发生时间 v_l 及弧对应活动最早发生时间 e、最晚发生时间如图 6.30 所示。

顶点	v_e	v_l	活动	e	l	$l-e$
v_1	0	0	a_1	0	0	0
v_2	5	5	a_2	0	2	2
v_3	4	6	a_3	0	2	2
v_4	6	8	a_4	5	5	0
v_5	7	7	a_5	4	6	2
v_6	12	12	a_6	6	8	2
v_7	10	11	a_7	7	7	0
v_8	16	16	a_8	7	8	1
			a_9	12	12	0
			a_{10}	10	11	1

关键路径

图 6.30　图 6.29 所示 AOE 网顶点对应事件及弧对应活动的最早及最晚发生时间

显然，网的关键路径是 (v_1,v_2,v_5,v_6,v_8)，关键活动是 a_1、a_4、a_7 和 a_9。

关键路径经过的顶点满足条件 $ve(i)==vl(i)$，即当事件的最早发生时间与最晚发生时间相等时，该顶点一定在关键路径之上。同样，关键活动者的弧满足条件 $e(i)=l(i)$，即当活动的最早开始时间与最晚开始时间相等时，该活动一定是关键活动。因此，要求关键路径，需要首先求出网中每个顶点的对应事件的最早开始时间，然后推出事件的最晚开始时间和活动的最早及最晚开始时间，最后判断顶点是否在关键路径之上，得到网的关键路径。

要得到每一个顶点的最早开始时间，首先要将网中的顶点进行拓扑排序。在对顶点进行拓扑排序的过程中，同时计算顶点的最早发生时间 ve(i)。从源点开始，由与源点相关联的弧的权值可以得到该弧相关联顶点对应事件的最早发生时间。同时定义一个栈 T，保存顶点的逆拓扑序列。拓扑排序和求 ve(i) 的算法描述如下：

```
int TopologicalOrder( AdjGraph N,SeqStack  * T)
/ * 采用邻接表存储结构的有向网 N 的拓扑排序，并求各顶点对应事件的最早发生时间 ve * /
/ * 如果 N 无回路，则用栈 T 返回 N 的一个拓扑序列，并返回 1，否则为 0 * /
{
    int i,k,count = 0;
    int indegree[ MaxSize];              / * 数组 indegree 存储各顶点的入度 * /
    SeqStack S;
    ArcNode  * p;
    / * 将图中各顶点的入度保存在数组 indegree 中 * /
    FindInDegree( N,indegree );
    InitStack(&S);                       / * 初始栈 S * /
    for( i = 0;i<N. vexnum;i++)
        if( !indegree[i])                / * 将入度为零的顶点入栈 * /
            PushStack(&S,i);
    InitStack(T);                        / * 初始化拓扑序列顶点栈 * /
    for(i = 0;i<N. vexnum;i++)           / * 初始化 ve * /
        ve[i] = 0;
    while( !StackEmpty(S))               / * 如果栈 S 不为空 * /
    {
        PopStack(&S,&i);                 / * 从栈 S 将已拓扑排序的顶点 j 弹出 * /
        printf(" %s ",N. vertex[i]. data);
        PushStack(T,i);                  / * 序号为 j 的顶点入逆拓扑排序栈 T * /
        count++;                         / * 对入栈 T 的顶点计数 * /
        for( p=N. vertex[i]. firstarc;p;p=p->nextarc)   / * 处理序号为 i 的顶点的每个邻接点 * /
        {
            k=p->adjvex;                 / * 顶点序号为 k * /
            if(--indegree[k]==0)         / * 如果 k 的入度减 1 后变为 0，则将 k 入栈 S * /
                PushStack(&S,k);
            if(ve[i]+ * (p->info)>ve[k])        / * 计算顶点 k 对应的事件的最早发生时间 * /
                ve[k]=ve[i]+ * (p->info);
        }
    }
    if( count<N. vexnum)
    {
        printf("该有向网有回路\n");
        return 0;
    }
    else
        return 1;
}
```

在上面的算法中，语句 if(ve[i]+ * (p->info)>ve[k]) ve[k]=ve[i]+ * (p->info) 就是求顶点 k 的对应事件的最早发生时间，其中域 info 保存的是对应弧的权值，这里将图的邻接表类型定义做了简单的修改。

在求出事件的最早发生时间之后，按照逆拓扑序列就可以推出事件的最晚发生时间、活动的最早开始时间和最晚开始时间。在求出所有的参数之后，如果 ve(i)= =vl(i)，则输出关键路径经过的顶点。如果 e(i)=l(i)，则将与对应弧关联的两个顶点存入数组 e，用来输出关键活动。

关键路径算法描述如下：

```
int CriticalPath(AdjGraph N)
/*输出 N 的关键路径*/
{
    int vl[MaxSize];                        /*事件的最晚发生时间*/
    SeqStack T;
    int i,j,k,e,l,dut,value,count,e1[MaxSize],e2[MaxSize];
    ArcNode *p;
    if(!TopologicalOrder(N,&T))             /*如果有环存在,则返回 0*/
        return 0;
    value=ve[0];
    for(i=1;i<N.vexnum;i++)
        if(ve[i]>value)
            value=ve[i];                    /*value 为事件的最早发生时间的最大值*/
    for(i=0;i<N.vexnum;i++)                  /*将顶点事件的最晚发生时间初始化*/
        vl[i]=value;
    while(!StackEmpty(T))                    /*按逆拓扑排序求各顶点的 vl 值*/
        for(PopStack(&T,&j),p=N.vertex[j].firstarc;p;p=p->nextarc)
        /*弹出栈 T 的元素,赋给 j, p 指向 j 的后继事件 k*/
        {
            k=p->adjvex;
            dut=*(p->info);                  /*dut 为弧<j,k>的权值*/
            if(vl[k]-dut<vl[j])              /*计算事件 j 的最晚发生时间*/
                vl[j]=vl[k]-dut;
        }
    printf("\n 事件的最早发生时间和最晚发生时间\ni ve[i] vl[i]\n");
    for(i=0;i<N.vexnum;i++)                  /*输出顶点对应的事件的最早发生时间和最晚发生时间*/
        printf("%d   %d    %d\n",i,ve[i],vl[i]);
    printf("关键路径为:(");
    for(i=0;i<N.vexnum;i++)                  /*输出关键路径经过的顶点*/
        if(ve[i]==vl[i])
            printf("%s ",N.vertex[i].data);
    printf(")\n");
    count=0;
    printf("活动最早开始时间和最晚开始时间\n   弧    e  l  l-e\n");
    for(j=0;j<N.vexnum;j++)                  /*求活动的最早开始时间 e 和最晚开始时间 l*/
        for(p=N.vertex[j].firstarc;p;p=p->nextarc)
        {
            k=p->adjvex;
            dut=*(p->info);                  /*dut 为弧<j,k>的权值*/
            e=ve[j];                         /*e 就是活动<j,k>的最早开始时间*/
            l=vl[k]-dut;                      /*l 就是活动<j,k>的最晚开始时间*/
            printf("%s→%s %3d %3d %3d\n",N.vertex[j].data,N.vertex[k].data,e,l,l-e);
            if(e==l)                         /*将关键活动保存在数组中*/
            {
                e1[count]=j;
                e2[count]=k;
                count++;
            }
        }
    printf("关键活动为:");
```

```
        for(k=0;k<count;k++)        /*输出关键路径*/
        {
            i=e1[k];
            j=e2[k];
            printf("(%s→%s) ",N.vertex[i].data,N.vertex[j].data);
        }
        printf("\n");
        return 1;
    }
```

在以上两个算法中，其求解事件的最早发生时间和最晚发生时间为 $O(n+e)$。如果网中存在多个关键路径，则需要同时改进所有的关键路径才能提高整个工程的进度。

6.6 最短路径

在日常生活中，经常会遇到求两个地点之间的最短路径的问题，如在交通网络中城市 A 与城市 B 的最短路径。可以将每个城市作为图的顶点，将两个城市的线路作为图的弧或者边，将城市之间的距离作为权值，这样就把一个实际的问题转换为求图的顶点之间的最短路径问题。

6.6.1 从某个顶点到其余各顶点的最短路径

1. 从某个顶点到其他顶点的最短路径算法思想

带权有向图 G_7 及从顶点 v_0 出发到其他各顶点的最短路径如图 6.31 所示。

始点	终点	最短路径	路径长度
v_0	v_1	(v_0,v_1)	30
v_0	v_2	(v_0,v_2)	60
v_0	v_3	(v_0,v_2,v_3)	110
v_0	v_4	(v_0,v_2,v_3,v_4)	140
v_0	v_5	(v_0,v_5)	40

图 6.31　图 G_7 从顶点 v_0 出发到其他各个顶点的最短路径

从图 6.31 可以看出，从顶点 v_0 到顶点 v_2 有两条路径：(v_0,v_1,v_2) 和 (v_0,v_2)。其中，前者的路径长度为 70，后者的路径长度为 60。因此，(v_0,v_2) 是从顶点 v_0 到顶点 v_2 的最短路径。从顶点 v_0 到顶点 v_3 有 3 条路径：(v_0,v_1,v_2,v_3)、(v_0,v_2,v_3) 和 (v_0,v_1,v_3)。其中，第一条路径长度为 120，第二条路径长度为 110，第三条路径长度为 130。因此，(v_0,v_2,v_3) 是从顶点 v_0 到顶点 v_3 的最短路径。

下面介绍由迪杰斯特拉提出的求最短路径算法。它的基本思想是根据路径长度递增求解从顶点 v_0 到其他各顶点的最短路径。

设有一个带权有向图 $D=(V,E)$，定义一个数组 dist[]，数组中的每个元素 dist[i] 表示顶点 v_0 到顶点 v_i 的最短路径长度。则长度为 $dist[j]=Min\{dist[i] \mid v_i \in V\}$ 的路径表示从顶点 v_0 出发到顶点 v_j 的最短路径。也就是说，在所有的顶点 v_0 到顶点 v_i 的路径中，dist[j] 是最短的一条路径。而数组 dist[] 的初始状态是：如果从顶点 v_0 到顶点 v_i 存在弧，则 dist[i] 是弧 $<v_0,v_i>$ 的权值，否则 dist[i] 的值为 ∞。

假设 S 表示求出的最短路径对应终点的集合。在按递增次序已经求出从顶点 v_0 出发到顶点 v_j 的最短路径之后，那么下一条最短路径，即从顶点 v_0 到顶点 v_k 的最短路径或者是弧 $<v_0,v_k>$，或者是经过集合 S 中的某个顶点然后到达顶点 v_k 的路径。从顶点 v_0 出发到顶点 v_k 的最短路径长度或者是弧 $<v_0,v_k>$ 的权值，或者是 $dist[j]$ 与 v_j 到 v_k 的权值之和。

求最短路径长度满足：终点为 v_x 的最短路径或者是弧 $<v_0,v_x>$，或者是中间经过集合 S 中的某个顶点然后到达顶点 v_x 所经过的路径。下面用反证法证明此结论。假设该最短路径有一个顶点 $v_z \notin S$，则最短路径为 $(v_0,\cdots,v_z,\cdots,v_x)$。但是，这种情况是不可能出现的。因为最短路径是按照路径长度的递增顺序产生的，所以长度更短的路径已经出现，其终点一定在集合 S 中。因此假设不成立，结论得证。

例如，从图 6.31 可以看出，(v_0,v_2) 是从 v_0 到 v_2 的最短路径，(v_0,v_2,v_3) 是从 v_0 到 v_3 的最短路径，经过了顶点 v_2；(v_0,v_2,v_3,v_4) 是从 v_0 到 v_4 的最短路径，经过了顶点 v_3。

在一般情况下，下一条最短路径的长度一定是：

$$dist[j] = Min\{dist[i] \mid v_i \in V-S\}$$

其中，$dist[i]$ 或者是弧 $<v_0,v_i>$ 的权值，或者是 $dist[k]$（$v_k \in S$）与弧 $<v_k,v_i>$ 的权值之和。V-S 表示还没有求出的最短路径的终点集合。

迪杰斯特拉算法求解最短路径的步骤如下（假设有向图用邻接矩阵存储）：

1）初始时，S 只包括源点 v_0，即 $S = \{v_0\}$，V-S 包括除 v_0 以外的图中的其他顶点。v_0 到其他顶点的路径初始化为 $dist[i] = G.arc[0][i].adj$。

2）选择距离顶点 v_i 最短的顶点 v_j，使得 $dist[j] = Min\{dist[i] \mid v_i \in V-S\}$。$dist[j]$ 表示从 v_0 到 v_j 的最短路径长度，v_j 表示对应的终点。

3）修改从 v_0 到顶点 v_i 的最短路径长度，其中 $v_i \in S$。如果有 $dist[k]+G.arc[k][i]<dist[i]$，则修改 $dist[i]$，使得 $dist[i] = dist[k]+G.arc[k][i].adj$。

4）重复执行步骤 2）和 3），直到所有从 v_0 到其他顶点的最短路径长度求出。

利用以上迪杰斯特拉算法求最短路径的思想，对图 6.31 所示的图 G_7 求解从顶点 v_0 到其他各顶点的最短路径，求解过程如图 6.32 所示。

$$G_7 = \begin{bmatrix} \infty & 30 & 60 & \infty & 150 & 40 \\ \infty & \infty & 40 & 100 & \infty & \infty \\ \infty & \infty & \infty & 50 & \infty & \infty \\ \infty & \infty & \infty & \infty & 30 & \infty \\ \infty & \infty & \infty & \infty & \infty & 10 \\ \infty & \infty & \infty & \infty & \infty & \infty \end{bmatrix}$$

终点	路径长度和路径数组	从顶点 v_0 到其他各顶点的最短路径的求解过程				
		i=1	i=2	i=3	i=4	i=5
v_1	dist	30				
	path	(v_0,v_1)				
v_2	dist	60	60	60		
	path	(v_0,v_2)	(v_0,v_2)	(v_0,v_2)		
v_3	dist	∞	130	130	110	
	path	-1	(v_0,v_1,v_3)	(v_0,v_1,v_3)	(v_0,v_2,v_3)	
v_4	dist	150	150	150	150	140
	path	(v_0,v_4)	(v_0,v_4)	(v_0,v_4)	(v_0,v_4)	(v_0,v_2,v_3,v_4)
v_5	dist	40	40			
	path	(v_0,v_5)	(v_0,v_5)			
最短路径终点		v_1	v_5	v_2	v_3	v_4
集合 S		$\{v_0,v_1\}$	$\{v_0,v_1,v_5\}$	$\{v_0,v_1,v_5,v_2\}$	$\{v_0,v_1,v_5,v_2,v_3\}$	$\{v_0,v_1,v_5,v_2,v_3,v_4\}$

图 6.32 带权有向图 G_7 的从顶点 v_0 到其他各顶点的最短路径求解过程

根据迪杰斯特拉算法，求图 G_7 的最短路径过程中数组 dist[ ] 和 path[ ] 的变化情况，如图 6.33 所示。

S	V−S	dist	path
$\{v_0\}$	$\{v_1\ v_2\ v_3\ v_4\ v_5\}$	$[0, 30, 60, \infty, 150, 40]$	$[0, 0, 0, -1, 0, 0]$
$\{v_0\ \mathbf{v_1}\}$	$\{v_2\ v_3\ v_4\ v_5\}$	$[0, 30, 60, \mathbf{130}, 150, 40]$	$[0, 0, 0, \mathbf{1}, 0, 0]$
$\{v_0\ v_1\ \mathbf{v_5}\}$	$\{v_2\ v_3\ v_4\}$	$[0, 30, 60, 130, 150, 40]$	$[0, 0, 0, 1, 0, 0]$
$\{v_0\ v_1\ v_5\ \mathbf{v_2}\}$	$\{v_3\ v_4\}$	$[0, 30, 60, \mathbf{110}, 150, 40]$	$[0, 0, 0, \mathbf{2}, 0, 0]$
$\{v_0\ v_1\ v_5\ v_2\ \mathbf{v_3}\}$	$\{v_4\}$	$[0, 30, 60, 110, \mathbf{140}, 40]$	$[0, 0, 0, 2, \mathbf{3}, 0]$
$\{v_0\ v_1\ v_5\ v_2\ v_3\ \mathbf{v_4}\}$	$\{\ \}$	$[0, 30, 60, 110, 140, 40]$	$[0, 0, 0, 2, 3, 0]$

图 6.33　求最短路径各变量状态的变化过程

1）初始化：$S = \{v_0\}$，$V-S = \{v_1, v_2, v_3, v_4, v_5\}$，dist[ ]$= [0, 30, 60, \infty, 150, 40]$（根据邻接矩阵得到 v_0 到其他各顶点的权值），path[ ]$= [0, 0, 0, -1, 0, 0]$（若顶点 v_0 到顶点 v_i 有边 $<v_0, v_i>$ 存在，则它就是从 v_0 到 v_i 的当前最短路径，令 path[i]$= 0$，表示该最短路径上顶点 v_i 的前一个顶点是 v_0；若 v_0 到 v_i 没有路径，则令 path[i]$= -1$）。

2）从 V−S 集合中找到一个顶点，该顶点与 S 集合中的顶点构成的路径最短，即 dist[ ] 数组中值最小的顶点为 v_1，将其添加到 S 中，则 $S = \{v_0, \mathbf{v_1}\}$，$V-S = \{v_2, v_3, v_4, v_5\}$。考查顶点 v_1，发现从 v_1 到 v_2 和 v_3 存在边，则得到：

$$\text{dist}[2] = \min\{\text{dist}[2], \text{dist}[1]+40\} = 60$$
$$\text{dist}[3] = \min\{\text{dist}[3], \text{dist}[1]+100\} = 130（修改）$$

则 dist[ ]$= [0, 30, 60, \mathbf{130}, 150, 40]$，同时修改 v_1 到 v_3 路径上的前驱顶点，有 path[ ]$= [0, 0, 0, \mathbf{1}, 0, 0]$。

3）从 V−S 中找到一个顶点 v_5，它与 S 中的顶点构成的路径最短，即 dist[ ] 数组中值最小的顶点，将其添加到 S 中，则 $S = \{v_0, v_1, \mathbf{v_5}\}$，$V-S = \{v_2, v_3, v_4\}$。考查顶点 v_5，发现 v_5 与其他顶点不存在边，则 dist[ ] 和 path[ ] 保持不变。

4）从 V−S 中找到一个顶点 v_2，它与 S 中的顶点构成的路径最短，即 dist[ ] 数组中值最小的顶点，将其加入 S 中，则 $S = \{v_0, v_1, v_5, \mathbf{v_2}\}$，$V-S = \{v_3, v_4\}$。考查顶点 v_2，从 v_2 到 v_3 存在边，则得到：

$$\text{dist}[3] = \min\{\text{dist}[3], \text{dist}[2]+50\} = 110（修改）$$

则 dist[ ]$= [0, 30, 60, \mathbf{110}, 150, 40]$，同时修改 v_1 到 v_3 路径上的前驱顶点，有 path[ ]$= [0, 0, 0, \mathbf{2}, 0, 0]$。

5）从 V−S 中找到一个顶点 v_3，它与 S 中的顶点构成的路径最短，即 dist[ ] 数组中值最小的顶点，将其加入 S 中，则 $S = \{v_0, v_1, v_5, v_2, \mathbf{v_3}\}$，$V-S = \{v_4\}$。考查顶点 v_3，从 v_3 到 v_4 存在边，则得到：

$$\text{dist}[4] = \min\{\text{dist}[4], \text{dist}[3]+30\} = 140（修改）$$

则 dist[ ]$= [0, 30, 60, 110, \mathbf{140}, 40]$，同时修改 v_1 到 v_4 路径上的前驱顶点，有 path[ ]$= [0, 0, 0, 2, \mathbf{3}, 0]$。

6）从 V−S 中找到与 S 中的顶点构成的路径最短的顶点 v_4，即 dist[ ] 数组中值最小的顶点，将其加入 S 中，则 $S=\{v_0,v_1,v_5,v_2,v_3,v_4\}$，$V-S=\{\}$。考查顶点 v_4，从 v_4 到 v_5 存在边，则得到：

$$dist[5]=\min\{dist[5],dist[4]+10\}=40$$

则 dist[ ] 和 path[ ] 保持不变，即 $dist[\ ]=[0,30,60,110,140,40]$，有 $path[\ ]=[0,0,0,2,3,0]$。

根据 dist[ ] 和 path[ ] 中的值输出从 v_0 到其他各顶点的最短路径。例如，从 v_0 到 v_4 的最短路径可根据 path[ ] 获得：由 $path[4]=3$ 得到 v_4 的前驱顶点为 v_3，由 $path[3]=2$ 得到 v_3 的前驱顶点为 v_2，由 $path[2]=0$ 得到 v_2 的前驱顶点为 v_0，因此反推出从 v_0 到 v_4 的最短路径为 $v_0 \to v_2 \to v_3 \to v_4$，最短路径长度为 dist[4]，即 140。

2. 从某个顶点到其他顶点的最短路径算法实现

求解最短路径的迪杰斯特拉算法的描述如下：

```
typedef int PathMatrix[ MaxSize ];              /* 定义一个保存最短路径的一维数组 */
typedef int ShortPathLength[ MaxSize ];    /* 定义一个保存从顶点 v0 到顶点 v 的最短距离的数组 */
void Dijkstra( MGraph N, int v0, PathMatrix path, ShortPathLength dist, int final[ ] )
/* 用 Dijkstra 算法求有向网 N 的 v0 顶点到其余各顶点 v 的最短路径 path[ v ] 及带权长度 dist[ v ] */
/* final[ v ] 为 1 表示 v∈S，即已经求出从 v0 到 v 的最短路径 */
{
    int v, w, k, min;
    for( v = 0; v < N. vexnum; v++ )             /* 数组 dist 存储 v0 到 v 的最短距离, 初始化为 v0 到
v 的弧的距离 */
    {
        final[ v ] = 0;
        dist[ v ] = N. arc[ v0 ][ v ]. adj;     /* 记录与 v0 有连接的顶点的权值 */
        if( N. arc[ v0 ][ v ]. adj < INFINITY )
            path[ v ] = v0;
        else
            path[ v ] = -1;                      /* 初始化路径数组 path 为 -1 */
    }
    dist[ v0 ] = 0;                              /* v0 到 v0 的路径为 0 */
    final[ v0 ] = 1;                             /* v0 顶点并入集合 S */
    path[ v0 ] = v0;
    /* 从 v0 到其余 G. vexnum-1 个顶点的最短路径, 并将该顶点并入集合 S */
    /* 利用循环, 每次求 v0 到某个顶点 v 的最短路径 */
    for ( v = 1; v < N. vexnum; v++ )
    {
        min = INFINITY;
        for ( w = 0; w < N. vexnum; w++ )   /* 找出距离 v0 最近的顶点 */
        {
            /* final[ w ] 为 0 表示该顶点还没有记录与它最近的顶点 */
            if ( !final[ w ] && dist[ w ] < min ) /* 在不属于集合 S 的顶点中找到距离 v0 最近的
顶点 */
            {
                k = w;           /* 记录最小权值的下标, 将其距离 v0 最近的顶点 w 赋给 k */
                min = dist[ w ];          /* 记录最小权值 */
            }
        }
        /* 将目前找到的最接近 v0 的顶点的下标的位置置为 1, 表示该顶点已被记录 */
        final[ k ] = 1;                    /* 将 v 并入集合 S */
```

```
                /*修正当前最短路径(即距离)*/
                for ( w = 0; w < N. vexnum; w++)              /*利用新并入集合 S 的顶点,更新 v0 到
        不属于集合 S 的顶点的最短路径长度和最短路径数组*/
                    {
                        /*如果经过顶点 v 的路径比现在这条路径短,则修改顶点 v0 到 w 的距离*/
                        if (!final[w]&&min<INFINITY&&N. arc[k][w]. adj<INFINITY && (min + N. arc[k]
        [w]. adj < dist[w]))
                            {
                                dist[w] = min + N. arc[k][w]. adj;    /*修改顶点 w 距离 v0 的最短长度*/
                                path[w] = k;                         /*存储最短路径前驱结点的下标*/
                            }
                    }
                }
            }
```

其中,一维数组 dist[v]表示从顶点 v_0 到顶点 v 的当前求出的最短路径长度。先利用 v_0 到其他顶点的弧对应的权值初始化数组 path[ ]和 dist[ ],然后找出从 v_0 到顶点 v(不属于集合 S)的最短路径,并将 v 并入集合 S,最短路径长度赋给 min。接着利用新并入的顶点 v,更新 v_0 到其他顶点 (不属于集合 S)的最短路径长度和最短路径数组。重复执行以上步骤,直到从 v_0 到所有其他顶点的最短路径求出为止。数组 path[v]存放顶点 v 的前驱顶点的下标,根据 path[ ]中的值,可依次求出相应顶点的前驱,直到源点 v_0,逆推回去可得到从 v_0 到其他各顶点的最短路径。

该算法的时间主要耗费在第二个 for 循环语句,外层 for 循环语句主要控制循环的次数,一次循环可得到从 v0 到某个顶点的最短路径,两个内层 for 循环共执行 n 次,如果不考虑每次求解最短路径的耗费,则该算法的时间复杂度是 $O(n^2)$。

下面通过一个具体例子来说明迪杰斯特拉算法的应用。

【例 6.4】建立一个图 6.31 所示的图 G_7,输出 G_7 中从 v_0 出发到其他各顶点的最短路径及从 v_0 到各个顶点的最短路径长度。

```
void CreateGraph( MGraph  * N, GNode  * value, int vnum, int arcnum, VertexType  * ch);
void DisplayGraph( MGraph N);
void Dijkstra( MGraph N, int v0, PathMatrix path, ShortPathLength dist, int final[MaxSize]);
void PrintShortPath( MGraph N, int v0, PathMatrix path, ShortPathLength dist);
void PrintShortPath( MGraph N, int v0, PathMatrix path, ShortPathLength dist)
{
    int i, j,k=0;
    int apath[MaxSize];
    printf("存储最短路径前驱结点下标的数组 path 的值为:\n");
    printf("数组下标:");
    for (i = 0; i < N. vexnum; i++)
    {
        printf("%2d ", i);
    }
    printf("\n 数组的值:");
    for (i = 0; i < N. vexnum; i++)
    {
        printf("%2d ", path[i]);
    }
    /* 存储最短路径前驱结点下标的数组 path 的值为:
```

```
                    数组下标：0  1  2  3  4  5
                    数组的值：0  0  0  2  3  0
                    当 path[4] = 3 时，表示顶点 4 的前驱结点是顶点 3，
                    接着找到顶点 3，有 path[3] = 2，表示顶点 3 的前驱结点是顶点 2，
                    接着找到顶点 2，有 path[2] = 0，表示顶点 2 的前驱结点是顶点 0。
                    因此由顶点 4 到顶点 0 的最短路径为：
                    4 -> 3 -> 2 -> 0
                    将这个顺序倒过来即可得到顶点 0 到顶点 4 的最短路径 */
    printf("\n\nv0 到其他顶点的最短路径如下：\n");
    for (i = 1 ; i < N. vexnum; i++)
    {
        k = 0;
        printf("v%d -> v%d : ", v0, i);
        j = i;                  /* j 用于遍历 while 循环 */
        printf("%s ", N. vex[v0]);
        while (path[j] != 0)
        {
            apath[k] = path[j];
            j = path[j];
            k++;
        }
        for(j=k-1;j>=0;j--)
        {
            printf("%s ", N. vex[apath[j]]);
        }
        printf("%s ", N. vex[i]);
        printf("\n");
    }
    printf("\n 顶点 v%d 到各顶点的最短路径长度为：\n", v0);
    for (i = 1; i < N. vexnum; i++)
        printf("%s - %s : %d \n", N. vex[0], N. vex[i], dist[i]);  /* dist 数组中存放 v0 到各
顶点的最短路径 */
}
void main()
{
    int i,vnum = 6,arcnum = 9,final[MaxSize];
    MGraph N;
    GNode value[] = {{0,1,30},{0,2,60},{0,4,150},{0,5,40},
                        {1,2,40},{1,3,100},{2,3,50},{3,4,30},{4,5,10}};
    VertexType ch[] = {"v0","v1","v2","v3","v4","v5"};
    PathMatrix path;                    /* 用一维数组存放最短路径所经过的顶点 */
    ShortPathLength dist;               /* 用一维数组存放最短路径长度 */
    CreateGraph(&N,value,vnum,arcnum,ch);   /* 创建有向网 N */
    DisplayGraph(N);                    /* 输出有向网 N */
    Dijkstra(N,0,path,dist,final);
    PrintShortPath(N, 0, path, dist);   /* 打印最短路径 */
}
void CreateGraph(MGraph * N,GNode * value,int vnum,int arcnum,VertexType * ch)
/* 采用邻接矩阵表示法创建有向网 N */
{
    int i,j,k;
    N->vexnum = vnum;
    N->arcnum = arcnum;
```

```
        for(i=0;i<vnum;i++)
            strcpy(N->vex[i],ch[i]);

        for(i=0;i<N->vexnum;i++)                    /* 初始化邻接矩阵 */
            for(j=0;j<N->vexnum;j++)
                {
                    N->arc[i][j].adj=INFINITY;
                    N->arc[i][j].info=NULL;         /* 弧的信息初始化为空 */
                }
        for(k=0;k<arcnum;k++)
        {
            i=value[k].row;
            j=value[k].col;
            N->arc[i][j].adj=value[k].weight;
        }
        N->kind=DN;                                 /* 图的类型为有向网 */
}
void DisplayGraph(MGraph N)
/* 输出邻接矩阵存储表示的图 N */
{
    int i,j;
    printf("有向网具有%d 个顶点%d 条弧,顶点依次是: ",N.vexnum,N.arcnum);
    for(i=0;i<N.vexnum;++i)                         /* 输出有向网中的顶点 */
        printf("%s ",N.vex[i]);
    printf("\n 有向网 N 的邻接矩阵:\n");
    for(i=0;i<N.vexnum;i++)
        printf("%8d",i);
    printf("\n");
    for(i=0;i<N.vexnum;i++)
    {
        printf("%8d",i);
        for(j=0;j<N.vexnum;j++)
            printf("%8d",N.arc[i][j].adj);
        printf("\n");
    }
}
```

程序运行结果如图 6.34 所示。

图 6.34　程序运行结果

6.6.2 每一对顶点之间的最短路径

扫码看视频

如果要计算每一对顶点之间的最短路径，那么只需要以任何一个顶点为出发点，将迪杰斯特拉算法重复执行 n 次，就可以得到每一对顶点的最短路径。这样求出的顶点之间的最短路径的时间复杂度为 $O(n^3)$。下面介绍另一个算法——弗洛伊德算法，其时间复杂度也是 $O(n^3)$。

1. 各个顶点之间的最短路径算法思想

求解各个顶点之间最短路径的弗洛伊德算法的思想是：假设要求顶点 v_i 到顶点 v_j 的最短路径，如果从顶点 v_i 到顶点 v_j 存在弧，但是该弧所在的路径不一定是 v_i 到 v_j 的最短路径，还需要进行 n 次比较。首先需要从顶点 v_0 开始，如果有路径 (v_i, v_0, v_j) 存在，则比较路径 (v_i, v_j) 和 (v_i, v_0, v_j)，选择两者中最短的一个且中间顶点的序号不大于0。

然后在路径上再增加一个顶点 v_1，得到路径 $(v_i, \cdots, v_1)$ 和 $(v_1, \cdots, v_j)$，如果两者都是中间顶点不大于0的最短路径，则将该路径 $(v_i, \cdots, v_1, \cdots, v_j)$ 与上面已经求出的中间顶点序号不大于0的最短路径比较，选中其中最小的作为从 v_i 到 v_j 的中间路径顶点序号不大于1的最短路径。

接着在路径上增加顶点 v_2，得到路径 $(v_i, \cdots, v_2)$ 和 $(v_2, \cdots, v_j)$，按照以上方法进行比较，求出从 v_i 到 v_j 的中间路径顶点序号不大于2的最短路径。以此类推，经过 n 次比较，可以得到从 v_i 到 v_j 的中间顶点序号不大于 $n-1$ 的最短路径。依照这种方法，可以得到各个顶点之间的最短路径。

假设采用邻接矩阵存储带权有向图 G，则各个顶点之间的最短路径可以保存在一个 n 阶矩阵 D 中，每次求出的最短路径都可以用矩阵表示为 $D^{-1}, D^0, D^1, D^2, \cdots, D^{n-1}$。其中 $D^{-1}[i][j] = G.arc[i][j].adj$，$D^k[i][j] = Min\{D^{k-1}[i][j], D^{k-1}[i][k] + D^{k-1}[k][j] \mid 0 \leq k \leq n-1\}$。其中，$D^k[i][j]$ 表示从顶点 v_i 到顶点 v_j 的中间顶点序号不大于 k 的最短路径长度，而 $D^{n-1}[i][j]$ 表示从顶点 v_i 到顶点 v_j 的最短路径长度。

根据弗洛伊德算法，求解图6.31所示的带权有向图 G_7 的每一对顶点之间最短路径的过程如下（D 存放每一对顶点之间的最短路径长度，P 存放最短路径中到达某顶点的前驱顶点下标）：

1）初始时，D 中元素的值为顶点间弧的权值，若两个顶点间不存在弧，则其值为 ∞。顶点 v_2 到 v_3 存在弧，权值为50，故 $D^{-1}[2][3] = 50$；路径 (v_2, v_3) 的前驱顶点为 v_2，故 $P^{-1}[2][3] = 2$。顶点 v_4 到 v_5 存在弧，权值为10，故 $D^{-1}[4][5] = 10$；路径 (v_4, v_5) 的前驱顶点为 v_4，故 $P^{-1}[4][5] = 4$。若没有前驱顶点，则 P 中相应的元素值为 -1。D 和 P 的初始状态如图6.35所示。

$$
D^{-1} = \begin{bmatrix}
\infty & 30 & 60 & \infty & 150 & 40 \\
\infty & \infty & 40 & 100 & \infty & \infty \\
\infty & \infty & \infty & 50 & \infty & \infty \\
\infty & \infty & \infty & \infty & 30 & \infty \\
\infty & \infty & \infty & \infty & \infty & 10 \\
\infty & \infty & \infty & \infty & \infty & \infty
\end{bmatrix}
\qquad
P^{-1} = \begin{bmatrix}
-1 & 0 & 0 & -1 & 0 & 0 \\
-1 & -1 & 1 & 1 & -1 & -1 \\
-1 & -1 & -1 & 2 & -1 & -1 \\
-1 & -1 & -1 & -1 & 3 & -1 \\
-1 & -1 & -1 & -1 & -1 & 4 \\
-1 & -1 & -1 & -1 & -1 & -1
\end{bmatrix}
$$

图6.35 D 和 P 的初始状态

2）考查 v_0，经过比较，从顶点 v_i 到 v_j 经由顶点 v_0 的最短路径无变化，因此，D^0 和 P^0 如图 6.36 所示。

$$D^0=\begin{bmatrix} \infty & 30 & 60 & \infty & 150 & 40 \\ \infty & \infty & 40 & 100 & \infty & \infty \\ \infty & \infty & \infty & 50 & \infty & \infty \\ \infty & \infty & \infty & \infty & 30 & \infty \\ \infty & \infty & \infty & \infty & \infty & 10 \\ \infty & \infty & \infty & \infty & \infty & \infty \end{bmatrix} \quad P^0=\begin{bmatrix} -1 & 0 & 0 & -1 & 0 & 0 \\ -1 & -1 & 1 & 1 & -1 & -1 \\ -1 & -1 & -1 & 2 & -1 & -1 \\ -1 & -1 & -1 & -1 & 3 & -1 \\ -1 & -1 & -1 & -1 & -1 & 4 \\ -1 & -1 & -1 & -1 & -1 & -1 \end{bmatrix}$$

图 6.36　经由顶点 v_0 的 D 和 P 的存储状态

3）考查顶点 v_1，从顶点 v_1 到 v_2 和 v_3 存在路径，由顶点 v_0 到 v_1 的路径可得到 v_0 到 v_2 和 v_3 的路径 $D^1[0][2]=70$（由于 $70>60$，$D^1[0][2]$ 的值保持不变）和 $D^1[0][3]=130$（由于 $130<\infty$，故需更新 $D^1[0][3]$ 的值为 130，同时前驱顶点 $P^1[0][3]$ 的值为 1），因此更新后的最短路径矩阵和前驱顶点矩阵如图 6.37 所示。

$$D^1=\begin{bmatrix} \infty & 30 & 60 & 130 & 150 & 40 \\ \infty & \infty & 40 & 100 & \infty & \infty \\ \infty & \infty & \infty & 50 & \infty & \infty \\ \infty & \infty & \infty & \infty & 30 & \infty \\ \infty & \infty & \infty & \infty & \infty & 10 \\ \infty & \infty & \infty & \infty & \infty & \infty \end{bmatrix} \quad P^1=\begin{bmatrix} -1 & 0 & 0 & 1 & 0 & 0 \\ -1 & -1 & 1 & 1 & -1 & -1 \\ -1 & -1 & -1 & 2 & -1 & -1 \\ -1 & -1 & -1 & -1 & 3 & -1 \\ -1 & -1 & -1 & -1 & -1 & 4 \\ -1 & -1 & -1 & -1 & -1 & -1 \end{bmatrix}$$

图 6.37　经由顶点 v_1 的 D 和 P 的存储状态

4）考查顶点 v_2，从顶点 v_2 到 v_3 存在路径，由顶点 v_0 到 v_2 的路径可得到 v_0 到 v_3 的路径 $D^2[0][3]=110$（由于 $110<130$，故需更新 $D^2[0][3]$ 的值为 110，同时前驱顶点 $P^1[0][3]$ 的值为 2）。同时，修改从顶点 v_1 到 v_3 的路径（$D^2[1][3]=90<100$）和 $P^2[1][3]$ 的值，因此，更新后的最短路径矩阵和前驱顶点矩阵如图 6.38 所示。

$$D^2=\begin{bmatrix} \infty & 30 & 60 & 110 & 150 & 40 \\ \infty & \infty & 40 & 90 & \infty & \infty \\ \infty & \infty & \infty & 50 & \infty & \infty \\ \infty & \infty & \infty & \infty & 30 & \infty \\ \infty & \infty & \infty & \infty & \infty & 10 \\ \infty & \infty & \infty & \infty & \infty & \infty \end{bmatrix} \quad P^2=\begin{bmatrix} -1 & 0 & 0 & 2 & 0 & 0 \\ -1 & -1 & 1 & 2 & -1 & -1 \\ -1 & -1 & -1 & 2 & -1 & -1 \\ -1 & -1 & -1 & -1 & 3 & -1 \\ -1 & -1 & -1 & -1 & -1 & 4 \\ -1 & -1 & -1 & -1 & -1 & -1 \end{bmatrix}$$

图 6.38　经由顶点 v_2 的 D 和 P 的存储状态

5）考查顶点 v_3，从顶点 v_3 到 v_4 存在路径，由顶点 v_0 到 v_3 的路径可得到 v_0 到 v_4 的路径 $D^3[0][4]=140$（由于 $140<150$，故需更新 $D^3[0][4]$ 的值为 140，同时前驱顶点 $P^3[0][4]$ 的值为 3）。同时，更新从 v_1、v_2 到 v_4 的路径长度和前驱顶点，因此，更新后的最短路径矩阵和前驱顶点矩阵如图 6.39 所示。

$$D^3=\begin{bmatrix} \infty & 30 & 60 & 110 & 140 & 40 \\ \infty & \infty & 40 & 90 & 120 & \infty \\ \infty & \infty & \infty & 50 & 80 & \infty \\ \infty & \infty & \infty & \infty & 30 & \infty \\ \infty & \infty & \infty & \infty & \infty & 10 \\ \infty & \infty & \infty & \infty & \infty & \infty \end{bmatrix} \quad P^3=\begin{bmatrix} -1 & 0 & 0 & 2 & 3 & 0 \\ -1 & -1 & 1 & 2 & 3 & -1 \\ -1 & -1 & -1 & 2 & 3 & -1 \\ -1 & -1 & -1 & -1 & 3 & -1 \\ -1 & -1 & -1 & -1 & -1 & 4 \\ -1 & -1 & -1 & -1 & -1 & -1 \end{bmatrix}$$

图 6.39　经由顶点 v_3 的 D 和 P 的存储状态

6）考查顶点 v_4，从顶点 v_4 到 v_5 存在路径，则按以上方法计算从各顶点经由 v_4 到其他各顶点的路径长度和前驱顶点，更新后的最短路径矩阵和前驱顶点矩阵如图 6.40 所示。

$$D^4 = \begin{bmatrix} \infty & 30 & 60 & 110 & 140 & 40 \\ \infty & \infty & 40 & 90 & 120 & 130 \\ \infty & \infty & \infty & 50 & 80 & 90 \\ \infty & \infty & \infty & \infty & 30 & 40 \\ \infty & \infty & \infty & \infty & \infty & 10 \\ \infty & \infty & \infty & \infty & \infty & \infty \end{bmatrix} \qquad P^4 = \begin{bmatrix} -1 & 0 & 0 & 2 & 3 & 0 \\ -1 & -1 & 1 & 2 & 3 & 4 \\ -1 & -1 & -1 & 2 & 3 & 4 \\ -1 & -1 & -1 & -1 & 3 & 4 \\ -1 & -1 & -1 & -1 & -1 & 4 \\ -1 & -1 & -1 & -1 & -1 & -1 \end{bmatrix}$$

图 6.40　经由顶点 v_4 的 D 和 P 的存储状态

7）考查顶点 v_5，从顶点 v_5 到其他各顶点不存在路径，故无须更新最短路径矩阵和前驱顶点矩阵。根据以上分析，图 G_7 的各个顶点间的最短路径及长度如图 6.41 所示。

2. 各个顶点之间的最短路径算法实现

根据以上的弗洛伊德算法思想，各个顶点之间的最短路径算法描述如下：

```
void Floyd_Short_Path(MGraph N)
/*用 Floyd 算法求有向网 N 任意顶点之间的最短路径，其中 D[u][v]表示从 u 到 v 当前得到的最
短路径，P[u][v]存放的是 u 到 v 的前驱顶点 */
{
    int D[MaxSize][MaxSize],P[MaxSize][MaxSize];
    int u,v,w;
    for (u=0;u<N.vexnum;u++)                    /*初始化最短路径长度 P 和前驱顶点矩阵 D */
        for (v=0;v<N.vexnum;v++)
        {
            D[u][v]=N.arc[u][v].adj;             /*初始时，顶点 u 到 v 的最短路径为 u 到
v 的弧的权值 */
            if (u!=v && N.arc[u][v].adj<INFINITY)      /*若顶点 u 到 v 存在弧 */
                P[u][v]=u;                       /*则路径(u,v)的前驱顶点为 u */
            else                                  /*否则 */
                P[u][v]=-1;                      /*路径(u,v)的前驱顶点为-1 */
        }
    for (w=0;w<N.vexnum;w++)                     /*依次考查所有顶点 */
    {
        for (u=0;u<N.vexnum;u++)
            for (v=0;v<N.vexnum;v++)
                if (D[u][v]>D[u][w]+D[w][v])/*从 u 经 w 到 v 的一条路径为当前最短的
路径 */
                {
                    D[u][v]=D[u][w]+D[w][v];  /*更新 u 到 v 的最短路径长度 */
                    P[u][v]=P[w][v];          /*更新最短路径中 u 到 v 的前驱顶点 */
                }
    }
    Print_Short_Path(N,D,P);                     /*输出最短路径 */
    printf("最短路径中各顶点的前驱顶点:\n");
    PrintMatrix(P,N.vexnum);                     /*输出前驱顶点 */
}
```

D^{-1}

	0	1	2	3	4	5
0	∞	30	60	∞	150	40
1	∞	∞	40	100	∞	∞
2	∞	∞	∞	50	∞	∞
3	∞	∞	∞	∞	30	∞
4	∞	∞	∞	∞	∞	10
5	∞	∞	∞	∞	∞	∞

D^{0}

	0	1	2	3	4	5
0	∞	30	60	∞	150	40
1	∞	∞	40	100	∞	∞
2	∞	∞	∞	50	∞	∞
3	∞	∞	∞	∞	30	∞
4	∞	∞	∞	∞	∞	10
5	∞	∞	∞	∞	∞	∞

D^{1}

	0	1	2	3	4	5
0	∞	30	60	130	150	40
1	∞	∞	40	100	∞	∞
2	∞	∞	∞	50	∞	∞
3	∞	∞	∞	∞	30	∞
4	∞	∞	∞	∞	∞	10
5	∞	∞	∞	∞	∞	∞

D^{2}

	0	1	2	3	4	5
0	∞	30	60	110	150	40
1	∞	∞	40	90	∞	∞
2	∞	∞	∞	50	∞	∞
3	∞	∞	∞	∞	30	∞
4	∞	∞	∞	∞	∞	10
5	∞	∞	∞	∞	∞	∞

D^{3}

	0	1	2	3	4	5
0	∞	30	60	110	140	40
1	∞	∞	40	90	120	∞
2	∞	∞	∞	50	80	∞
3	∞	∞	∞	∞	30	∞
4	∞	∞	∞	∞	∞	10
5	∞	∞	∞	∞	∞	∞

D^{4}

	0	1	2	3	4	5
0	∞	30	60	110	140	40
1	∞	∞	40	90	120	130
2	∞	∞	∞	50	80	90
3	∞	∞	∞	∞	30	40
4	∞	∞	∞	∞	∞	10
5	∞	∞	∞	∞	∞	∞

D^{5}

	0	1	2	3	4	5
0	∞	30	60	110	140	40
1	∞	∞	40	90	120	130
2	∞	∞	∞	50	80	90
3	∞	∞	∞	∞	30	40
4	∞	∞	∞	∞	∞	10
5	∞	∞	∞	∞	∞	∞

P^{-1}

	0	1	2	3	4	5
0		v_0v_1	v_0v_2		v_0v_4	v_0v_5
1			v_1v_2	v_1v_3		
2				v_2v_3		
3					v_3v_4	
4						v_4v_5
5						

P^{0}

	0	1	2	3	4	5
0		v_0v_1	v_0v_2		v_0v_4	v_0v_5
1			v_1v_2	v_1v_3		
2				v_2v_3		
3					v_3v_4	
4						v_4v_5
5						

P^{1}

	0	1	2	3	4	5
0		v_0v_1	v_0v_2	$v_0v_1v_3$	v_0v_4	v_0v_5
1			v_1v_2	v_1v_3		
2				v_2v_3		
3					v_3v_4	
4						v_4v_5
5						

P^{2}

	0	1	2	3	4	5
0		v_0v_1	v_0v_2	$v_0v_2v_3$	v_0v_4	v_0v_5
1			v_1v_2	$v_1v_2v_3$		
2				v_2v_3		
3					v_3v_4	
4						v_4v_5
5						

P^{3}

	0	1	2	3	4	5
0		v_0v_1	v_0v_2	$v_0v_2v_3$	$v_0v_2v_3v_4$	v_0v_5
1			v_1v_2	$v_1v_2v_3$	$v_1v_2v_3v_4$	
2				v_2v_3	$v_2v_3v_4$	
3					v_3v_4	
4						v_4v_5
5						

P^{4}

	0	1	2	3	4	5
0		v_0v_1	v_0v_2	$v_0v_2v_3$	$v_0v_2v_3v_4$	v_0v_5
1			v_1v_2	$v_1v_2v_3$	$v_1v_2v_3v_4$	$v_1v_2v_3v_4v_5$
2				v_2v_3	$v_2v_3v_4$	$v_2v_3v_4v_5$
3					v_3v_4	$v_3v_4v_5$
4						v_4v_5
5						

P^{5}

	0	1	2	3	4	5
0		v_0v_1	v_0v_2	$v_0v_2v_3$	$v_0v_2v_3v_4$	v_0v_5
1			v_1v_2	$v_1v_2v_3$	$v_1v_2v_3v_4$	$v_1v_2v_3v_4v_5$
2				v_2v_3	$v_2v_3v_4$	$v_2v_3v_4v_5$
3					v_3v_4	$v_3v_4v_5$
4						v_4v_5
5						

图 6.41　带权有向图 G_7 的各个顶点间的最短路径及长度

6.7 图的应用举例

本节将通过几个具体实例来介绍图的具体应用，其中包括求图中距离顶点 v 的最短路径长度为 k 的所有顶点、求图中顶点 u 到顶点 v 的简单路径。

6.7.1 求图中距离某个顶点的最短路径长度为 k 的所有顶点

【例 6.5】创建一个无向图，求距离顶点 v_0 最短路径长度为 k 的所有顶点。

分析：主要考查图的遍历。可以采用图的广度优先遍历找出第 k 层的所有顶点。例如，在图 6.42 所示的无向图 G_9 中，具有 7 个顶点和 8 条边。

【算法思想】利用广度优先遍历对图进行遍历，从 v_0 开始，依次访问与 v_0 相邻接的各个顶点，利用一个队列存储所有已经访问过的顶点和该顶点与 v_0 的最短路径，并将该顶点的标志位置为 1，表示已经访问过。依次取出队列的各个顶点，如果该顶点存在未访问过的邻接点，则首先判断该顶点是否距离 v_0 的最短路径为 k，如果满足条件，则将该邻接点输出，否则将该邻接点入队，并将距离 v_0 的层次加 1。重复执行以上操作，直到队列为空或者存在满足条件的顶点为止。

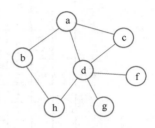

图 6.42 无向图 G_9

求距离 v_0 最短路径为 k 的所有顶点的算法描述如下：

```
void BsfLevel( AdjGraph G, int v0, int k)
/*在图 G 中，求距离顶点 v0 最短路径为 k 的所有顶点*/
{
    int visited[MaxSize];          /*一个顶点访问标志数组，0 表示未访问，1 表示已经访问*/
    int queue[MaxSize][2];         /*队列 queue[][0]存储顶点的序号，queue[][1]存储当前顶
点距离 v0 的路径长度*/
    int front=0, rear=-1, v, i, level, yes=0;
    ArcNode *p;
    for(i=0; i<G. vexnum; i++)      /*初始化标志数组*/
        visited[i]=0;
    rear=(rear+1)%MaxSize;         /*顶点 v0 入队*/
    queue[rear][0]=v0;
    queue[rear][1]=1;
    visited[v0]=1;                 /*访问数组标志置为 1*/
    level=1;                       /*设置当前层次*/
    do{
        v=queue[front][0];         /*取出队列中的顶点*/
        level=queue[front][1];
        front=(front+1)%MaxSize;
        p=G. vertex[v]. firstarc;  /*p 指向 v 的第一个邻接点*/
        while( p!=NULL)
        {
            if( visited[p->adjvex]==0)    /*如果该邻接点未被访问*/
            {
                if( level==k)     /*如果该邻接点距离 v0 的最短路径为 k，则将其输出*/
                {
```

```
                        if( yes = = 0)
                            printf("距离%s 的最短路径为%2d 的顶点有: %s ",
                                    G. vertex[ v0]. data,k,G. vertex[ p->adjvex]. data);
                        else
                            printf( " ,%s",G. vertex[ p->adjvex]. data);
                        yes = 1;
                    }
                    visited[ p->adjvex] = 1;              /* 访问标志置为 1 */
                    rear = ( rear+1)%MaxSize;            /* 并将该顶点入队 */
                    queue[ rear][ 0] = p->adjvex;
                    queue[ rear][ 1] = level+1;
                }
                p = p->nextarc;              /* 如果当前顶点已经被访问,则 p 移向下一个邻接点 */
            }
        }while( front! = rear&&level<k+1);
        printf( " \n" );
}
```

测试代码如下 (省略了创建无向图、销毁图等代码):

```
void DisplayGraph( AdjGraph G)
/* 图 G 的邻接表的输出 */
{
    int i;
    ArcNode  * p;
    printf("该图中有%d 个顶点: ",G. vexnum);
    for(i=0;i<G. vexnum;i++)
        printf("%s ",G. vertex[ i]. data);
    printf( " \n 图中共有%d 条边:\n",2 * G. arcnum);
    for(i=0;i<G. vexnum;i++)
    {
        p=G. vertex[ i]. firstarc;
        while( p)
        {
            printf("(%s,%s) ",G. vertex[ i]. data,G. vertex[ p->adjvex]. data);
            p=p->nextarc;
        }
        printf( " \n" );
    }
}
void main( )
{
    AdjGraph G;
    CreateGraph(&G);             /* 采用邻接表存储结构创建图 G */
    DisplayGraph( G);            /* 输出无向图 G */
    BsfLevel( G,0,2);           /* 求图 G 中距离顶点 v0 最短路径为 2 的顶点 */
    DestroyGraph(&G);            /* 销毁图 G */
}
```

程序运行结果如图 6.43 所示。

```
D:\数据结构\例6-05\Debug\例...                    —    □    ×
请输入图的顶点数,边数(以逗号分隔):7,8
请输入7个顶点的值:a b c d g h f
请输入边的两个顶点(以空格作为间隔):
a b
a c
a d
b h
d h
d c
d g
d f
该图中有7个顶点: a b c d g h f
图中共有16条边:
(a,d)  (a,c)  (a,b)
(b,h)  (b,a)
(c,d)  (c,a)
(d,f)  (d,g)  (d,c)  (d,h)  (d,a)
(g,d)
(h,d)  (h,b)
(f,d)
距离a的最短路径为 2的顶点有: f ,g,h
请按任意键继续. . .
```

图 6.43   程序运行结果

6.7.2   求图中顶点 u 到顶点 v 的简单路径

【例 6.6】创建一个无向图，求图中从顶点 u 到顶点 v 的一条简单路径，并输出所在路径。

【分析】主要考查图广度优先遍历。从顶点 u 开始对图进行广度优先遍历，如果访问到顶点 v，则说明从顶点 u 到顶点 v 存在一条路径。因为在图的遍历过程中，要求每个顶点只能访问一次，所以该路径一定是简单路径。在遍历过程中，将当前访问到的顶点都记录下来，就得到了从顶点 u 到顶点 v 的简单路径。可以利用一个一维数组 parent 记录访问过的顶点，如path[u]＝w，表示顶点 w 是顶点 u 的前驱顶点。如果 u 到 v 是一条简单路径，则输出该路径。

以图 6.42 所示的无向图 G_9 为例，其邻接表存储结构如图 6.44 所示。

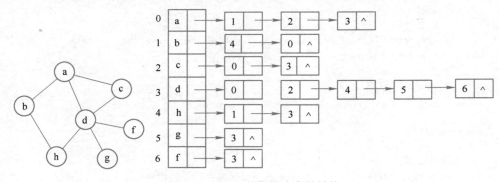

图 6.44   图 G_9 的邻接表存储结构

求解从顶点 u 到顶点 v 的一条简单路径算法的描述如下：

```
void BriefPath( AdjGraph G,int u,int v)
/*求图 G 中从顶点 u 到顶点 v 的一条简单路径*/
{
    int k,i;
    SeqStack S,T;
```

```
        ArcNode * p;
        int visited[MaxSize];
        int parent[MaxSize];                    /* 存储已经访问过顶点的前驱顶点 */
        InitStack(&S);
        InitStack(&T);
        for(k=0;k<G.vexnum;k++)                 /* 访问标志初始化 */
            visited[k]=0;
        PushStack(&S,u);                        /* 开始顶点入栈 */
        visited[u]=1;                           /* 访问标志置为 1 */
        while(!StackEmpty(S))                   /* 广度优先搜索图,访问路径用 parent 存储 */
        {
            PopStack(&S,&k);
            p=G.vertex[k].firstarc;
            while(p!=NULL)
            {
                if(p->adjvex==v)                /* 如果找到顶点 v */
                {
                    parent[p->adjvex]=k;        /* 顶点 v 的前驱顶点序号是 k */
                    printf("顶点%s 到顶点%s 的路径是: ",G.vertex[u].data,G.vertex[v].data);
                    i=v;
                    do                          /* 从顶点 v 开始将路径中的顶点依次入栈 */
                    {
                        PushStack(&T,i);
                        i=parent[i];
                    }while(i!=u);
                    PushStack(&T,u);
                    while(!StackEmpty(T))       /* 从顶点 u 开始输出 u 到 v 中路径的顶点 */
                    {
                        PopStack(&T,&i);
                        printf("%s ",G.vertex[i].data);

                    }
                    printf("\n");
                }
                else if(visited[p->adjvex]==0)/* 若未找到顶点 v 且邻接点未访问过,则继续搜索 */
                {
                    visited[p->adjvex]=1;
                    parent[p->adjvex]=k;
                    PushStack(&S,p->adjvex);
                }
                p=p->nextarc;
            }
        }
}
void main()
{
    AdjGraph G;
    CreateGraph(&G);                            /* 采用邻接表存储结构创建图 G */
    DisplayGraph(G);                            /* 输出无向图 G */
    BriefPath(G,0,4);                           /* 求图 G 中从顶点 a 到顶点 h 的简单路径 */
    DestroyGraph(&G);                           /* 销毁图 G */

}
```

程序运行结果如图 6.45 所示。

```
■ D:\数据结构\例6-06\Debug\例6-...    —    □    ×
请输入图的顶点数,边数(以逗号分隔): 7,8
请输入7个顶点的值:a b c d h g f
请输入边的两个顶点(以空格作为间隔):
a b
a c
a d
b h
d h
d c
d g
d f
该图中有7个顶点: a b c d h g f
图中共有16条边:
(a,d)  (a,c)  (a,b)
(b,h)  (b,a)
(c,d)  (c,a)
(d,f)  (d,g)  (d,c)  (d,h)  (d,a)
(h,d)  (h,b)
(g,d)
(f,d)
顶点a到顶点h的路径是: a b h
顶点a到顶点h的路径是: a d h
请按任意键继续. . .
```

图 6.45　程序运行结果

思考题

解决问题的方法可能有多种，从最短路径的学习过程中你体会到了什么？你认为精益求精、追求卓越的品质是否在求最短路径中得到了体现，它有什么用处？

6.8　小结

图在数据结构中占据着非常重要的地位，图反映的是一种多对多的关系。在图中，结点之间并不像线性结构那样具有前驱和后继之分，只是在对图进行某种遍历时，才具有所谓的前驱和后继。

图由顶点和边（弧）构成，根据边的有向和无向可以将图分为两种：有向图和无向图。图的存储结构有四种：邻接矩阵存储结构、邻接表存储结构、十字链表存储结构和邻接多重表存储结构。图的遍历分为两种：广度优先遍历和深度优先遍历。图的广度优先遍历类似于树的层次遍历，图的深度优先遍历类似于树的先根遍历。

一个连通图的生成树是指一个极小连通子图，假设图中有 n 个顶点，则它包含构成一棵树的 $n-1$ 条边。最小生成树是指带权的无向连通图的所有生成树中代价最小的生成树。所谓代价最小，是指构成最小生成树的边的权值之和最小。

构造最小生成树的算法主要有两个：普里姆算法和克鲁斯卡尔算法。普里姆算法的思想是：从一个顶点 v_0 出发，将顶点 v_0 加入集合 U，图中的其余顶点都属于 V，然后从集合 U 和 V 中分别选择一个顶点（两个顶点所在的边属于图），如果边的代价最小，则将该边加入集合 TE，顶点也并入集合 U。克鲁斯卡尔算法的思想是：将所有的边的权值按照递增顺序排序，从小到大选择边，同时需要保证边的邻接顶点不属于同一个集合。

　　关键路径是指路径最长的路径，关键路径表示了完成工程的最短工期。通常用图的顶点表示事件，用弧表示活动，用权值表示活动的持续时间。关键路径的活动称为关键活动，关键活动可以决定整个工程完成任务的日期。非关键活动不能决定工程的进度。

　　最短路径是指从一个顶点到另一个顶点的路径长度最小的一条路径。最短路径的算法主要有两个：迪杰斯特拉算法和弗洛伊德算法。迪杰斯特拉算法的思想是：每次都要选择从源点到其他各顶点路径最短的顶点，然后利用该顶点更新当前的最短路径。弗洛伊德算法的思想是：每次通过添加一个中间顶点，比较当前的最短路径长度与刚添加进去的中间顶点构成的路径的长度，选择最小的一个。

习　题

一、选择题

1. 对于具有 n 个顶点的图，若采用邻接矩阵表示，则该矩阵的大小为（　　　）。

　　A. n　　　　　　　　B. n^2　　　　　　　　C. $n-1$　　　　　　　　D. $(n-1)^2$

2. 如果从无向图的任一顶点出发进行一次深度优先搜索即可访问所有顶点，则该图一定是（　　　）。

　　A. 完全图　　　　　　B. 连通图　　　　　　C. 有回路　　　　　　　D. 一棵树

3. 关键路径是事件结点网络中（　　　）。

　　A. 从源点到汇点的最长路径　　　　　　B. 从源点到汇点的最短路径

　　C. 最长的回路　　　　　　　　　　　　D. 最短的回路

4. 在以下算法中，（　　　）可以判断出一个有向图中是否有环（回路）。

　　A. 广度优先遍历　　　　　　　　　　　B. 拓扑排序

　　C. 求最短路径　　　　　　　　　　　　D. 求关键路径

5. 带权有向图 G 用邻接矩阵 A 存储，则顶点 i 的入度等于 A 中（　　　）。

　　A. 第 i 行非无穷的元素之和　　　　　　B. 第 i 列非无穷的元素个数之和

　　C. 第 i 行非无穷且非 0 的元素个数　　　D. 第 i 行与第 i 列非无穷且非 0 的元素之和

6. 采用邻接表存储的图，其深度优先遍历类似于二叉树的（　　　）。

　　A. 中序遍历　　　　　B. 先序遍历　　　　　C. 后序遍历　　　　　D. 按层次遍历

7. 无向图的邻接矩阵是一个（　　　）。

　　A. 对称矩阵　　　　　B. 零矩阵　　　　　　C. 上三角矩阵　　　　D. 对角矩阵

8. 下列关于最小生成树的叙述中，正确的是（　　　）。

Ⅰ. 最小生成树的代价唯一

Ⅱ. 所有权值最小的边一定会出现在所有的最小生成树中

Ⅲ. 使用 Prim 算法从不同顶点开始得到的最小生成树一定相同

Ⅳ. 使用 Prim 和 Kruskal 算法得到的最小生成树一定相同

　　A. Ⅰ　　　　　　　　B. Ⅱ　　　　　　　　C. Ⅲ　　　　　　　　D. Ⅳ

9. 若用邻接矩阵存储有向图，矩阵中主对角线以下的元素均为零，则关于该图拓扑序列的结论是（　　　）。

　　A. 存在，且唯一　　　　　　　　　　　B. 存在，且不唯一

　　C. 存在，可能不唯一　　　　　　　　　D. 无法确定是否存在

10. 图 6.46 所示的有向图的拓扑排序的结果序列是（　　　）。

A. 125634　　　　B. 516234　　　　C. 123456　　　　D. 521643

11. 对有 n 个顶点、e 条边且使用邻接表存储的有向图进行广度优先遍历，其算法时间复杂度为（　　）。

A. $O(n)$　　　　　　　　　　B. $O(e)$

C. $O(n+e)$　　　　　　　　　D. $O(n×e)$

12. 设 G1＝（V1，E1）和 G2＝（V2，E2）为两个图，如果 V1⊆V2，E1⊆E2，则称（　　）。

A. G1 是 G2 的子图　　　　　　B. G2 是 G1 的子图

C. G1 是 G2 的连通分量　　　　D. G2 是 G1 的连通分量

图 6.46　有向图 1

13. 已知一个有向图的邻接矩阵表示，要删除所有从第 i 个结点发出的边，应（　　）。

A. 将邻接矩阵的第 i 行删除　　　B. 将邻接矩阵的第 i 行元素全部置为 0

C. 将邻接矩阵的第 i 列删除　　　D. 将邻接矩阵的第 i 列元素全部置为 0

14. 任一个有向图的拓扑序列（　　）。

A. 不存在　　　　B. 有一个　　　　C. 一定有多个　　　D. 有一个或多个

15. 下列关于图遍历的说法不正确的是（　　）。

A. 连通图的深度优先搜索是一个递归过程

B. 图的广度优先搜索中，邻接点的寻找具有"先进先出"的特征

C. 非连通图不能用深度优先搜索法

D. 图的遍历要求每一顶点仅被访问一次

16. 对于图 6.47 所示的有向图，若采用迪杰斯特拉算法求从源点 A 到其他各顶点的最短路径，则得到的第一条最短路径的目标顶点是 B，第二条最短路径的目标顶点是 C，后续得到的其余各最短路径（从小到大）的目标顶点依次是（　　）。

A. D，E，F　　　B. E，D，F　　　C. F，D，E　　　D. F，E，D

17. 采用邻接表存储的图的广度优先遍历算法类似于二叉树的（　　）。

A. 先序遍历　　　B. 中序遍历　　　C. 后序遍历　　　D. 按层次遍历

18. 若对图 6.48 所示的无向图进行遍历，则下列选项中不是广度优先遍历序列的是（　　）。

A. h，a，b，e，c，d，f，g　　　　B. e，a，f，g，b，h，c，d

C. d，b，c，a，h，e，f，g　　　　D. a，b，c，d，h，e，f，g

图 6.47　有向图 2

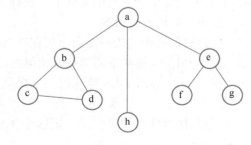

图 6.48　无向图

二、综合分析题

1. 已知图 G 的邻接矩阵如图 6.49 所示。

1）求从顶点 1 出发的广度优先搜索序列。

2）根据 Prim 算法，求图 G 从顶点 1 出发的最小生成树，要求表示出其每一步生成过程。（用图或者表的方式均可）

2. 写出图 6.50 中全部可能的拓扑排序序列。

图 6.49 图 G 的邻接矩阵

图 6.50 有向图 G（1）

3. 已知图 6.51 所示的有向图 G，根据迪杰斯特拉算法求顶点 v_0 到其他顶点的最短距离。（给出求解过程）

4. 已知图 6.52 所示的无向图 G，根据 Prim 算法构造最小生成树。（要求给出生成过程）

图 6.51 有向图 G（2）

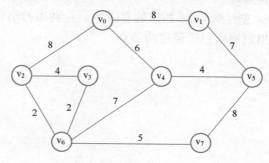

图 6.52 无向图 G（1）

5. 已知图 6.53 所示的 AOE 网：

1）求事件的最早开始时间 v_e 和最迟开始时间 v_1。

2）求出关键路径。

图 6.53 AOE 网

6. 已知图 6.54 所示的无向图 G，根据克鲁斯卡尔算法求图 G 的一棵最小生成树。（要求给出构造过程）

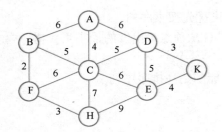

图 6.54　无向图 G（2）

三、算法设计题

1. 编写一个算法，判断有向图是否存在回路。

2. 编写一个算法，判断无向图是否是一棵树。如果是树，则返回 1，否则返回 0。

3. 编写一个算法，判断无向图是否是连通图。如果是连通图，则返回 1，否则返回 0。

4. 采用邻接表创建一个无向图 G_6，并实现对图的深度优先遍历和广度优先遍历。

5. 采用邻接表创建图 6.29 所示的有向网，并求网中顶点的拓扑序列，然后计算该有向网的关键路径。

6. 创建图 6.31 所示的有向网，并利用弗洛伊德算法求解各个顶点之间的最短路径长度，并输出最短路径所经过的顶点。

第7章
查找

在计算机处理非数值问题时，经常会用到查找操作。本书第2~6章已经介绍了各种线性和非线性数据结构，本章将讨论在实际应用中大量使用的查找技术。

7.1 查找的基本概念

在介绍有关查找的算法之前，先介绍与查找相关的基本概念。

查找表（Search Table）：是由同一种类型的数据元素构成的集合。查找表中的数据元素是完全松散的，数据元素之间没有直接的联系。

查找：是指根据关键字在特定的查找表中找到一个与给定关键字相同的数据元素的操作。如果在表中找到相应的数据元素，则称查找是成功的，否则称查找是失败的。表 7.1 所示为学生学籍信息，如果要查找的学生信息不能通过一个关键字唯一标识，如姓名为"刘华平"的学生信息有两条，为了准确定位学生记录信息，还可以将入学年份"2020"作为关键字进行组合查询。

表 7.1 学生学籍信息表

学　号	姓　名	性　别	出生年月	所在院系	家庭住址	入学年份
201709001	张力	男	1998.09	信息管理	陕西西安	2017
201709002	王平	女	1998.12	信息管理	四川成都	2017
201909107	陈红	女	2000.05	通信工程	安徽合肥	2019
202009021	刘华平	男	2001.11	计算机科学	江苏常州	2020
201909008	赵华	女	2001.07	法学院	山东济宁	2019
201809008	刘华平	男	2000.07	软件学院	陕西咸阳	2018

关键字（Key）与主关键字（Primary Key）：是指数据元素中某个数据项的值。如果该关键字可以将所有的数据元素区别开来，也就是说可以唯一标识一个数据元素，则该关键字被称为主关键字，否则被称为次关键字。特别地，如果数据元素只有一个数据项，则数据元素的值即是关键字。

静态查找（Static Search）：是指仅仅在数据元素集合中查找是否存在与关键字相等的数据元素。静态查找过程中的存储结构称为静态查找表。

动态查找（Dynamic Search）：是指在查找过程中，在数据元素集合中插入数据元素，或者在数据元素集合中删除某个数据元素。动态查找过程中所使用的存储结构称为动态查找表。

通常，为了讨论查找的方便，要查找的数据元素中仅包含关键字。

平均查找长度（Average Search Length）：是指在查找过程中需要比较关键字的平均次数，它是衡量查找算法的效率标准。平均查找长度的数学定义为 ASL $= \sum_{i=1}^{n} P_i C_i$。其中，P_i 表示查找表中第 i 个数据元素的概率；C_i 表示在找到第 i 个数据元素时，与关键字比较的次数。

7.2 静态查找

静态查找主要包括顺序表、有序顺序表和索引顺序表的查找。

7.2.1 顺序表的查找

顺序表的查找是指从表的一端开始，逐个与关键字进行比较。如果某个数据元素的关键字与给定的关键字相等，则查找成功，函数返回该数据元素所在的顺序表的位置，否则查找失败，返回 0。

顺序表的存储结构描述如下：

```
#define MaxSize 100
typedef struct
{
    KeyType key;
}DataType;
typedef struct
{
    DataType list[MaxSize];
    int length;
}SSTable;
```

顺序表的查找算法描述如下：

```
int SeqSearch(SSTable S,DataType x)
/*在顺序表中查找关键字为 x 的元素，如果找到，则返回该元素在表中的位置，否则返回 0*/
{
    int i=0;
    while(i<S.length&&S.list[i].key!=x.key)      /*从顺序表的第一个元素开始比较*/
        i++;
    if(i>=S.length)
        return 0;
    else if(S.list[i].key==x.key)
        return i+1;
}
```

以上算法也可以通过设置监视哨的方法实现，其算法描述如下：

```
int SeqSearch2(SSTable S,DataType x)
/*设置监视哨 S.list[0]，在顺序表中查找关键字为 x 的元素，如果找到，则返回该元素在表中的
位置，否则返回 0*/
{
    int i=S.length;
    S.list[0].key=x.key;                     /*将关键字存放在第 0 号位置，防止越界*/
    while(S.list[i].key!=x.key)              /*从顺序表的最后一个元素开始向前比较*/
```

```
            i--;
        return i;
    }
```

其中，S. list[0]被称为监视哨，可以防止出现数组越界。

下面分析带监视哨查找算法的效率。假设表中有 n 个数据元素，且数据元素在表中出现的概率都相等，即 $\frac{1}{n}$，则顺序表在查找成功时的平均查找长度为：

$$\text{ASL}_{成功} = \sum_{i=1}^{n} P_i C_i = \sum_{i=1}^{n} \frac{1}{n} \times (n - i + 1) = \frac{n+1}{2}$$

即查找成功时，平均比较次数约为表长的一半。在查找失败时，即要查找的元素没有在表中，则每次比较都需要进行 $n+1$ 次。

7.2.2 有序顺序表的查找

所谓有序顺序表，就是顺序表中的元素是以关键字进行有序排列的。对于有序顺序表的查找有两种方法：顺序查找和折半查找。

1. 顺序查找

有序顺序表的顺序查找算法与顺序表的查找算法类似。在查找成功时，通常不需要比较表中的所有元素。如果要查找的元素在表中，则返回该元素的序号，否则返回 0。例如，一个有序顺序表的数据元素集合为 $\{10, 20, 30, 40, 50, 60, 70, 80\}$，如果要查找数据元素的关键字为 56，从最后一个元素开始与 50 比较，当比较到 50 时就不需要再往前比较了。前面的元素值都小于关键字 56，因此，该表中不存在要查找的关键字。设置监视哨的有序顺序表的查找算法描述如下：

```
int SeqSearch2(SSTable S, DataType x)
/* 设置监视哨 S. list[0]，在有序顺序表中查找关键字为 x 的元素，如果找到，则返回该元素在表中的位置，否则返回 0 */
{
    int i = S. length;
    S. list[0]. key = x. key;             /* 将关键字存放在第 0 号位置，防止越界 */
    while(S. list[i]. key > x. key)        /* 从有序顺序表的最后一个元素开始向前比较 */
        i--;
    if(S. list[i]. key == x. key)
        return i;
    return 0;
}
```

假设表中有 n 个元素且要查找的数据元素在数据元素集合中出现的概率相等，即为 $\frac{1}{n}$，则

有序顺序表在查找成功时的平均查找长度为 $\text{ASL}_{成功} = \sum_{i=1}^{n} P_i C_i = \sum_{i=1}^{n} \frac{1}{n} \times (n - i + 1) = \frac{n+1}{2}$，即查找成功时，平均比较次数约为表长的一半。在查找失败时，即要查找的元素没有在表中，则有序顺序表在查找失败时的平均查找长度为 $\text{ASL}_{失败} = \sum_{i=1}^{n} P_i C_i = \sum_{i=1}^{n} \frac{1}{n+1} \times (n - i + 1) = \frac{n}{2} + 1$，即查找失败时，平均比较次数也同样约为表长的一半。

2. 折半查找

折半查找的前提条件是表中的数据元素有序排列。所谓折半查找，就是在所要查找元素集合的范围内，依次与表中间的元素进行比较，如果找到与关键字相等的元素，则说明查找成功，否则利用中间位置将表分成两段。如果查找关键字小于中间位置的元素值，则进一步与前一个子表的中间位置元素比较，否则与后一个子表的中间位置元素进行比较。重复以上操作，直到找到与关键字相等的元素，表明查找成功。如果子表为空表，则表明查找失败。折半查找又称为二分查找。

例如，一个有序顺序表为(9,23,26,32,36,47,56,63,79,81)，如果要查找56，利用以上折半查找的思想，折半查找过程如图 7.1 所示。其中，图中 low 和 high 表示两个指针，分别指向待查找元素的下界和上界，指针 mid 指向 low 和 high 的中间位置，即 mid=(low+high)/2。

图 7.1 折半查找过程

在图 7.1 中，当 mid=4 时，因为 36<56，说明要查找的元素应该在 36 之后的位置，所以需要将指针 low 移动到 mid 的下一个位置，使 low=5，而 high 不需要移动。这时有 mid=(5+9)/2=7，而 63>56，说明要查找的元素应该在 mid 之前，因此需要将 high 移动到 mid 前一个位置，即 high=mid−1=6。这时有 mid=(5+6)/2=5，又因为 47<56，需要修改 low，使 low=6。这时有 low=high=6，mid=(6+6)/2=6，有 list[mid].key==x.key，所以查找成功。如果下界指针 low>上界指针 high，表示表中没有与关键字相等的元素，查找失败。

折半查找的算法描述如下：

```
int BinarySearch(SSTable S,DataType x)
/*在有序顺序表中折半查找关键字为 x 的元素，如果找到，则返回该元素在表中的位置，否则返
回 0*/
{
    int low,high,mid;
    low=0,high=S.length−1;              /*设置待查找元素范围的下界和上界*/
    while(low<=high)
    {
        mid=(low+high)/2;
        if(S.list[mid].key==x.key)  /*如果找到元素，则返回该元素所在的位置*/
            return mid+1;
        else if(S.list[mid].key<x.key) /*如果 mid 所指示的元素小于关键字，则修改 low 指针*/
            low=mid+1;
        else if(S.list[mid].key>x.key) /*如果 mid 所指示的元素大于关键字，则修改 high 指针*/
```

```
                    high＝mid-1;
            }
        return 0;
    }
```

用折半查找算法查找关键字为 56 的元素时，需要比较的次数为 4 个。从图 7.1 中可以看出，查找元素 36 时需要比较 1 次，查找元素 63 时需要比较 2 次，查找元素 47 时需要比较 3 次，查找元素 56 时需要比较 4 次。折半查找关键字为 56 的过程可以用图 7.2 所示的二叉判定树来表示。树中的每个结点表示表中元素的关键字。

图 7.2　折半查找关键字为 56 的过程的二叉判定树

从图 7.2 中的判定树可以看出，查找关键字为 56 的过程正好是从根结点到元素值为 56 的结点的路径。所要查找元素所在判定树的层次就是折半查找要比较的次数。因此，假设表中具有 n 个元素，折半查找成功时，至多需要比较的次数为 $\lfloor \log_2 n \rfloor +1$。

对于具有 n 个结点的有序表，刚好能够构成一个深度为 h 的满二叉树，则有 $h=\lfloor \log_2(n+1) \rfloor$。二叉树中第 i 层的结点个数是 2^{i-1}，假设表中每个元素的查找概率相等，即 $P_i=\dfrac{1}{n}$，则有序表折半查找成功时的平均查找长度为 $\text{ASL}_{成功} = \sum_{i=1}^{n} P_i C_i = \sum_{i=1}^{h} \dfrac{1}{n} \times i \times 2^{i-1} = \dfrac{n+1}{n} \log_2(n+1) - 1$。在查找失败时，即要查找的元素没有在表中，则有序顺序表折半查找失败时的平均查找长度为 $\text{ASL}_{失败} = \sum_{i=1}^{n} P_i C_i = \sum_{i=1}^{h} \dfrac{1}{n} \times \log_2(n+1) = \log_2(n+1)$。

7.2.3　索引顺序表的查找

索引顺序表的查找就是将顺序表分成几个单元，然后为这几个单元建立一个索引，利用索引在其中的一个单元中进行查找。索引顺序表查找也称为分块查找，主要应用在表中存在大量的数据元素的时候，通过为顺序表建立索引和分块来提高查找的效率。

通常，将为顺序表提供索引的表称为索引表。索引表分为两个部分：一个用来存储顺序表中每个单元的最大的关键字，另一个用来存储顺序表中每个单元的第一个元素的下标。索引表中的关键字必须是有序的，主表中的元素可以是按关键字有序排列，也可以是在单元内或块中是有序的，即后一个单元中的所有元素的关键字都大于前一个单元中的元素的关键字。一个索引顺序表如图 7.3 所示。

图 7.3　索引顺序表

从图 7.3 可以看出，索引表将主表分为 4 个单元，每个单元有 5 个元素。要查找主表中的某个元素，需要分为两步查找，第一步需要确定要查找元素所在的单元，第二步在该单元中进行查找。例如，要查找关键字为 47 的元素，首先需要将 47 与索引表中的关键字进行比较，因为 41<47<52，所以需要在第 3 个单元中查找，该单元的起始下标是 10，因此从主表中下标为 10 的位置开始查找，直到找到关键字为 47 的元素为止。如果主表中不存在该元素，则只需要将关键字 47 与第 3 个单元中的 5 个元素进行比较，如果都不相等则说明查找失败。

因为索引表中的元素是按照关键字有序排列的，所以在确定元素所在的单元时，可以用顺序查找索引表，也可以采用折半查找法查找索引表。但是在主表中的元素是无序的，因此只能够采用顺序法查找。索引顺序表的平均查找长度可以表示为 $\text{ASL}=L_{\text{index}}+L_{\text{unit}}$。其中，$L_{\text{index}}$ 是索引表的平均查找长度，L_{unit} 是单元中元素的平均查找长度。

假设主表中的元素个数为 n，并将该主表平均分为 b 个单元，且每个单元有 s 个元素，即 $b=n/s$。如果表中的元素查找概率相等，则每个单元中元素的查找概率就是 $1/s$，主表中每个单元的查找概率是 $1/b$。如果用顺序查找法查找索引表中的元素，则索引顺序表查找成功时的平均查找长度为 $\text{ASL}_{\text{成功}} = L_{\text{index}} + L_{\text{unit}} = \dfrac{1}{b}\sum_{i=1}^{b} i + \dfrac{1}{s}\sum_{j=1}^{s} j = \dfrac{b+1}{2} + \dfrac{s+1}{2} = \dfrac{1}{2}\times\left(\dfrac{n}{s}+s\right) + 1$。

如果用折半查找法查找索引表中的元素，则有 $L_{\text{index}}=\dfrac{b+1}{b}\log_2(b+1)+1\approx\log_2(b+1)-1$，将其代入到 $\text{ASL}_{\text{成功}}=L_{\text{index}}+L_{\text{unit}}$ 中，则索引顺序表查找成功时的平均查找长度为 $\text{ASL}_{\text{成功}} = L_{\text{index}} + L_{\text{unit}} = \log_2(b+1) - 1 + \dfrac{1}{s}\sum_{j=1}^{s} j = \log_2(b+1) - 1 + \dfrac{s+1}{2} \approx \log_2(n/s+1) + \dfrac{s}{2}$。

当然，当主表中每个单元中的元素个数不相等的时候，就需要在索引表中增加一项，即用来存储主表中每个单元元素的个数。将这种利用索引表示的顺序表称为不等长索引顺序表。例如，一个不等长的索引顺序表如图 7.4 所示。

图 7.4　不等长索引顺序表

7.3　动态查找

动态查找是指在查找的过程中动态生成表结构。对于给定的关键字，如果表中存在，则返回其位置，表示查找成功，否则插入该关键字的元素。

7.3.1　二叉排序树

二叉排序树也称为二叉查找树。二叉排序树的查找是一种常用的动态查找方法。下面介绍二叉排序树的查找过程、二叉排序树的插入和删除。

扫码看视频

1. 二叉排序树的定义与查找

所谓二叉排序树，或者是一棵空二叉树，具有以下性质：

1）如果二叉树的左子树不为空，则左子树上的每一个结点的值都小于其对应根结点的值。

2）如果二叉树的右子树不为空，则右子树上的每一个结点的值都大于其对应根结点的值。

3）该二叉树的左子树和右子树也满足性质1）和2），即左子树和右子树也是一棵二叉排序树。

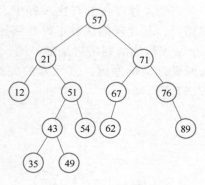

显然，这是一个递归的定义。图 7.5 为一棵二叉排序树。图中的每个结点都是对应元素关键字的值。

从图 7.5 中可以看出，图中的每个结点的值都大于其所有左子树结点的值，而小于其所有右子树中结点的值。如果要查找与二叉树中某个关键字相等的结点，则可以从根结点开始，与给定的关键字比较，如果相等，则查找成功；如果给定的关键字小于根结点的值，则在该根结点的左子树中查找；如果给定的关键字大于根结点的值，则在该根结点的右子树中查找。

图 7.5　二叉排序树

采用二叉树的链式存储结构，二叉排序树的类型定义如下：

```
typedef struct Node
{
    DataType data;
    struct Node * lchild, * rchild;
}BiTreeNode, * BiTree;
```

二叉排序树的查找算法描述如下：

```
BiTree BSTSearch(BiTree T,DataType x)
/* 二叉排序树的查找，如果找到元素 x，则返回指向结点的指针，否则返回 NULL */
{
    BiTreeNode * p;
    if(T!=NULL)                         /* 如果二叉排序树不为空 */
    {
        p=T;
        while(p!=NULL)
        {
            if(p->data. key==x. key)    /* 如果找到，则返回指向该结点的指针 */
                return p;
            else if(x. key<p->data. key) /* 如果关键字小于 p 指向的结点的值，则在左子树
中查找 */
                p=p->lchild;
            else
                p=p->rchild;            /* 如果关键字大于 p 指向的结点的值，则在右子树
中查找 */
        }
    }
    return NULL;
}
```

这里利用二叉排序树的查找算法思想，查找关键字为 x.key = 62 的元素。从根结点开始，依次将该关键字与二叉树的根结点比较。因为有 62>57，所以需要在结点为 57 的右子树中进行查找。因为有 62<71，所以需要在以 71 为结点的左子树中继续查找。因为有 62<67，所以需要在结点为 67 的左子树中查找。因为该关键字与结点为 67 的左孩子结点对应的关键字相等，所以查找成功，返回结点 62 对应的指针。如果要查找关键字为 23 的元素，当比较到结点为 12 的元素时，因为关键字 12 对应的结点不存在右子树，所以查找失败，返回 NULL。

在二叉排序树的查找过程中，查找某个结点的过程正好是走了从根结点到要查找结点的路径，其比较的次数正好是路径长度加 1，这类似于折半查找。与折半查找不同的是，由 n 个结点构成的判定树是唯一的，而由 n 个结点构成的二叉排序树则不唯一。例如，图 7.6 为两棵二叉排序树，其元素的关键字序列分别是 $\{57,21,71,12,51,67,76\}$ 和 $\{12,21,51,57,67,71,76\}$。

二叉排序树的高度为3   二叉排序树的高度为7

图 7.6   两棵不同形态的二叉排序树

在图 7.6 中，假设每个元素的查找概率相等，则左边图的平均查找长度为 $\text{ASL}_{成功} = \frac{1}{7} \times (1+2\times2+4\times3) = \frac{17}{7}$，右边图的平均查找长度为 $\text{ASL}_{成功} = \frac{1}{7} \times (1+2+3+4+5+6+7) = \frac{28}{7} = 4$。因此，树的平均查找长度与树的形态有关。如果二叉排序树有 n 个结点，则在最坏的情况下，平均查找长度为 $\frac{n+1}{2}$；在最好的情况下，平均查找长度为 $\log_2 n$。

2. 二叉排序树的插入操作

二叉排序树的插入操作过程其实就是二叉排序树的建立过程。二叉树的插入操作从根结点开始，首先检查当前结点是不是要查找的元素。如果是，则不进行插入操作，否则将结点插入查找失败时结点的左指针或右指针处。在算法的实现过程中，需要设置一个指向下一个要访问结点的双亲结点指针 parent，即需要记下前驱结点的位置，以便在查找失败时进行插入操作。

假设当前结点指针 cur 为空，则说明查找失败，需要插入结点。如果 parent->data.key 小于要插入的结点 x，则需要将 parent 的左指针指向 x，使 x 成为 parent 的左孩子结点。如果 parent->data.key 大于要插入的结点 x，则需要将 parent 的右指针指向 x，使 x 成为 parent 的右孩子结点。如果二叉排序树为空树，则使当前结点成为根结点。在整个二叉排序树的插入过程中，其插入操作都是在叶子结点处进行的。

二叉排序树的插入操作算法描述如下：

```
int BSTInsert( BiTree * T, DataType x)
/* 二叉排序树的插入操作, 如果树中不存在元素 x, 则将 x 插入正确的位置并返回 1, 否则返回 0 */
{
    BiTreeNode * p, * cur, * parent = NULL;
    cur = * T;
    while( cur! = NULL)
    {
        if( cur->data. key = = x. key)/* 如果二叉树中存在元素为 x 的结点, 则返回 0 */
            return 0;
        parent = cur;                  /* parent 指向 cur 的前驱结点 */
        if( x. key<cur->data. key)   /* 如果关键字小于 p 指向的结点的值, 则在左子树中查找 */
            cur = cur->lchild;
        else
            cur = cur->rchild;       /* 如果关键字大于 p 指向的结点的值, 则在右子树中查找 */
    }
    p = ( BiTreeNode * ) malloc( sizeof( BiTreeNode) );      /* 生成结点 */
    if( !p)
        exit( -1);
    p->data = x;
    p->lchild = NULL;
    p->rchild = NULL;
    if( !parent)                      /* 如果二叉树为空, 则第一个结点成为根结点 */
        * T = p;
    else if( x. key<parent->data. key)  /* 如果关键字小于 parent 指向的结点, 则 x 成为 parent 的
左孩子 */
        parent->lchild = p;
    else                              /* 如果关键字大于 parent 指向的结点, 则 x 成为 parent 的右孩子 */
        parent->rchild = p;
    return 1;
}
```

对于一个关键字序列｛37,32,35,62,82,95,73,12,5｝, 根据二叉排序树的插入算法思想, 对应的二叉排序树插入过程如图 7.7 所示。

图 7.7　二叉排序树的插入过程

259

从图7.7可以看出，通过中序遍历二叉排序树，可以得到一个关键字有序的序列{5,12,32,35,37,62,73,82,95}。因此，构造二叉排序树的过程就是对一个无序的序列排序的过程，且每次插入的结点都是叶子结点。在二叉排序树的插入操作过程中，不需要移动结点，仅需要移动结点指针，实现较为容易。

3. 二叉排序树的删除操作

在二叉排序树中删除一个结点后，剩下的结点仍然构成一棵二叉排序树，即保持原来的特性。删除二叉排序树中的一个结点，可以分为3种情况讨论。假设要删除的结点由指针 s 指示，指针 p 指向 s 的双亲结点，设 s 指向 p 的左孩子结点。二叉排序树的各种删除情形如图7.8所示。

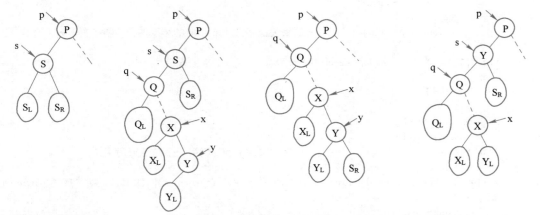

图7.8 二叉排序树的删除操作的各种情形

1）如果 s 指向的结点为叶子结点，其左子树和右子树为空，删除叶子结点不会影响树的结构特性，因此只需要修改 p 的指针即可。

2）如果 s 指向的结点只有左子树或只有右子树，在删除了结点 *s 后，只需要将 s 的左子树 s_L 或右子树 s_R 作为 f 的左孩子，即 p->lchild=s->lchild 或 p->lchid=s->rchild。

3）如果 s 的左子树和右子树都存在，在删除结点 S 之前，二叉排序树的中序序列为 $\{\cdots Q_L Q \cdots X_L X Y_L Y S S_R P \cdots\}$，因此，在删除了结点 S 之后，有两种方法调整，使该二叉树仍然保持原来的性质不变。第一种方法是使结点 S 的左子树作为结点 P 的左子树，使结点 S 的右子树作为结点 Y 的右子树。第二种方法是使结点 S 的直接前驱取代结点 S，并删除 S 的直接前驱结点 Y，然后令结点 Y 原来的左子树作为结点 X 的右子树。通过这两种方法均可以使二叉排序树的性质不变。

二叉排序树的删除操作算法描述如下：

```
int BSTDelete( BiTree  * T,DataType x)
/*在二叉排序树 T 中存在值为 x 的数据元素时，删除该数据元素结点，并返回1，否则返回0 */
{
    if( ! * T)                              /*如果不存在值为 x 的数据元素，则返回0 */
        return 0;
    else
    {
```

```
            if(x. key = = ( * T)->data. key)      /*如果找到值为 x 的数据元素,则删除该结点 */
                DeleteNode( T);
            else if(( * T)->data. key>x. key)      /*如果当前元素值大于 x 的值,则在该结点的左子树
中查找并删除 */
                BSTDelete(&( * T)->lchild,x);
            else                                   /*如果当前元素值小于 x 的值,则在该结点的右子树
中查找并删除 */
                BSTDelete(&( * T)->rchild,x);
            return 1;
        }
}

void DeleteNode( BiTree * s)
/*从二叉排序树中删除结点 s,并使该二叉排序树的性质不变 */
{
    BiTree q,x,y;
    if( !( * s)->rchild)                /*如果 s 的右子树为空,则使 s 的左子树成为被删结
点双亲结点的左(右)子树 */
    {
        q= * s;
        * s=( * s)->lchild;
        free( q);
    }
    else if( !( * s)->lchild)           /*如果 s 的左子树为空,则使 s 的右子树成为被删结
点双亲结点的左(右)子树 */
    {
        q= * s;
        * s=( * s)->rchild;
        free( q);
    }
    else
    /*如果 s 的左、右子树都存在,则使 s 的直接前驱结点代替 s,并使其直接前驱结点的左子树
成为其双亲结点的右子树结点 */
    {
        x= * s;
        y=( * s)->lchild;
        while(y->rchild)/*查找 s 的直接前驱结点,y 为 s 的直接前驱结点,x 为 y 的双亲结点 */
        {
            x=y;
            y=y->rchild;
        }
        ( * s)->data=y->data;           /*结点 s 被 y 取代 */
        if(x! = * s)                    /*如果结点 s 的左孩子结点存在右子树 */
            x->rchild=y->lchild;        /*使 y 的左子树成为 x 的右子树 */
        else                            /*如果结点 s 的左孩子结点不存在右子树 */
            x->lchild=y->lchild;        /*使 y 的左子树成为 x 的左子树 */
        free( y);
    }
}
```

在算法的实现过程中,通过调用 Delete(T)来完成删除当前结点的操作,而函数 BSTDelete
(&(* T)->lchild,x) 和 BSTDelete(&(* T)->rchild,x)则实现在删除结点后,利用参数 T->
lchild 和 T->rchild 完成连接左子树和右子树,使二叉排序树的性质保持不变。

4. 二叉排序树的应用举例

【例 7.1】 给定一组元素序列{37,32,35,62,82,95,73,12,5}，利用二叉排序树的插入算法创建一棵二叉排序树，然后查找元素值为 73 的元素，并删除元素 32，然后以中序序列输出该元素序列。

【分析】给定一组元素值，利用插入算法将元素插入二叉树中，构成一棵二叉排序树，然后利用查找算法实现二叉排序树的查找。

```c
#include<stdio. h>
#include<stdlib. h>
#include<malloc. h>
typedef int KeyType;
typedef struct                    /* 元素的定义 */
{
    KeyType key;
} DataType;
typedef struct Node               /* 二叉排序树的类型定义 */
{
    DataType data;
    struct Node * lchild, * rchild;
} BiTreeNode, * BiTree;
void DeleteNode( BiTree  * s);
int BSTDelete( BiTree  * T, DataType x);
void InOrderTraverse( BiTree T);
BiTree BSTSearch( BiTree T, DataType x);
int BSTInsert( BiTree  * T, DataType x);
void main( )
{
    BiTree T = NULL, p;
    DataType table[ ] = {37,32,35,62,82,95,73,12,5};
    int n = sizeof( table)/sizeof( table[0]);
    DataType x = {73}, s = {32};
    int i;
    for( i = 0; i<n; i++)
        BSTInsert( &T, table[ i]);
    printf("中序遍历二叉排序树得到的序列为：\n");
    InOrderTraverse( T);
    p = BSTSearch( T, x);
    if( p! = NULL)
        printf("\n 二叉排序树查找，关键字%d 存在\n", x. key);
    else
        printf("查找失败！\n");
    BSTDelete( &T, s);
    printf("删除元素%d 后，中序遍历二叉排序树得到的序列为：\n", s. key);
    InOrderTraverse( T);
    printf("\n");
}
void InOrderTraverse( BiTree T)
/* 中序遍历二叉排序树的递归实现 */
{
    if( T)                        /* 如果二叉排序树不为空 */
    {
```

```
        InOrderTraverse(T->lchild);        /*中序遍历左子树*/
        printf("%4d",T->data);            /*访问根结点*/
        InOrderTraverse(T->rchild);        /*中序遍历右子树*/
    }
}
```

程序运行结果如图 7.9 所示。

图 7.9　程序运行结果

7.3.2　平衡二叉树

对于二叉排序树查找，在最坏的情况下，二叉排序树的深度为 n，其平均查找长度为 n。因此，为了减小二叉排序树的查找次数，需要进行平衡化处理，平衡化处理得到的二叉树称为平衡二叉树。

1. 平衡二叉树的定义

平衡二叉树或者是一棵空二叉树，或者是具有以下性质的二叉树：平衡二叉树的左子树和右子树的深度之差的绝对值小于或等于 1，且左子树和右子树也是平衡二叉树。平衡二叉树也称为 AVL 树。

如果将二叉树中结点的平衡因子定义为结点的左子树与右子树高度之差，则平衡二叉树中每个结点的平衡因子的值只有 3 种可能：-1、0 和 1。例如，图 7.10 所示即为平衡二叉树，结点的右边表示平衡因子，因为该二叉树既是二叉排序树又是平衡树，因此，该二叉树称为平衡二叉排序树。如果在二叉树中有一个结点的平衡因子的绝对值大于 1，则该二叉树是不平衡的。例如，图 7.11 所示为不平衡的二叉树。

图 7.10　平衡二叉树

如果二叉排序树是平衡二叉树，则其平均查找长度与 $\log_2 n$ 是同数量级的，可以尽量减少与关键字比较的次数。

2. 二叉排序树的平衡处理

在二叉排序树中插入一个新结点后，如何保证该二叉树是平衡二叉排序树呢？假设有一个关键字序列 {5,34,45,76,65}，依照此关键字序列建立二叉排序树，且使该二叉排序树是平衡二叉排序树。构造平衡二叉排序树的过程如图 7.12 所示。

图 7.11　不平衡二叉树

插入 5　　　　插入 34　　　插入 45 后二叉树不平衡　　以结点34为轴逆时针旋转，得到平衡二叉树　　插入 76

插入 65 后二叉树不平衡　　调整1：以结点76为轴顺时针旋转　　调整2：以结点65为轴逆时针旋转

图 7.12　构造平衡二叉排序树的过程

　　初始时，二叉树是空树，因此是平衡二叉树。在空二叉树中插入结点 5，该二叉树依然是平衡的。当插入结点 34 后，该二叉树仍然是平衡的，结点 5 的平衡因子变为 -1。当插入结点 45 后，结点 5 的平衡因子变为 -2，二叉树不再平衡，需要进行调整。只需要以结点 34 为轴进行逆时针旋转，将二叉树变为以 34 为根，这时各个结点的平衡因子都为 0，二叉树又转换为了平衡二叉树。

　　继续插入结点 76，二叉树仍然是平衡的。当插入结点 65 时，该二叉树失去了平衡，如果仍然按照上述方法，仅仅以结点 45 为轴进行旋转，就会失去二叉排序树的性质。为了保持二叉排序树的性质，又要保证该二叉树是平衡的，需要进行两次调整：先以结点 76 为轴进行顺时针旋转，然后以结点 65 为轴进行逆时针旋转。

　　一般情况下，新插入结点可能使二叉排序树失去平衡，通过使插入点最近的祖先结点恢复平衡，来使上一层祖先结点恢复平衡。因此，为了使二叉排序树恢复平衡，就需要从离插入点最近的结点开始调整。失去平衡的二叉排序树类型及调整方法可以归纳为以下 4 种情形。

　　1）LL 型。LL 型是指在离插入点最近的失衡结点的左子树的左子树中插入结点，导致二叉排序树失去平衡，如图 7.13 所示。距离插入点最近的失衡结点为 A，插入新结点 X 后，结点 A 的平衡因子由 1 变为 2，该二叉排序树失去平衡。为了使二叉树恢复平衡且保持二叉排序树的性质不变，可以使结点 A 作为结点 B 的右子树，使结点 B 的右子树作为结点 A 的左子树。这样就恢复了该二叉排序树的平衡，这相当于以结点 B 为轴，对结点 A 进行顺时针旋转。

图 7.13 LL 型二叉排序树的调整

为平衡二叉排序树的每个结点增加一个域 bf，用来表示对应结点的平衡因子，则平衡二叉排序树的类型定义描述如下：

```
typedef struct BSTNode                  /*平衡二叉排序树的类型定义*/
{
    DataType data;
    int bf;                             /*结点的平衡因子*/
    struct BSTNode * lchild, * rchild;  /*左、右孩子指针*/
} BSTNode, * BSTree;
```

2）LR 型。LR 型是指在离插入点最近的失衡结点的左子树的右子树中插入结点，导致二叉排序树失去平衡，如图 7.14 所示。

图 7.14 LR 型二叉排序树的调整

距离插入点最近的失衡结点为 A，在 C 的左子树 C_L 下插入新结点 X 后，结点 A 的平衡因子由 1 变为 2，该二叉排序树失去平衡。为了使二叉树恢复平衡且保持二叉排序树的性质不变，可以将结点 B 作为结点 C 的左子树，将结点 C 的左子树作为结点 B 的右子树。将结点 C 作为新的根结点，将结点 A 作为 C 的右子树的根结点，将结点 C 的右子树作为 A 的左子树，这样就恢复了该二叉排序树的平衡。此时相当于以结点 B 为轴，对结点 C 先做了一次逆时针旋转，然后以结点 C 为轴对结点 A 做了一次顺时针旋转。

3）RL 型。RL 型是指在离插入点最近的失衡结点的右子树的左子树中插入结点，导致二叉排序树失去平衡，如图 7.15 所示。

插入结点 X 后，二叉树失去平衡   以结点 B 为轴对 C 进行顺时针旋转，然后以 C 为轴对 A 进行逆时针旋转

图 7.15   RL 型二叉排序树的调整

距离插入点最近的失衡结点为 A，在 C 的右子树 C_R 下插入新结点 X 后，结点 A 的平衡因子由 −1 变为 −2，该二叉排序树失去平衡。为了使二叉树恢复平衡且保持二叉排序树的性质不变，可以将结点 B 作为结点 C 的右子树，将结点 C 的右子树作为结点 B 的左子树。将结点 C 作为新的根结点，将结点 A 作为 C 的右子树的根结点，将结点 C 的左子树作为 A 的右子树。这样就恢复了该二叉排序树的平衡。此时相当于以结点 B 为轴，对结点 C 先做了一次顺时针旋转，然后以结点 C 为轴对结点 A 做了一次逆时针旋转。

4）RR 型。RR 型是指在离插入点最近的失衡结点的右子树的右子树中插入结点，导致二叉排序树失去平衡，如图 7.16 所示。

 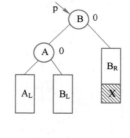

插入结点 X 后，二叉树失去平衡   以结点 B 为轴对 A 进行逆时针旋转

图 7.16   RR 型二叉排序树的调整

距离插入点最近的失衡结点为 A，在结点 B 的右子树 B_R 下插入新结点 X 后，结点 A 的平衡因子由 −1 变为 −2，该二叉排序树失去平衡。为了使二叉树恢复平衡且保持二叉排序树的性质不变，可以将结点 A 作为 B 的左子树的根结点，将结点 B 的左子树作为 A 的右子树，这样就恢复了该二叉排序树的平衡。此时相当于以结点 B 为轴，对结点 A 做了一次逆时针旋转。

综合以上 4 种情况，在平衡二叉排序树中插入一个新结点 e 的算法描述如下：

1）如果平衡二叉排序树是空树，则插入的新结点作为根结点，同时将该树的深度加 1。

2）如果二叉树中已经存在与结点 e 的关键字相等的结点，则不进行插入。

3）如果结点 e 的关键字小于要插入位置的结点的关键字，则将 e 插入该结点的左子树位置，并将该结点的左子树高度加 1，同时修改该结点的平衡因子；如果该结点的平衡因子绝对值大于 1，则需要进行平衡化处理。

4）如果结点 e 的关键字大于要插入位置的结点的关键字，则将 e 插入该结点的右子树位置，并将该结点的右子树高度加 1，同时修改该结点的平衡因子；如果该结点的平衡因子绝对值大于 1，则需要进行平衡化处理。

平衡二叉排序树的查找过程与二叉排序树类似，其比较次数最多为树的深度，如果树的结点个数为 n，则时间复杂度为 $O(\log_2 n)$。

7.3.3　红黑树

红黑二叉查找树（red-black BST）简称红黑树，顾名思义，它也是一种二叉查找树，在每个结点上增加一个存储位表示结点的颜色，可以是红或黑。红黑树是一种接近平衡的二叉树。

1. 红黑树的定义

红黑树是一棵具有以下性质的二叉查找树：

1）每个结点不是红色，就是黑色。

2）根结点的颜色为黑色。

3）叶子结点是空结点且为黑色。

4）若一个结点是红色的，则孩子结点一定是黑色的，即从根结点到叶子结点的路径中不存在连续的红色结点。

5）从任何一个结点出发到叶子结点的路径上，都包含相同数目的黑色结点。

根据性质 4），任何一个路径上不能有两个连续的红色结点，则每条路径上红色结点的个数是有限的，由于最长的路径是红黑相间的，因此，最长路径长度为最短路径长度的两倍。根据性质 5），若只考虑黑色结点，而忽略红色结点，则这棵树是平衡的。图 7.17 所示的两棵树都是红黑树。

在图 7.17 中，左边的红黑树从根结点到空结点的路径上，每个分支都包含 3 个黑色结点；右边的红黑树从根结点到空结点的路径上，每个分支都包含 4 个黑色结点。虽然每个分支的黑色结点个数不同，但都满足红黑树的性质。

2. 红黑树的基本运算

红黑树的存储结构、查找操作与二叉排序树类似，其主要区别在于插入和删除操作。

（1）红黑树的插入

与二叉排序树的插入类似，红黑树的插入也是在叶子结点处进行的。插入的新结点作为红黑树的叶子结点，唯一不同的是插入时必须考虑结点的着色。插入的结点被着色为红色，然后以二叉排序树的插入方法插入红黑树中；插入的结点被着为黑色，就会使从根结点到叶子结点的路径上多一个黑色结点，这就违背了性质 5），这是很难调整的。当然，着色为红色，也可能会导致出现两个连续红色结点，与性质 4）冲突，但这可通过颜色调换和树旋转来调整。

如果新插入的结点的双亲结点是黑色的，则红黑树的性质并没有被破坏，无须调整。当插入的新结点的双亲结点是红色时，与性质 4）冲突，则需要进行调整。

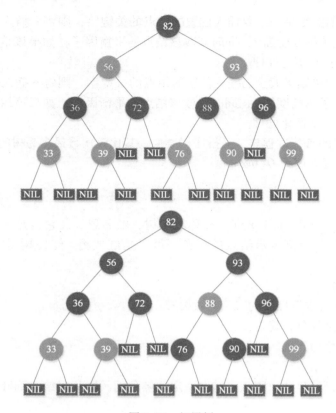

图 7.17 红黑树

假设插入的结点为 T，其双亲结点 P 为红色的，则 P 的双亲结点是黑色的。插入结点后，可分为两种情况进行调整。

1）T 的双亲结点 P 的兄弟结点 U 是黑色的情况。

由于 P 是红色的，则其双亲结点 G 一定是黑色的。对于 LL 型结构的红黑树，为了保持红黑树性质不变，仅需要以 P 为轴进行一次顺时针旋转，使 P 成为 G 的双亲结点，G 成为 P 的右孩子结点，并将 P 和 G 重新着色，如图 7.18a 所示。对于 RR 型结构的红黑树，为了保持红黑树性质不变，以 P 为轴进行一次逆时针旋转，使 P 成为 G 的双亲结点，G 成为 P 的左孩子结点，并对 P 和 G 重新着色，如图 7.18b 所示。图 7.18 中的 a、b、c、d、e 分别表示相应的子树。

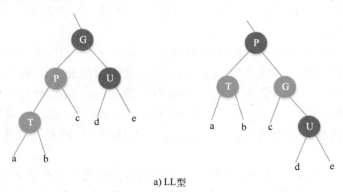

a) LL型

图 7.18 LL 型和 RR 型插入后的调整情况

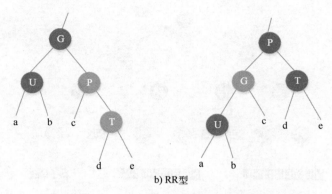

b) RR型

图 7.18　LL 型和 RR 型插入后的调整情况（续）

　　对于 LR 型红黑树，为了保持红黑树的性质不变，可先以 P 为轴进行逆时针旋转，再以 T 为轴进行顺时针旋转，使 T 成为 P 的双亲结点，P 和 G 分别成为 T 的左、右孩子结点，将 T 和 G 重新着色，T 着色为黑色，G 着色为红色，这样从 T 出发到其他结点的黑色结点数量不变，如图 7.19a 所示。对于 RL 型红黑树，为了保持原有性质不变，可先以 P 为轴进行顺时针旋转，然后以 T 为轴进行逆时针旋转，使 T 成为 G 的双亲结点，G 和 P 分别成为 T 的左、右孩子结点，并将 T 和 G 重新着色，T 着色为黑色，G 着色为红色，这样从 T 出发到其他结点的黑色结点数量不变，如图 7.19b 所示。

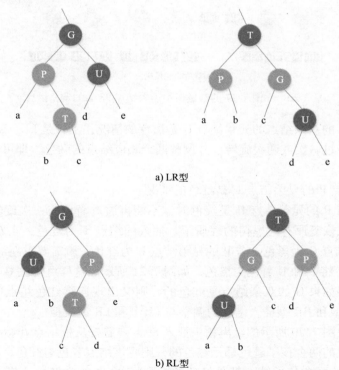

a) LR型

b) RL型

图 7.19　LR 型和 RL 型插入后的调整情况

　　例如，针对图 7.17 左边的红黑树，插入结点 98 后，其双亲为红色结点，双亲结点的兄弟结点为空结点，可看成黑色结点，这种情形属于 RL 型，以 99 为轴进行顺时针旋转，再以 98 为轴进行逆时针旋转，调整后的红黑树如图 7.20 所示。

a) 插入98后的状态

b) 调整后的红黑树

图 7.20 在图 7.17 的红黑树中插入结点 98 后的调整情况

对于插入结点 T 的双亲结点的兄弟结点 U 是黑色的情况，不管是 LL、LR、RL 或 RR 型中的哪一种，只需要经过一次或两次旋转，并调整两个相应结点的颜色，即可使红黑树保持原有性质不变。

2）T 的双亲结点 P 的兄弟结点 U 是红色的情况。

当 T 的双亲结点 P 的兄弟结点 U 是红色时，不能再通过简单的一次旋转或两次旋转，调整两个结点的颜色来恢复原有红黑树的性质了。插入的结点 T 为红色，当双亲结点 P 也为红色时，则 P 的双亲结点 G 为黑色。若 P 的兄弟结点 U 为红色，就需要重新对红黑树进行着色，即将 G 着色为红色，将 P 和 U 着色为黑色，如图 7.21 所示。这样可解决 G 以下分支结点连续红色结点的问题，但如果 G 的双亲结点是红色的，则又出现连续红色结点的问题，这就需要继续向上调整。RL 型和 RR 型插入结点的调整与 LL 型和 LR 型类似。

例如，如果要在图 7.20 所示的红黑树中插入 89，则需要从根结点开始寻找插入位置并进行调整。若遇到结点的两个孩子着色都是红色的，则将该结点着色为红色，将两个孩子结点着色为黑色。由于 82 的两个孩子结点都是红色的，则将 82 调整为红色，将 56 和 93 调整为黑色，然后继续从 93 结点开始往下查找插入位置。由于 93 的左右孩子结点分别为红色和黑色，因此不需要重新着色。由于 88 的两个孩子结点都是黑色的，因此也不需要重新着色。由于 89 为红色结点，其双亲结点 90 为黑色结点，因此不需要调整，直接将 89 插入，使其成为 90 的左孩子结点，如图 7.22 所示。

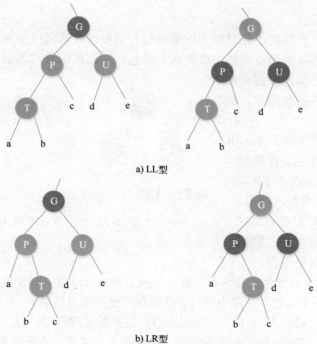

a) LL型

b) LR型

图 7.21　LL 型和 LR 型插入结点重新着色

a) 从根结点开始调整着色

b) 插入89后

图 7.22　插入 89 的调整过程

（2）红黑树的删除

与插入操作一样，在删除了红黑树中的结点后，仍要使红黑树保持原有性质不变。如果删除的是叶子结点，则删除的结点可能为红色或者黑色；若删除的是红色结点，由于删除该结点不会影响到分支结点的数量，直接删除即可。如果删除的是黑色结点，则需要进行调整操作。

若删除的结点 D 的左孩子结点 DL 或右孩子结点 DR 为红色，在删除 D 后，使 DL 或 DR 替换结点 D 的结点，并标记为黑色结点，如图 7.23 所示。

图 7.23　删除结点 D 的调整过程

若删除的结点 D 为黑色结点，且其兄弟结点 S 也是黑色的，则删除操作可分为以下几种情况处理：

1）D 的兄弟结点 S 为黑色，且 S 至少有一个孩子结点是红色。对于这种情况，需要对 S 进行旋转操作，将 S 的一个红色孩子结点进行重新着色，这种情况根据 P、S、SL（或 SR）的位置分为 4 种情况，即 LL、LR、RR、RL。下面先看 LL 位置的处理情况，这里要删除结点 D，兄弟结点 S 的颜色为黑色，其两个孩子结点为红色，当删除了 D 之后，P 的右子树失去了平衡，右分支中黑色结点个数少了一个，这就需要从 P 的左子树中的红色结点中调整一个结点到右子树，可将 SL 结点着色为黑色，然后以 S 为轴，进行顺时针旋转，使 P 成为 S 的右孩子结点，使 SR 成为 P 的左孩子结点。这样就使 P 为根结点的子树重新恢复了原有性质，如图 7.24 所示。

图 7.24　LL 型红黑树的删除结点调整过程

对于 RR 型红黑树的删除结点的调整与此类似。为了使删除一个黑色结点 D 之后，保持原有树的性质不变，同样需要对 S 进行旋转，并对其孩子结点进行重新着色，如图 7.25所示。

图 7.25　RR 型红黑树的删除结点调整过程

2）D 的兄弟结点 S 为黑色，且 S 的两个孩子结点也是黑色的。对于这种情况，需要递归进行处理，如果 D 的双亲结点 P 也为黑色，则对 P 继续进行处理，直到当前处理的黑色结点的双亲结点为红色结点，此时将该黑色结点的双亲结点设置为黑色，将当前结点设置为红色。例如，如果要删除图 7.26 中的 15，因为删除 15 后，该分支就少了一个黑色结点，因此需要调整。因为双亲结点为红色，所以首先让双亲结点 36 着色为黑色，让其右孩子结点着色为红色，这样该树就恢复了平衡，如图 7.26 所示。

图 7.26　删除 15 的调整过程

3）D 的兄弟结点为红色结点。通过旋转操作将 D 的兄弟结点 S 向上移动，并使双亲结点 P 和 S 重新着色，接着对旋转后 P 的孩子结点进行判断，确定相应的平衡操作。旋转操作将结点状态转换为情形 1）。例如，要删除图 7.27 所示的 79，因为删除 79 后，55 的右分支失去了平衡，因此需要对该二叉树进行调整。删除 79 后，以 36 为轴进行顺时针旋转，使 36 成为 55 的双亲结点，使 55 成为 36 的右孩子结点，并对 36 和 55 重新着色，沿着 55 的子树分支对结点重新着色。删除 79 的调整过程如图 7.27 所示。

图 7.27　删除 79 的调整过程

7.4　B-树与 B+树

B-树与 B+树是两种特殊的动态查找树。

7.4.1　B-树

B-树与二叉排序树类似，它是一种特殊的动态查找树，是一种 m 叉排序树。下面介绍 B-树的定义、查找、插入与删除操作。

1. B-树的定义

B-是一种平衡的排序树，也称为 m 路（阶）查找树。一棵 m 阶 B-树或者是一棵空树，或者是满足以下性质的 m 叉树：

1）树中的任何一个结点最多有 m 棵子树。

2）如果根结点不是叶子结点，则至少有两棵子树。

3）除了根结点之外，所有的非叶子结点至少应有 $\lceil m/2 \rceil$ 棵子树。

4）所有的叶子结点都处于同一层次上，且不包括任何关键字信息。

5）所有的非叶子结点的结构如下：

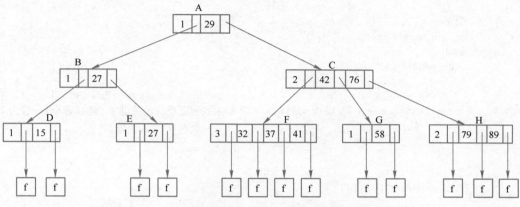

n	P_0	K_1	P_1	K_1	…	K_n	P_n

其中，n 表示对应结点中的关键字的个数，P_i 表示指向子树的根结点的指针，并且 P_i 指向的子树中每一个结点的关键字都小于 $K_{i+1}(i=0,1,\cdots,n-1)$。

例如，一棵深度为 4 的 4 阶的 B-树如图 7.28 所示。

图 7.28　一棵深度为 4 的 4 阶的 B-树示意图

在 B-树中，查找某个关键字的过程与二叉排序树的查找过程类似。例如，要查找关键字为 41 的元素，首先从根结点开始，将 41 与 A 结点的关键字 29 比较，因为 41>29，所以应该在 P_1 所指向的子树内查找。指针 P_1 指向结点 C，因此需要将 41 与结点 C 中的关键字逐个比较，因为有 41<42，所以应该在 P_0 指向的子树内查找。指针 P_0 指向结点 F，因此需要将 41 与结点 F 中的关键字逐个进行比较，在结点 F 中存在关键字为 41 的元素，因此查找成功。

2. B-树的查找

在 B-树中的查找过程其实就是对二叉排序树中查找的扩展。与二叉排序树不同的是，在 B-树中，每个结点都有不止一个子树。在 B-树中进行查找需要顺着指针 P_i 找到对应的结点，然后在结点中顺序查找。

B-树的类型定义用 C 语言描述如下：

```
#define m 4                        / * B-树的阶数 * /
typedef struct BTNode              / * B-树类型定义 * /
{
    int keynum;                    / * 每个结点中的关键字个数 * /
    struct BTNode * parent;        / * 指向双亲结点 * /
    KeyType data[m+1];             / * 结点中关键字信息 * /
    struct BTNode * ptr[m+1];      / * 指针向量 * /
}BTNode, * BTree;
```

B-树的查找算法用 C 语言描述如下：

```
typedef struct                     / * 返回结果类型定义 * /
{
```

```
        BTNode  * pt;                        /*指向找到的结点*/
        int pos;                             /*关键字在结点中的序号*/
        int flag;                            /*查找成功与否标志*/
}result;
result BTreeSearch(BTree T, KeyType k)
/*在 m 阶 B-树 T 上查找关键字 k,返回结果为 r(pt,pos,flag)。如果查找成功,则标志 flag 为 1,
pt 指向关键字为 k 的结点,否则特征值 tag=0。等于 k 的关键字应插入在指针 pt 所指向结点中第
pos 个和第 pos+1 个关键字之间*/
{
    BTree p=T,q=NULL;
    int i=0,found=0;
    result r;
    while(p&&!found)
    {
        i=Search(p,k);                       /* p->data[i].key≤k<p->data[i+1].key*/
        if(i>0&&p->data[i].key==k.key)       /*如果找到要查找的关键字,则标志 found 置为 1*/
            found=1;
        else
        {
            q=p;
            p=p->ptr[i];
        }
    }
    if(found)                                /*查找成功,返回结点的地址和位置序号*/
    {
        r.pt=p;
        r.flag=1;
        r.pos=i;
    }
    else                                     /*查找失败,返回 k 的插入位置信息*/
    {
        r.pt=q;
        r.flag=0;
        r.pos=i;
    }
    return r;
}
int Search(BTree T,KeyType k)
/*在 T 指向的结点中查找关键字为 k 的序号*/
{
    int i=1,n=T->keynum;
    while(i<=n&&T->data[i].key<=k.key)
        i++;
    return i-1;
}
```

3. B-树的插入操作

B-树的插入操作与二叉排序树的插入操作类似。插入操作后，结点的左边子树中每一个结点的关键字都小于根结点的关键字，右边子树结点的关键字大于根结点的关键字。而与二叉排序树不同的是，插入的关键字不是树的叶子结点，而是树中处于最低层的非叶子结点，同时该结点的关键字个数最小应该是$\lceil m/2 \rceil-1$，最大应该是$m-1$，否则需要对该结点进行分裂。

例如，图 7.29 所示为一棵 3 阶的 B-树（省略了叶子结点），在该 B-树中依次插入关键字 35、25、78 和 43。

图 7.29　一棵 3 阶的 B-树

插入关键字 35：首先需要从根结点开始，确定关键字 35 插入的位置应为结点 E。因为插入后结点 E 中的关键字个数大于 1（$\lceil m/2 \rceil - 1$），小于 2（$m-1$），所以插入成功。插入关键字 35 的过程如图 7.30 所示。

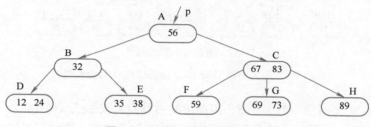

图 7.30　插入关键字 35 的过程

插入关键字 25：从根结点开始确定关键字 25 插入的位置应为结点 D。因为插入后结点 D 中的关键字个数大于 2，所以需要将结点 D 分裂为两个结点，关键字 24 被插入双亲结点 B 中，关键字 12 被保留在结点 D 中，关键字 25 被插入新生成的结点 D′中，并使关键字 24 的右指针指向结点 D′。插入关键字 25 的过程如图 7.31 所示。

插入 25 后，结点 D 需要进行分裂

结点 D 分裂为结点 D 和结点 D′

图 7.31　插入关键字 25 的过程

插入关键字 78：从根结点开始确定关键字 78 插入的位置应为结点 G。因为插入后结点 G 中的关键字个数大于 2，所以需要将结点 G 分裂为两个结点，其中关键字 73 被插入结点 C 中，关键字 69 被保留在结点 G 中，关键字 78 被插入新的结点 G′中，并使关键字 73 的右指针指向结点 G′。插入关键字 78 的过程及结点 G 的分裂过程如图 7.32 所示。

图 7.32　插入关键字 78 的过程及结点 G 的分裂过程

此时，结点 C 的关键字个数大于 2，因此需要将结点 C 分裂为两个结点，将中间的关键字 73 插入双亲结点 A 中，关键字 83 保留在 C 中，关键字 67 被插入新结点 C′中，并使关键字 56 的右指针指向结点 C′，关键字 73 的右指针指向结点 C。结点 C 的分裂过程如图 7.33 所示。

图 7.33　结点 C 的分裂过程

插入关键字 43：从根结点开始确定关键字 43 插入的位置应为结点 E，如图 7.34 所示。因为插入后结点 E 中的关键字个数大于 2，所以需要将结点 E 分裂为两个结点，其中，中间关键字 38 被插入双亲结点 B 中，关键字 43 被保留在结点 E 中，关键字 35 被插入新的结点 E′中，并使关键字 32 的右指针指向结点 E′，使关键字 38 的右指针指向结点 E。结点 E 的分裂过程如图 7.35 所示。

此时，结点 B 中的关键字个数大于 2，需要进一步分解结点 B，其中关键字 32 被插入双亲结点 A 中，关键字 24 被保留在结点 B 中，关键字 38 被插入新结点 B′中，关键字 24 的左、右指针分别指向结点 D 和 D′，关键字 38 的左、右指针分别指向结点 E 和 E′。结点 B 的分裂过程如图 7.36 所示。

插入关键字43后，结点E需要分裂

图 7.34　插入关键字 43 后

结点E分裂为结点E和结点E′

图 7.35　结点 E 的分裂过程

结点B分裂为结点 B和结点B′

图 7.36　结点 B 的分裂过程

关键字 32 被插入结点 A 中后，结点 A 的关键字个数大于 2，因此需要对结点 A 分裂为两个结点，因为结点 A 是根结点，所以需要生成一个新结点 R 作为根结点，将结点 A 中的中间的关键字 56 插入 R 中，关键字 32 被保留在结点 A 中，关键字 73 被插入新结点 A′中，关键字 56 的左、右指针分别指向结点 A 和 A′。关键字 32 的左、右指针分别指向结点 B 和 B′，关键字 73 的左、右指针分别指向结点 C 和 C′。结点 A 的分裂过程如图 7.37 所示。

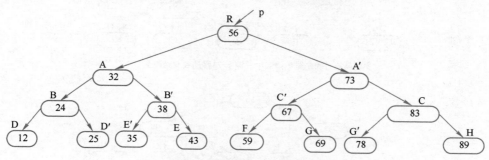

结点A分裂为结点A和结点A′

图 7.37　结点 A 的分裂过程

4. B-树的删除操作

对于要在 B-树中删除一个关键字的操作，首先利用 B-树的查找算法找到关键字所在的结点，然后将该关键字从该结点删除。如果删除该关键字后，该结点中的关键字个数仍然大于或等于 $\lceil m/2 \rceil - 1$，则删除完成，否则需要进行结点合并。

B-树的删除操作有以下 3 种可能：

1）要删除的关键字所在结点的关键字个数大于或等于 $\lceil m/2 \rceil$，则只需要将关键字 K_i 和对应的指针 P_i 从该结点中删除即可。因为删除该关键字后，该结点的关键字个数仍然不小于 $\lceil m/2 \rceil - 1$。例如，图 7.38 所示为从结点 E 中删除关键字 35 的过程。

图 7.38 删除关键字 35 的过程

2）要删除的关键字所在结点的关键字个数等于 $\lceil m/2 \rceil - 1$，而与该结点相邻的兄弟结点（左兄弟或右兄弟）中的关键字个数大于 $\lceil m/2 \rceil - 1$，则删除关键字后，需要将其兄弟结点中最小（或最大）的关键字移动到双亲结点中，将小于（或大于）并且离移动的关键字最近的关键字移动到被删除关键字所在的结点中。例如，将关键字 89 删除后，需要将关键字 73 向上移动到双亲结点 C 中，并将关键字 83 下移到结点 H 中，得到图 7.39 所示的 B-树。

先将结点H的左兄弟结点中关键字73移动到双亲结点C中

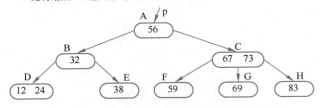

然后将与73紧邻且大于73的关键字83移动到结点H中

图 7.39 删除关键字 89 的过程

3）要删除的关键字所在结点的关键字个数等于$\lceil m/2 \rceil - 1$，而与该结点相邻的兄弟结点（左兄弟或右兄弟）中的关键字个数也等于$\lceil m/2 \rceil - 1$，则删除关键字（假设该关键字由指针 P_i 指向）后，需要将剩余关键字与其双亲结点中的关键字 K_i 和兄弟结点（左兄弟或右兄弟）中的关键字进行合并，同时将与其双亲结点的指针 P_i 一块合并。例如，将关键字 83 删除后，需要将关键字 83 的左兄弟结点的关键字 69 与其双亲结点中的关键字 73 合并到一起，得到图 7.40 所示的 B-树。

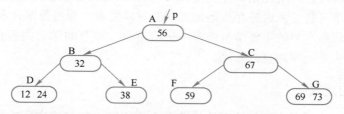

删除关键字83后，将其双亲结点与左兄弟结点中的关键字合并

图 7.40　删除关键字 83 的过程

7.4.2　B+树

B+树是 B-树的一种变型。它与 B-树的主要区别在于：

1）如果一个结点有 n 棵子树，则该结点也必有 n 个关键字，即关键字个数与结点的子树个数相等。

2）所有的非叶子结点包含子树的根结点的最大或者最小的关键字信息，因此所有的非叶子结点可以作为索引。

3）叶子结点包含所有关键字信息和关键字记录的指针，所有叶子结点中的关键字按照从小到大的顺序依次通过指针链接。

由此可以看出，B+树的存储方式类似于索引顺序表的存储结构，所有的记录存储在叶子结点中，非叶子结点作为一个索引表。图 7.41 为一棵 3 阶的 B+树。

图 7.41　一棵 3 阶的 B+树

在图 7.41 中，B+树有两个指针：一个是指向根结点的指针，另一个是指向叶子结点的指针。因此，对 B+树的查找可以从根结点开始，也可以从指向叶子结点的指针开始。从根结点开始的查找是一种索引方式的查找，而从叶子结点开始的查找是顺序查找，类似于链表的访问。

从根结点对 B+树查找给定的关键字，是指从根结点开始，经过非叶子结点到叶子结点。查找每一个结点，无论查找是否成功，都走了一条从根结点到叶子结点的路径。在 B+树上插入一个关键字和删除一个关键字都是在叶子结点中进行。在插入关键字时，要保证每个结点中的关键字个数不能大于 m，否则需要对该结点进行分裂。在删除关键字时，要保证每个结点中的关键字个数不能小于 $\lceil m/2 \rceil$，否则需要与兄弟结点合并。

7.5 哈希表

在前面学习过的有关查找的算法都经过了一系列的比较过程，查找算法效率的高低取决于比较的次数。而比较理想的情况是不经过比较就能确定要查找元素的位置，那么就需要建立一种数据元素的关键字与数据元素的存放地址之间的对应关系，通过数据元素的关键字直接确定其存放的位置。这就是本节的主要学习内容——哈希表。本节的学习内容包括哈希表的定义、哈希函数的构造方法及处理冲突的方法。

7.5.1 哈希表的定义

如何在查找元素的过程中不与给定的关键字进行比较，就能确定所查找元素的存放位置。这就需要在元素的关键字与元素的存储位置之间建立起一种对应关系，使得元素的关键字与唯一的存储位置对应。在查找某个元素时，只需要利用这种确定的对应关系，由给定的关键字就可以直接找到该元素。用 key 表示元素的关键字，f 表示对应关系，则 f(key) 表示元素的存储地址，将这种对应关系 f 称为哈希函数，利用哈希函数可以建立哈希表。哈希函数也称为散列函数。

例如，一个班级有 30 名学生，将这些学生按各自姓氏的拼音排序，其中姓氏首字母相同的学生放在一起。根据学生姓名的拼音首字母建立的哈希表如表 7.2 所示。

这样，当需要查找姓名为"冯峰"的学生时，就可以从序号为 6 的一行直接找到该学生。这种方法要比在一堆杂乱无章的姓名中查找要方便得多。但是，如果要查找姓名为"郝建华"的学生，而拼音首字母为"H"的学生有多个，就需要在该行中顺序查找。像这种不同的关键字 key 出现在同一地址上，即 key1≠key2，但 f(key1) = f(key2) 的情况称为哈希冲突。

表 7.2 哈希表示例

序号	姓氏拼音	学生姓名
1	A	安紫衣
2	B	白小翼
3	C	陈立本、陈冲
4	D	邓华
5	E	
6	F	冯峰
7	G	耿敏、弓宁
8	H	何山、郝建华
…		…

在一般情况下，应尽可能避免冲突的发生或者尽可能少发生冲突。元素的关键字越多，越容易发生冲突。只有少发生冲突，才能尽可能快地利用关键字找到对应的元素。因此，为了更加高效地查找集合中的某个元素，不仅需要建立一个哈希函数，还需要一个解决哈希函数冲突的方法。所谓哈希表，就是根据哈希函数和解决冲突的方法将元素的关键字映射在一个有限且连续的地址，并将元素存储在该地址上的表。

7.5.2 哈希函数的构造方法

构造哈希函数主要是为了使哈希地址尽可能地均匀分布以减少冲突的可能性，并使计算方法尽可能简便以提高运算效率。哈希函数的构造方法有许多，这里主要介绍几种常用的构造哈希函数的方法。

1. 直接定址法

直接定址法就是直接取关键字的线性函数值作为哈希函数的地址。直接定址法可以表示如下：

$$h(\text{key}) = x * \text{key} + y$$

其中，x 和 y 是常数。直接定址法的计算比较简单且不会发生冲突。但是，由于这种方法会使产生的哈希函数地址比较分散，会造成内存的大量浪费。例如，如果任给一组关键字 {230，125，456，46，320，760，610，109}，令 $x = 1$，$y = 0$，则需要 714（最大的关键字减去最小的关键字，即 760-46）个内存单元存储这 8 个关键字。

2. 平方取中法

平方取中法就是将关键字平方得到的值的其中几位作为哈希函数的地址。采用平方取中法得到的哈希地址与关键字的每一位都相关，哈希地址有了较好的分散性，从而避免了冲突的发生。

例如，如果给定关键字 key = 3456，则关键字取平方，即 $\text{key}^2 = 11943936$，取中间的 4 位得到哈希函数的地址，即 $h(\text{key}) = 9439$。在得到关键字的平方后，具体取哪几位作为哈希函数的地址应根据具体情况决定。

3. 折叠法

折叠法是将关键字平均分割为若干等分，最后一个部分如果不够则可以空缺，然后将这几个等分叠加求和来作为哈希地址。这种方法主要用在关键字的位数特别多且每一个关键字的位数分布大体相当的情况。例如，给定一个关键字 23478245983，可以按照 3 位将该关键字分割为几个部分，其折叠计算方法如下：

$$
\begin{array}{r}
234 \\
782 \\
459 \\
83 \\
\hline
h(\text{key}) = 1558
\end{array}
$$

然后去掉进位，将 558 作为关键字 key 的哈希地址。

4. 除留余数法

除留余数法主要是通过对关键字取余，将得到的余数作为哈希地址。其主要方法为：设哈希表长为 m，p 为小于或等于 m 的数，则哈希函数为 $h(\text{key}) = \text{key} \% p$。除留余数法是一种常用的求哈希函数的方法。

例如，给定一组关键字 {75，149，123，183，230，56，37，91}，设哈希表长 m 为 14，取 $p = 13$，则这组关键字的哈希地址存储情况为：

	0	1	2	3	4	5	6	7	8	9	10	11	12	13
hash 地址	91	183			56		123	149		230	75	37		

在求解关键字的哈希地址时，p 一般取小于或等于表长的最大质数。

7.5.3　处理冲突的方法

在构造哈希函数的过程中，不可避免地会出现冲突的情况。所谓处理冲突，就是在有冲突发生时，为产生冲突的关键字找到另一个地址来存放该关键字。在解决冲突的过程中，可能会得到一系列哈希地址 $h_i (i = 1, 2, \cdots, n)$，也就是发生第一个冲突时，经过处理后得到第一个新地址，记作 h_1。如果 h_1 仍然会冲突，则处理后得到第二个地址 h_2，以此类推，直到 h_n 不产生冲突，将 h_n 作为关键字的存储地址。

处理冲突比较常用的方法主要有开放定址法、再哈希法和链地址法。

1. 开放定址法

开放定址法是解决冲突比较常用的方法。开放定址法就是利用哈希表中的空地址存储产生冲突的关键字。当冲突发生时，按照下列公式处理冲突：

$$h_i = (h(\text{key}) + d_i) \% m, \quad i = 1, 2, \cdots, m-1$$

其中，$h(\text{key})$ 为哈希函数，m 为哈希表长，d_i 为地址增量。地址增量 d_i 可以通过以下 3 种方法获得：

1）线性探测再散列：在冲突发生时，地址增量 d_i 依次取 $1, 2, \cdots, m-1$ 自然数列，即 $d_i = 1, 2, \cdots, m-1$。

2）二次探测再散列：在冲突发生时，地址增量 d_i 依次取自然数的平方，即 $d_i = 1^2, -1^2, 2^2, -2^2, \cdots, k^2, -k^2$。

3）伪随机数再散列：在冲突发生时，地址增量 d_i 依次取随机数序列。

例如，在长度为 14 的哈希表中，在将关键字 91, 183, 123, 230 存放在哈希表中的情况如图 7.42 所示。

图 7.42　哈希表冲突发生前

当要插入关键字 149 时，由哈希函数得 $h(149) = 149 \% 13 = 6$，而单元 6 已经存在关键字，产生冲突，利用线性探测再散列法解决冲突，即 $h_1 = (6+1) \% 14 = 7$，将 149 存储在单元 7 中，如图 7.43 所示。

图 7.43　插入关键字 149 后

当要插入关键字 227 时，由哈希函数得 $h(227) = 227 \% 13 = 6$，而单元 6 已经存在关键字，产生冲突，利用线性探测再散列法解决冲突，即 $h_1 = (6+1) \% 14 = 7$，仍然冲突，继续利用线性探测法，即 $h_2 = (6+2) \% 14 = 8$，单元 8 空闲，因此将 227 存储在单元 8 中，如图 7.44 所示。

图 7.44　插入关键字 227 后

当然，在冲突发生时，也可以利用二次探测再散列解决冲突。在图 7.43 中，如果要插入关键字 227，因为产生冲突，利用二次探测再散列法解决冲突，即 $h_1 = (6+1) \% 14 = 7$，再次产生冲突时，有 $h_2 = (6-1) \% 14 = 5$，将 227 存储在单元 5 中，如图 7.45 所示。

图 7.45　利用二次探测再散列解决冲突

2. 再哈希法

再哈希法就是在冲突发生时，利用另外一个哈希函数再次求哈希函数的地址，直到冲突不再发生为止，即

$$h_i = \text{rehash}(\text{key}), \quad i = 1, 2, \cdots, n$$

其中，rehash 表示不同的哈希函数。这种再哈希法一般不容易再次发生冲突，但是需要事先构造多个哈希函数，这是一件不太容易也不现实的事情。

3. 链地址法

链地址法就是将具有相同散列地址的关键字用一个线性链表存储起来。每个线性链表都设置一个头指针指向该链表。链地址法的存储表示类似于图的邻接表表示。在每一个链表中，所有的元素都按照关键字有序排列。链地址法的主要优点是在哈希表中增加元素和删除元素比较方便。

例如，一组关键字序列 $\{23, 35, 12, 56, 123, 39, 342, 90, 78, 110\}$，按照哈希函数 $h(\text{key}) = \text{key}\%13$ 和链地址法处理冲突，其哈希表如图 7.46 所示。

图 7.46　链地址法处理冲突的哈希表

7.5.4　哈希表查找与分析

哈希表的查找过程与哈希表的构造过程基本一致，对于给定的关键字 key，按照哈希函数获得哈希地址；若哈希地址所指位置已有记录，且其关键字不等于给定值 key，则根据冲突处理方法求出 key 应存放的下一地址，直到求得的哈希地址空闲或存储的关键字等于给定的 key 为止。若求得的哈希地址对应内存单元中存储的关键字等于 key，则表明查找成功；若求得的哈希地址对应的存储单元空闲，则查找失败。

在哈希查找过程中，查找效率的高低除了与解决冲突的方法有关外，在处理冲突方法相同的情况下，其平均查找时间还依赖于哈希表的装填因子，哈希表的装填因子 α 定义为：

$$\alpha = \frac{\text{表中填入的记录数}}{\text{哈希表长度}}$$

装填因子越小，表中填入的记录就越小，发生冲突的可能性就越小；反之，表中已填入的记录越多，再继续填充记录时，发生冲突的可能性就越大，则查找时进行关键字查找的比较次数就会越多。

1）查找成功时的平均查找长度 $\text{ASL}_{成功}$ 定义如下：

$$\text{ASL}_{成功} = \frac{1}{\text{表中的元素总个数 } n} \times \sum_{i=1}^{n} C_i$$

其中，C_i 为查找第 i 个元素时所需的比较次数。

2）查找失败时的平均查找长度 $\text{ASL}_{失败}$ 定义如下：

$$\text{ASL}_{失败} = \frac{1}{\text{哈希函数取值个数 } r} \times \sum_{i=1}^{n} C_i$$

其中，C_i 为哈希函数取值为 i 时查找失败的比较次数。

对图 7.46 所示的哈希表采用链地址法处理冲突时，对于每个单链表中的第一个关键字，

即 39,56,110,23,12，查找成功时只需要比较 1 次。对于每个链表的第二个关键字，即 78,342,123,35，查找成功时只需要比较 2 次。对于关键字 90，比较 3 次才能确定查找成功。因此，查找成功时的平均查找长度为：

$$\text{ASL}_{\text{成功}} = \frac{1}{10} \times (1 \times 5 + 2 \times 4 + 3) = 1.6$$

对图 7.46 所示的哈希表采用链地址法处理冲突时，若待查找的关键字不在表中，当 $h(\text{key}) = 1$ 时，其所指向的单链表有 2 个结点，所以需要比较 3 次才能确定查找失败；当 $h(\text{key}) = 1$ 时，其指针域为空，只需比较 1 次即可确定查找失败。以此类推，对 $h(\text{key}) = 2$，3,…,12 的情况分别进行分析，可得查找失败时的平均查找长度为：

$$\text{ASL}_{\text{失败}} = \frac{1}{13} \times (1 \times 8 + 3 + 3 + 3 + 2 + 4) = 1.77$$

7.5.5 哈希表的应用举例

扫码看视频

【例 7.2】将关键字序列 (7,8,30,11,18,9,14) 散列存储在散列表中，散列表的存储空间是一个下标从 0 开始的一维数组，散列函数为 $H(\text{key}) = (\text{key} * 3) \text{ MOD } 7$，处理冲突采用线性探测再散列法，要求装填因子为 0.7。

1) 请画出构造的散列表。

2) 分别计算等概率情况下查找成功和查找失败时的平均查找长度。

【分析】该题目主要考查哈希表的构造和平均查找长度的概念。

1) 已知装填因子 $\alpha = 0.7$，可得到表长 m 为 10。根据散列函数 $H(\text{key}) = (\text{key} * 3) \text{ MOD } 7$ 和处理冲突方法构造哈希表。

对于关键字 7，$H(7) = 7 \times 3 \% 7 = 0$。

对于关键字 8，$H(8) = 8 \times 3 \% 7 = 3$。

对于关键字 30，$H(30) = 30 \times 3 \% 7 = 6$。

对于关键字 11，$H(11) = 11 \times 3 \% 7 = 5$。

对于关键字 18，$H(18) = 18 \times 3 \% 7 = 5$，冲突；利用线性探测再散列法处理冲突，$d_1 = 1$，$H_1 = (H(18) + 1) \% 10 = 6$，仍冲突；再次利用线性探测再散列法处理冲突，$d_2 = 2$，$H_2 = (H(18) + 2) \% 10 = 7$。

对于关键字 9，$H(9) = 9 \times 3 \% 7 = 6$，冲突；利用线性探测再散列法处理冲突，$d_1 = 1$，$H_1 = (H(9) + 1) \% 10 = 7$，仍冲突；再次利用线性探测再散列法处理冲突，$d_2 = 2$，$H_2 = (H(9) + 2) \% 10 = 8$。

对于关键字 14，$H(14) = 14 \times 3 \% 7 = 0$，冲突；利用线性探测再散列法处理冲突，$d_1 = 1$，$H_1 = (H(14) + 1) \% 10 = 1$。

根据以上分析，构造的哈希表如表 7.3 所示。

表 7.3　哈希表

下标	0	1	2	3	4	5	6	7	8	9
关键字	7	14		8		11	30	18	9	
冲突次数	1	2		1		1	1	3	3	

2) 查找成功时的平均查找长度为 $\text{ASL}_{\text{成功}} = (4 \times 1 + 2 \times 3 + 1 \times 2) / 7 = 12 / 7$，查找失败时的平均查找长度为 $\text{ASL}_{\text{失败}} = (3 + 2 + 1 + 2 + 1 + 5 + 4) / 7 = 18 / 7$。

【例 7.3】给定一组元素的关键字 hash[ ] = {23,35,12,56,123,39,342,90}，利用除留余数法和线性探测再散列法将元素存储在哈希表中，并查找给定的关键字，求平均查找长度。

分析：主要考查哈希函数的构造方法、冲突解决的办法。算法实现主要包括几个部分：构建哈希表、在哈希表中查找给定的关键字、输出哈希表及求平均查找长度。关键字的个数是 8 个，假设哈希表的长度 m 为 11，p 为 11，利用除留余数法求哈希函数，即 $h(key) = key\%p$，利用线性探测再散列解决冲突，即 $h_i = (h(key) + d_i)$，哈希表如图 7.47 所示。

hash 地址	0	1	2	3	4	5	6	7	8	9	10
		23	35	12	56	123	39	342	90		
冲突次数		1	1	3	4	4	1	7	7		

图 7.47　哈希表

哈希表的查找过程就是利用哈希函数和处理冲突创建哈希表的过程。例如，要查找 key = 12，根据哈希函数 $h(12) = 12\%11 = 1$，此时与第 1 号单元中的关键字 23 比较，因为 $23 \neq 12$，又因为 $h_1 = (1+1)\%11 = 2$，所以将第 2 号单元的关键字 35 与 12 比较。因为 $35 \neq 12$，又因为 $h_2 = (1+2)\%11 = 3$，所以将第 3 号单元中的关键字 12 与 key 比较，因为 key = 12，所以查找成功，返回序号 3。

尽管通过哈希函数可以利用关键字直接找到对应的元素，但是不可避免地仍然会有冲突产生，在查找的过程中，比较仍会是不可避免的，因此，仍然以平均查找长度衡量哈希表查找的效率高低。假设每个关键字的查找概率都是相等的，则在图 7.47 的哈希表中，查找某个元素成功时的平均查找长度 $\text{ASL}_{成功} = \dfrac{1}{8} \times (1 \times 3 + 3 + 4 \times 2 + 7 \times 2) = 3.5$。

若查找的关键字不在表中，当哈希函数 $h(key) = 0$ 时，则 $h(key)$ 指向的存储单元为空，比较 1 次即可确定查找失败。若 $h(key) = 1$，则该存储单元非空，依次向后进行比较，直到 $h(key)$ 指向的单元为空，此时需要比较 9 次才能确定查找失败。以此类推，可得当 $h(key) = 2,3,4,5,6,\cdots,8$ 时查找失败的比较次数。根据以上分析，查找失败时的平均查找长度 $\text{ASL}_{失败} = \dfrac{1}{11} \times (1+9+8+7+6+5+4+3+2+1+1) = 4.27$。

1. 哈希表的操作

这部分主要包括哈希表的创建、查找与求哈希表平均查找长度。

```
void CreateHashTable( HashTable * H,int m,int p,int hash[ ],int n)
/ * 构造一个空的哈希表，并处理冲突 * /
{
    int i,sum,addr,di,k=1;
    ( * H). data = ( DataType * )malloc( m * sizeof( DataType));    / * 为哈希表分配存储空间 * /
    if( !( * H). data)
        exit( -1);
    for( i=0;i<m;i++)                          / * 初始化哈希表 * /
    {
        ( * H). data[ i]. key = -1;
        ( * H). data[ i]. hi = 0;
    }
    for( i=0;i<n;i++)                          / * 求哈希函数地址并处理冲突 * /
    {
        sum = 0;                              / * 冲突的次数 * /
        addr = hash[ i]%p;                     / * 利用除留余数法求哈希函数地址 * /
        di = addr;
        if(( * H). data[ addr]. key == -1)       / * 如果不冲突则将元素存储在表中 * /
```

```
                  {
                      ( * H). data[ addr]. key=hash[ i];
                      ( * H). data[ addr]. hi=1;
                  }
              else                    /* 用线性探测再散列法处理冲突 */
                  {
                      do
                      {
                          di=( di+k)%m;
                          sum+=1;
                      } while(( * H). data[ di]. key!=-1);
                      ( * H). data[ di]. key=hash[ i];
                      ( * H). data[ di]. hi=sum+1;
                  }
          }
      ( * H). curSize=n;             /* 哈希表中的关键字个数为 n */
      ( * H). tableSize=m;           /* 哈希表的长度 */
}
int SearchHash( HashTable H, KeyType k)
/* 在哈希表 H 中查找关键字 k 的元素 */
{
      int d,d1,m;
      m=H. tableSize;
      d=d1=k%m;                      /* 求 k 的哈希地址 */
      while( H. data[ d]. key!=-1)
      {
          if( H. data[ d]. key==k)   /* 如果是要查找的关键字 k, 则返回 k 的位置 */
              return d;
          else                       /* 继续往后查找 */
              d=( d+1)%m;
          if( d==d1)                 /* 查找了哈希表中的所有位置, 如果没有找到, 则返回 0 */
              return 0;
      }
      return 0;                      /* 该位置不存在关键字 k */
}
void HashASL( HashTable H, int m)
/* 求哈希表的平均查找长度 */
{
      float average=0;
      int i;
      for( i=0;i<m;i++)
          average=average+H. data[ i]. hi;
      average=average/H. curSize;
      printf( "平均查找长度 ASL=%. 2f" , average);
      printf( " \n") ;
}
```

2. 测试部分

```
#include<stdlib. h>
#include<stdio. h>
#include<malloc. h>
typedef int KeyType;
```

```
    typedef struct                    /*元素类型定义*/
    {
        KeyType key;                  /*关键字*/
        int hi;                       /*冲突次数*/
    } DataType;
    typedef struct                    /*哈希表类型定义*/
    {
        DataType * data;
        int tableSize;                /*哈希表的长度*/
        int curSize;                  /*表中关键字个数*/
    } HashTable;
    void CreateHashTable(HashTable * H,int m,int p,int hash[ ],int n);
    int SearchHash(HashTable H,KeyType k);
    void DisplayHash(HashTable H,int m);
    void HashASL(HashTable H,int m);
    void DisplayHash(HashTable H,int m)
    /*输出哈希表*/
    {
        int i;
        printf("哈希表地址:");
        for(i=0;i<m;i++)
            printf("%-5d",i);
        printf("\n");
        printf("关键字 key:  ");
        for(i=0;i<m;i++)
            printf("%-5d",H.data[i].key);
        printf("\n");
        printf("冲突次数:  ");
        for(i=0;i<m;i++)
            printf("%-5d",H.data[i].hi);
        printf("\n");
    }
    void main()
    {
        int hash[ ]={23,35,12,56,123,39,342,90};
        int m=11,p=11,n=8,pos;
        KeyType k;
        HashTable H;
        CreateHashTable(&H,m,p,hash,n);
        DisplayHash(H,m);
        k=123;
        pos=SearchHash(H,k);
        printf("关键字%d 在哈希表中的位置为:%d\n",k,pos);
        HashASL(H,m);
    }
```

程序运行结果如图 7.48 所示。

图 7.48　程序运行结果

7.6 小结

查找就是在数据元素集合中查看是否存在与指定的关键字相等的元素。查找分为两种：静态查找与动态查找。静态查找是指在数据元素集合中查找与给定的关键字相等的元素。而动态查找是指在查找过程中，如果数据元素集合中不存在与给定的关键字相等的元素，则将该元素插入数据元素集合中。

静态查找主要包括顺序表、有序顺序表和索引顺序表的查找。其中，顺序表的查找是指从表的第一个元素与给定关键字比较，直到表的最后一个元素。有序顺序表的查找，在查找的过程中，如果给定的关键字大于表的元素，就可以停止查找，说明表中不存在该元素（假设表中的元素按照关键字从小到大排列，并且查找时从第一个元素开始比较）。索引顺序表的查找是为主表建立一个索引，根据索引确定元素所在的范围，这样可以有效地提高查找的效率。

动态查找主要包括二叉排序树、平衡二叉树、B-树和B+树。这些都是利用二叉树和树的特点对数据元素集合进行排序的，通过将元素插入二叉树或树中建立二叉树或树，然后通过对二叉树或树的遍历按照从小到大的顺序输出元素的序列。其中，B-树和B+树又利用了索引技术，这样可以提高查找的效率。静态查找中，顺序表的平均查找长度为$O(n)$，折半查找的平均查找长度为$O(\log_2 n)$。动态查找中的二叉排序树的查找类似于折半查找，其平均查找长度为$O(\log_2 n)$。

哈希表利用哈希函数的映射关系直接确定要查找元素的位置，大大减少了与元素关键字的比较次数。建立哈希表的方法主要有直接定址法、平方取中法、折叠法和除留余数法等。其中最为常用的是除留余数法。

虽然哈希表的出发点是希望不与给定的关键字比较，从而确定元素的存放位置，但是不可避免地会出现关键字不同，即key1≠key2，而映射关系相同的情形，即$h(key1)=h(key2)$，这种情况被称为冲突。解决冲突常用的方法主要有两个：开放定址法和链地址法。其中，开放定址法利用哈希表中的空地址存储产生冲突的关键字，可以利用地址增量解决冲突，方法有两个：线性探测再散列和二次探测再散列。链地址法可将具有相同散列地址的关键字用一个线性链表存储起来。每个线性链表都设置一个头指针指向该链表。在每一个链表中，所有的元素都按照关键字有序排列。

习　　题

一、选择题

1. 已知一个有序表为（11,22,33,44,55,66,77,88,99），则折半查找55需要比较（　　）次。

    A. 1　　　　　　　　B. 2　　　　　　　　C. 3　　　　　　　　D. 4

2. 设哈希表长$m=14$，哈希函数$H(key)=key$ MOD 11。表中已有4个结点：addr(15)=4，addr(38)=5，addr(61)=6，addr(84)=7。其余地址为空，如果用二次探测再散列处理冲突，则关键字为49的地址为（　　）。

    A. 8　　　　　　　　B. 3　　　　　　　　C. 5　　　　　　　　D. 9

3. 在散列查找中，平均查找长度主要与（　　）有关。

A. 散列表长度　　　　　B. 散列元素个数　　　　C. 装填因子　　　　　D. 处理冲突方法

4. 已知一个长度为 16 的顺序表 L，其元素按关键字有序排列，若采用折半查找法查找一个 L 中不存在的元素，则关键字的比较次数最多是（　　　）。

　　A. 4　　　　　　　　B. 5　　　　　　　　C. 6　　　　　　　　D. 7

5. 采用折半查找法查找长度为 n 的线性表时，每个元素的平均查找长度为（　　　）。

　　A. $O(n^2)$　　　　　B. $O(n\log_2 n)$　　　　C. $O(n)$　　　　　　D. $O(\log_2 n)$

6. 有一个有序表为 $\{1,3,9,12,32,41,45,62,75,77,82,95,100\}$，当折半查找值为 82 的结点时，（　　　）次比较后查找成功。

　　A. 11　　　　　　　B. 5　　　　　　　　C. 4　　　　　　　　D. 8

7. 下面关于 B-树和 B+树的叙述中，不正确的结论是（　　　）。

　　A. B-树和 B+树都能有效地支持顺序查找　　B. B-树和 B+树都能有效地支持随机查找

　　C. B-树和 B+树都是平衡的多叉树　　　　　D. B-树和 B+树都可用于文件索引结构

8. 在一棵高度为 2 的 5 阶 B-树中，所含关键字个数最少是（　　　）。

　　A. 5　　　　　　　　B. 7　　　　　　　　C. 8　　　　　　　　D. 14

9. 以下说法错误的是（　　　）。

　　A. 散列法存储的思想是由关键字值决定数据的存储地址

　　B. 散列表的结点中只包含数据元素自身的信息，不包含指针

　　C. 负载因子是散列表的一个重要参数，它反映了散列表的饱满程度

　　D. 散列表的查找效率主要取决于散列表构造时选取的散列函数和处理冲突的方法

10. 已知一棵 3 阶的 B-树中有 2047 个关键字，则此 B-树的最大高度为（　　　），最小高度为（　　　）。

　　A. 11　　　　　　　B. 10　　　　　　　C. 8　　　　　　　　D. 7

11. 查找效率最高的二叉排序树是（　　　）。

　　A. 所有结点的左子树都为空的二叉排序树　　B. 所有结点的右子树都为空的二叉排序树

　　C. 平衡二叉树　　　　　　　　　　　　　　D. 没有左子树的二叉排序树

12. 有一个有序表为 $\{1,3,9,12,32,41,45,62,75,77,82,95,100\}$，当折半查找值为 82 的结点时，（　　　）次比较后查找成功。

　　A. 1　　　　　　　　B. 4　　　　　　　　C. 2　　　　　　　　D. 8

13. 对一棵二叉排序树按（　　　）遍历，可得到结点值从小到大的排列序列。

　　A. 先序　　　　　　　B. 中序　　　　　　　C. 后序　　　　　　　D. 层次

14. 解决散列法中出现的冲突问题常采用的方法是（　　　）。

　　A. 数字分析法、除余法、平方取中法　　　　B. 数字分析法、除余法、线性探测法

　　C. 数字分析法、线性探测法、多重散列法　　D. 线性探测法、多重散列法、链地址法

15. 为提高散列（hash）表的查找效率，可以采取的正确措施是（　　　）。

Ⅰ. 增大装填因子

Ⅱ. 设计冲突少的散列函数

Ⅲ. 处理冲突时避免产生聚集现象

　　A. 仅Ⅰ　　　　　　　B. 仅Ⅱ　　　　　　　C. 仅Ⅰ和Ⅱ　　　　　D. 仅Ⅱ和Ⅲ

16. 下列二叉树中，可能成为折半查找判定树（不含外部结点）的是（　　　）。

A.   B.   C.   D.

二、综合分析题

1. 选取哈希函数 $H(k) = (k) \mathrm{MOD}\ 11$。用二次探测再散列处理冲突，试在 0~10 的散列地址空间中对关键字序列 (22,41,53,46,30,13,01,67) 构造哈希表，并求等概率情况下查找成功时的平均查找长度。

2. 设哈希表 HT 表长 m 为 13，哈希函数为 $H(k) = k\ \mathrm{MOD}\ m$，给定的关键字序列为 {19,14, 23,10,68,20,84,27,55,11}。试求出用线性探测法解决冲突时所构造的哈希表，并求出在等概率的情况下查找成功的平均查找长度 ASL。

3. 设散列表容量为 7（散列地址空间 0~6），给定表 (30,36,47,52,34)，散列函数 $H(K) = K\ \mathrm{MOD}\ 6$，采用线性探测法解决冲突，要求：

1）构造散列表。

2）求查找关键字 34 需要比较的次数。

4. 已知下面二叉排序树的各结点的值依次为 1~9，请标出各结点的值。

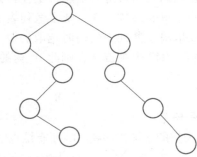

5. 已知关键字序列 {11,2,13,26,5,18,4,9}，设哈希表表长为 16，哈希函数 $H(\mathrm{key}) = \mathrm{key}$ MOD 13，处理冲突的方法为线性探测法，请给出哈希表，并计算在等概率条件下查找成功时的平均查找长度。

三、算法设计题

1. 给定一个递增有序的元素序列，利用折半查找算法查找值为 x 的元素的递归算法。

2. 以图 7.49 所示的索引顺序表为例，编写一个查找关键字 52 的算法。

图 7.49　索引顺序表

3. 利用哈希函数 $h(\mathrm{key}) = 3 \times k\%11$，采用链地址法处理冲突，对关键字集合 {22,43,53, 45,30,12,2,56} 构造一个哈希表，并求出在查找每一个元素相等概率情况下的平均查找长度。

第 8 章
排序

排序（Sorting）是计算机程序设计中的一种重要技术，它可把由若干个数据元素（或记录）组成的无序序列重新排列成一个按关键字排列的有序序列。它的应用领域也非常广泛，在数据处理的过程中，对数据进行排序是不可避免的。在元素的查找过程中涉及了对数据的排序，例如，排列有序的折半查找算法比顺序查找的效率要高许多。

8.1　排序的基本概念

在学习排序算法之前，先来介绍与排序相关的基本概念。

排序：把一个无序的元素序列按照元素的关键字递增或递减排列为有序的序列。设包含 n 个元素的序列$(E_1, E_2, \cdots, E_n)$，其对应的关键字为$(k_1, k_2, \cdots, k_n)$，可以通过下标 $1, 2, \cdots, n$ 构成一种能够让元素非递减（或非递增）排列（即 $p_1, p_2, \cdots, p_n$），使关键字呈非递减（或非递增）排列（即 $k_{p1} \leqslant k_{p2} \leqslant \cdots \leqslant k_{pn}$），从而使元素构成一个非递减（或非递增）的序列，即$(E_{p1}, E_{p2}, \cdots, E_{pn})$。这样的一种操作被称为排序。

稳定排序和不稳定排序：在排列过程中，如果存在两个关键字相等，即 $k_i = k_j (1 \leqslant i \leqslant n, 1 \leqslant j \leqslant n, i \neq j)$，在排序前对应的元素 E_i 在 E_j 之前，在排序之后，如果元素 E_i 仍然在 E_j 之前，则称这种排序采用的方法是稳定的。如果经过排序之后，元素 E_i 位于 E_j 之后，则称这种排序方法是不稳定的。

无论是稳定的排序方法还是不稳定的排序方法，都能正确地完成排序。一个排序算法的好坏主要通过时间复杂度、空间复杂度和稳定性来衡量。

内排序和外排序：根据排序过程中所利用的内存储器和外存储器的情况，将排序分为两类，即内部排序和外部排序。内部排序也称为内排序，外部排序也称为外排序。所谓内排序，是指需要排序的元素数量不是特别大，在排序的过程中完全在内存中进行的方法。所谓外排序，是指需要排序的元素数量非常大，在内存中不能一次完成排序，需要不断地在内存和外存中交替才能完成的排序。

内排序的方法有许多，按照排序过程中采用的策略可将排序分为几个大类：插入排序、选择排序、交换排序和归并排序。这些排序方法各有优点和不足，在使用时，可根据具体情况选择比较合适的方法。

在排序过程中，主要需要以下两种基本操作：

1）比较两个元素相应关键字的大小。

2）将元素从一个位置移动到另一个位置。

其中，第二种操作可通过采用链表存储方式避免，而第一种操作，不管采用何种存储结构都是不可避免的。

待排序元素的存储结构有以下 3 种方式：

1）顺序存储。将待排序的元素存储在一组连续的存储单元中，这类似于线性表的顺序存储，元素 E_i 和 E_j 逻辑上相邻，其物理位置也相邻。在排序过程中，需要移动元素。

2）链式存储。将待排序元素存储在一组不连续的存储单元中，这类似于线性表的链式存储，元素 E_i 和 E_j 逻辑上相邻，其物理位置不一定相邻。在进行排序时，不需要移动元素，只需要修改相应的指针即可。

3）静态链表。元素之间的关系可以通过元素对应的游标指示，游标类似于链表中的指针。

为了方便描述，本章的排序算法主要采用顺序存储。相应的数据类型描述如下：

```
#define MaxSize 50
typedef int KeyType;
typedef struct                /*数据元素类型定义*/
    {
    KeyType key;              /*关键字*/
}DataType;
typedef struct                /*顺序表类型定义*/
    {
    DataType data[MaxSize];
    int length;
}SqList;
```

8.2 插入排序

插入排序的算法思想：将待排序元素分为已排序子集和未排序子集，依次将未排序子集中的一个元素插入已排序子集中，使已排序子集仍然有序；重复执行以上过程，直到所有元素都有序为止。

插入排序一般可分为直接插入排序、折半插入排序和希尔排序。

8.2.1 直接插入排序

直接插入排序（Straight Insertion Sort）是一种最简单的插入排序算法。基本算法思想：假设待排序元素有 n 个，初始时，已排序子集中只有一个元素，即第一个元素，未排序子集是剩下的 $n-1$ 个元素。

例如，有 4 个待排序元素 22、6、17 和 8，排序前的状态如图 8.1 所示。

初始时： {22}　 {6　17　8}
　　　　 有序集　　无序集

图 8.1　初始状态

第一趟排序：将无序集中的第一个元素（也就是 6）与有序集中的元素 22 进行比较，因为 22>6，所以需要先将 22 向后移动一个位置，然后将 6 插入第一个位置，如图 8.2 所示。其中，阴影部分表示无序集，白色部分表示有序集。

图 8.2　第一趟排序过程

第二趟排序：将无序集的元素 17 从右到左依次与有序集中的元素比较，即先与 22 比较，因为 17<22，所以先将 22 向后移动一个位置，然后比较 17 与第一个元素 6 的大小，因为 17>6，所以将 17 放在第二个元素的位置，如图 8.3 所示。

a) 取出待排序元素17，　　　b) 因为17<22，所以　　　c) 因为17>6，所以将17
　放置在临时变量t中　　　　将22向后移动一个位置　　　放置在第二个位置

图 8.3 第二趟排序过程

第三趟排序：将待排序集合中的元素 8 与已经有序的元素集合从右到左依次比较，先与 22 比较。因为 8<22，所以需要将 22 向后移动一个位置并与前一个元素 17 比较。由于 8<17，将 17 向后移动并继续与 6 进行比较。因为 8>6，所以将 8 放在第二个位置，如图 8.4 所示。

a) 取出待排序元素8，　　b) 因为8<22，所以将　　c) 因为8<17，所以将17　　d) 因为8>6，所以将8放在
　放置在临时变量t中　　　22向后移动一个位置　　　向后移动一个位置　　　第二个元素所在的位置

图 8.4 第三趟排序过程

经过以上排序之后，已经有序的集合有 4 个元素，无序集合为空集。此时直接插入排序完毕，整个序列为一个有序序列。

假设待排序元素有 8 个，分别是 17、46、32、87、58、9、50、38，使用直接插入排序对该元素序列的排序过程如图 8.5 所示。

```
排序前：   {17}      {46  32  87  58  9  50  38}
第一趟排序后：{17  46}   { 32  87  58  9  50  38}
第二趟排序后：{17  32  46}   { 87  58  9  50  38}
第三趟排序后：{17  32  46  87}   { 58  9  50  38}
第四趟排序后：{17  32  46  58  87}   { 9  50  38}
第五趟排序后：{9  17  32  46  58  87}   { 50  38}
第六趟排序后：{9  17  32  46  50  58  87}   {38}
第七趟排序后：{9  17  32  38  46  50  58  87}   {}
最终排序结果： 9  17  32  38  46  50  58  87
```

图 8.5 直接插入排序过程

在图 8.5 中，所有元素都被花括号分为两个集合，前一部分为有序集合，后一部分为无序集合。直接插入排序就是将无序集合中的元素依次插入有序集合中的对应位置，直到无序集合为空为止。

直接插入排序算法描述如下：

```
void InsertSort( SqList  * L)
／* 直接插入排序 */
{
    int i,j;
    DataType t;
```

```
        for(i=1;i<L->length;i++)  /*前i个元素已经有序，从第i+1个元素开始与前i个有序的关
    键字比较*/
        {
            t=L->data[i+1];        /*取出第i+1个元素，即待排序的元素*/
            j=i;
            while(j>0&&t.key<L->data[j].key)    /*寻找当前元素的合适位置*/
            {
                L->data[j+1]=L->data[j];
                j--;
            }
            L->data[j+1]=t;                     /*将当前元素插入合适的位置*/
        }
    }
```

从上面的算法可以看出，直接插入排序算法简单且容易实现。直接插入排序算法的时间复杂度在最好的情况下是所有元素的关键字都已经有序，此时外层 for 循环的循环次数是 $n-1$，而内层 while 循环的语句执行次数为 0，因此直接插入排序算法在最好情况下的时间复杂度为 $O(n)$。在最坏情况下，即所有元素的关键字都按照逆序排列，内层 while 循环的比较次数均为 $i+1$，则整个比较次数为 $\sum_{i=1}^{n-1}(i+1)=\dfrac{(n+2)(n-1)}{2}$，移动次数为 $\sum_{i=1}^{n-1}(i+2)=\dfrac{(n+4)(n-1)}{2}$，即最坏情况下的时间复杂度为 $O(n^2)$。如果元素的关键字是随机排列的，其比较次数和移动次数约为 $n^2/4$，那么此时直接插入排序的时间复杂度为 $O(n^2)$。

直接插入排序算法只利用了一个临时变量，因此其空间复杂度为 $O(1)$。

8.2.2 折半插入排序

折半插入排序（Binary Insertion Sort）算法是直接插入排序的改进。它的主要改进在于，在已经有序的集合中使用折半查找法确定待排序元素的插入位置，找到要插入的位置后，将待排序元素插入相应的位置。

假设待排序元素有 7 个，分别为 67、53、73、21、34、98、12。使用折半插入排序对该元素序列第一趟排序的过程如图 8.6 所示。

图 8.6　折半插入排序第一趟排序过程

其中，$i=1$ 表示第一趟排序，待排序元素为 a[1]，t 中存放待排序元素。当 low>high 时，low 指向的位置为要插入元素的位置。依次将 low~$i-1$ 之间的元素依次向后移动一个位置，然后

将 t 的值插入即可。

第二趟排序过程如图 8.7 所示。

a) 初始时有low=0，high=1

b) 因为low=0，high=1，所以
有mid=(low+high)/2=0

c) 比较a[mid]与 t 的大小，因为
73>67，所以将low加1，故low=1

d) 因为low=high=1，所以mid=1。比较a[mid]与 t
的大小，因为73>67，所以将low加1，故low=2

e) 因为low>i-1，所以不需要移动
元素，直接将73插入a[low]中

图 8.7　折半插入排序第二趟排序过程

从以上两趟排序过程可以看出，折半插入排序与直接插入排序的区别仅仅在于查找插入位置的方法不同。一般情况下，折半查找的效率要高于顺序查找的效率，因此折半插入排序算法可以减少比较的次数。

通过对直接插入排序算法进行简单修改，得到折半插入排序算法，描述如下：

```
void BinInsertSort(SqList * L)
/* 折半插入排序 */
{
    int i,j,mid,low,high;
    DataType t;
    for(i=1;i<L->length;i++)   /* 前 i 个元素已经有序，从第 i+1 个元素开始与前 i 个有序的关
键字比较 */
    {
        t=L->data[i+1];        /* 取出第 i+1 个元素，即待排序的元素 */
        low=1,high=i;
        while(low<=high)       /* 利用折半查找思想寻找当前元素的合适位置 */
        {
            mid=(low+high)/2;
            if(L->data[mid].key>t.key)
                high=mid-1;
            else
                low=mid+1;
        }
        for(j=i;j>=low;j--)    /* 移动元素，空出要插入的位置 */
            L->data[j+1]=L->data[j];
        L->data[low]=t;        /* 将当前元素插入合适的位置 */
    }
}
```

折半插入排序算法与直接插入排序算法的区别在于查找插入的位置，折半插入排序减少了关键字间的比较次数，每次插入一个元素，需要比较的次数为判定树的深度，其平均比较时间复杂度为 $O(n\log_2 n)$。但是，折半插入排序并没有减少移动元素的次数，因此，折半插入排序算法的整体平均时间复杂度为 $O(n^2)$。

8.2.3　希尔排序

希尔排序（Shell Sort）也称为缩小增量排序，它的基本思想是：将待排序的元素分为若干个子序列，利用直接插入排序思想对子序列进行排序，然后将该子序列缩小，接着对子序列进行直接插入排序。按照这种思想，直到所有的元素都按照关键字有序排列。

假设待排序的元素有 n 个，对应的关键字分别是 $a_1, a_2, \cdots, a_n$，设距离（增量）为 $c_1 = 4$ 的元素为同一个子序列，则元素的关键字 $a_1, a_5, \cdots, a_i, a_{i+5}, \cdots, a_{n-5}$ 为一个子序列，同理，关键字 $a_2, a_6, \cdots, a_{i+1}, a_{i+6}, \cdots, a_{n-4}$ 为一个子序列。然后分别对同一个子序列的关键字利用直接插入排序进行排序。之后，缩小增量，令 $c_2 = 2$，分别对同一个子序列的关键字进行插入排序。以此类推，最后令增量为 1，这时只有一个子序列，对整个元素进行排序。

例如，利用希尔排序的算法思想对元素的关键字序列 $(56, 22, 67, 32, 59, 12, 89, 26, 48, 37)$ 进行排序，其排序过程如图 8.8 所示。

图 8.8　希尔排序过程

希尔排序的算法描述如下：

```
void ShellInsert(SqList * L,int c)
/* 对顺序表 L 进行一次希尔排序, c 是增量 */
{
    int i,j;
    DataType t;
    for(i=c+1;i<=L->length;i++)          /* 将距离为 c 的元素作为一个子序列进行排序 */
    {
        if(L->data[i].key<L->data[i-c].key)     /* 如果后者小于前者,则需要移动元素 */
        {
            t=L->data[i];
            for(j=i-c;j>0&&t.key<L->data[j].key;j=j-c)
                L->data[j+c]=L->data[j];
            L->data[j+c]=t;                      /* 依次将元素插入正确的位置 */
        }
    }
}
void ShellInsertSort(SqList * L,int delta[ ],int m)
/* 希尔排序,调用算法 ShellInsert, delta 是存放增量的数组 */
{
    int i;
    for(i=0;i<m;i++)                             /* 进行 m 次希尔排序 */
    {
```

```
        ShellInsert(L,delta[i]);
    }
}
```

希尔排序的分析是一个非常复杂的事情，问题主要在于希尔排序选择的增量。但是经过大量的研究，当增量的序列为 $2^{m-k+1}-1$ 时，m 为排序的次数，$1 \leqslant k \leqslant t$，其时间复杂度为 $O(n^{3/2})$。希尔排序的空间复杂度为 $O(1)$。希尔排序是一种不稳定的排序算法。

8.2.4 插入排序的应用举例

【例8.1】 利用直接插入排序、折半插入排序和希尔排序对关键字为(56,22,67,32,59,12,89,26,48,37)的元素序列进行排序，描述如下。

```
#include<stdio. h>
#include<stdlib. h>
#define MaxSize 50
typedef int KeyType;
typedef struct                /*数据元素类型定义*/
{
    KeyType key;              /*关键字*/
}DataType;
typedef struct                /*顺序表类型定义*/
{
    DataType data[MaxSize];
    int length;
}SqList;
void InitSeqList(SqList *L,DataType a[],int n);
void InsertSort(SqList *L);
void ShellInsert(SqList *L,int c);
void ShellInsertSort(SqList *L,int delta[],int m);
void BinInsertSort(SqList *L);
void DispList(SqList L,int n);
void main()
{
    DataType a[]={56,22,67,32,59,12,89,26,48,37};
    int delta[]={5,3,1};
    int n=10,m=3;
    SqList L;
    /*直接插入排序*/
    InitSeqList(&L,a,n);
    printf("排序前: ");
    DispList(L,n);
    InsertSort(&L);
    printf("直接插入排序结果: ");
    DispList(L,n);
    /*折半插入排序*/
    InitSeqList(&L,a,n);
    printf("排序前: ");
    DispList(L,n);
    BinInsertSort(&L);
    printf("折半插入排序结果: ");
    DispList(L,n);
```

```
        /*希尔排序*/
        InitSeqList(&L,a,n);
        printf("排序前: ");
        DispList(L,n);
        ShellInsertSort(&L,delta,m);
        printf("希尔排序结果: ");
        DispList(L,n);
}
void InitSeqList(SqList  * L,DataType a[ ],int n)
/*顺序表的初始化*/
{
        int i;
        for(i=1;i<=n;i++)
        {
            L->data[i]=a[i-1];
        }
        L->length=n;
}
void DispList(SqList L,int n)
/*输出表中的元素*/
{
        int i;
        for(i=1;i<=n;i++)
            printf("%4d",L.data[i].key);
        printf(" \n");
}
```

程序运行结果如图 8.9 所示。

图 8.9 程序运行结果

8.3 选择排序

选择排序的基本思想：不断地从待排序的元素序列中选择关键字最小（或最大）的元素，将其放在已排序元素序列的最前面（或最后面），直到待排序元素序列中没有元素。

8.3.1 简单选择排序

简单选择排序（Simple Selection Sort）的基本思想：假设待排序的元素序列有 n 个，第一趟排序经过 $n-1$ 次比较，从 n 个元素序列中选择关键字最小的元素，并将其放在元素序列的最前面（即第一个位置）。在第二趟排序中，从剩余的 $n-1$ 个元素中，经过 $n-2$ 次比较，选择关键字最小的元素，将其放在第二个位置。以此类推，直到没有待比较的元素，简单选择排序算法结束。

简单选择排序的算法描述如下：

```
void SelectSort(SqList * L, int n)
/*简单选择排序*/
{
    int i, j, k;
    DataType t;
    /*将第 i 个元素的关键字与后面[i+1...n]个元素的关键字比较，将关键字最小的元素放在
第 i 个位置*/
    for(i=1; i<=n-1; i++)
    {
        j=i;
        for(k=i+1; k<=n; k++)   /*关键字最小的元素的序号为 j*/
            if(L->data[k].key<L->data[j].key)
                j=k;
        if(j!=i)   /*如果序号 i 不等于 j,则需要将序号 i 和序号 j 的元素交换*/
        {
            t=L->data[i];
            L->data[i]=L->data[j];
            L->data[j]=t;
        }
    }
}
```

给定一组元素序列，其元素的关键字为(56,22,67,32,59,12,89,26)，简单选择排序的过程如图 8.10 所示。

图 8.10　简单选择排序的过程

简单选择排序的空间复杂度为 $O(1)$。简单选择排序在最好的情况下，其元素序列已经是非递减有序序列，不需要移动元素。在最坏的情况下，其元素序列按照递减排列，则在每一趟排序的过程中都需要移动元素，因此，需要移动元素的次数为 $3(n-1)$。而简单选择排序的比

较次数与元素的关键字排列无关，在任何情况下，都需要进行 $n(n-1)/2$ 次。因此，综合以上考虑，简单选择排序的时间复杂度为 $O(n^2)$。

8.3.2 堆排序

扫码看视频

堆排序（Heap Sort）的算法思想主要是利用了二叉树的性质进行排序。

1. 堆的定义

堆排序的算法思想：主要利用了二叉树的树形结构，按照完全二叉树的编号次序将元素序列的关键字依次存放在相应的结点。然后从叶子结点开始，从互为兄弟的两个结点中（没有兄弟结点除外），选择一个较大（或较小）者与其双亲结点比较，如果该结点大于（或小于）双亲结点，则将两者进行交换，使较大（或较小）者成为双亲结点。对所有的结点做类似操作，直到根结点为止。这时，根结点元素值的关键字最大（或最小）。

这样就构成了堆，堆中的每一个结点都大于（或小于）其孩子结点。堆的数学形式定义为：假设存在 n 个元素，其关键字序列为 $(k_1, k_2, \cdots, k_i, \cdots, k_n)$，如果有：

$$\begin{cases} k_i \leq k_{2i} \\ k_i \leq k_{2i+1} \end{cases} \quad 或 \quad \begin{cases} k_i \geq k_{2i} \\ k_i \geq k_{2i+1} \end{cases}$$

其中，$i = 1, 2, \cdots, \left\lfloor \dfrac{n}{2} \right\rfloor$。此时称此元素序列构成了一个堆。如果将这些元素的关键字存放在一维数组中，将此一维数组中的元素与完全二叉树一一对应起来，则完全二叉树中的每个非叶子结点的值都不小于（或不大于）孩子结点的值。

在堆中，堆的根结点元素值一定是所有结点元素值的最大值或最小值。例如，序列 $(87, 64, 53, 51, 23, 21, 48, 32)$ 和 $(12, 35, 27, 46, 41, 39, 48, 55, 89, 76)$ 都是堆，相应的完全二叉树表示如图 8.11 所示。

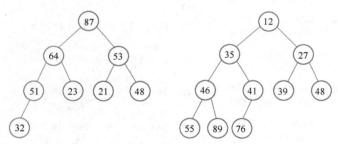

图 8.11 堆的完全二叉树表示

在图 8.11 中，非叶子结点的元素值不小于其孩子结点的值，这样的堆称为大顶堆。非叶子结点的元素值不大于其孩子结点的元素值，这样的堆称为小顶堆。

如果将堆中的根结点（堆顶）输出，然后将剩余的 $n-1$ 个结点的元素值重新建立一个堆，则新堆的堆顶元素值是次大（或次小）值，将该堆顶元素输出，之后将剩余的 $n-2$ 个结点的元素值重新建立一个堆。反复执行以上操作，直到堆中没有结点，就构成了一个有序序列，这样的重复建堆并输出堆顶元素的过程称为堆排序。

2. 建堆

堆排序的过程就是建立堆和不断调整使剩余结点构成新堆的过程。假设将待排序元素的关键字存放在数组 a 中，第一个元素的关键字 a[1] 表示二叉树的根结点，剩下元素的关键字 a[2…n] 分别与二叉树中的结点按照层次从左到右一一对应。例如，根结点的左孩子结点存放在 a[2] 中，右孩子结点存放在 a[3] 中，a[i] 的左孩子结点存放在 a[2*i] 中，右孩子结点存放在 a[2*i+1] 中。

如果是大顶堆，则有 $a[i].key \leqslant a[2*i].key$ 且 $a[i].key \geqslant a[2*i+1].key \left(i=1,2,\cdots,\left\lfloor\frac{n}{2}\right\rfloor\right)$。

如果是小顶堆，则有 $a[i].key \leqslant a[2*i].key$ 且 $a[i].key \leqslant a[2*i+1].key \left(i=1,2,\cdots,\left\lfloor\frac{n}{2}\right\rfloor\right)$。

建立一个大顶堆就是将一个无序的关键字序列构建为一个满足条件 $a[i] \geqslant a[2*i]$ 且 $a[i] \geqslant a[2*i+1]\left(i=1,2,\cdots,\left\lfloor\frac{n}{2}\right\rfloor\right)$ 的序列。

建立大顶堆的算法思想：从位于元素序列中的最后一个非叶子结点 $\left(即第\left\lfloor\frac{n}{2}\right\rfloor个元素\right)$ 开始，逐层比较，直到根结点为止。假设当前结点的序号为 i，则当前元素为 a[i]，其左、右孩子结点元素分别为 a[2*i] 和 a[2*i+1]。将 a[2*i].key 和 a[2*i+1].key 较大者与 a[i] 比较，如果孩子结点元素值大于当前结点值，则交换两者，否则不进行交换。逐层向上执行此操作，直到根结点，这样就建立了一个大顶堆。建立小顶堆的算法与此类似。

例如，给定一组元素，其关键字序列为 (21,47,39,58,39,57,48,62)，建立大顶堆的过程如图 8.12 所示。结点的旁边为对应的序号。建立后的大顶堆，其非叶子结点的元素值均不小于左、右子树结点的元素值。

a) 初始状态

b) 从第四个元素开始，因为 58<62，所以交换两个结点

c) 比较第三个元素与其子树结点，因为 57>48 且 57>39，所以交换 57 和 39

d) 比较第二个元素与其子树结点，因为 62>39 且 62>47，所以交换 62 和 47

e) 接着比较第四个元素与其子树结点，因为 58>47，所以交换 58 和 47

f) 比较第一个元素与其子树结点，因为 62>57 且 62>21，所以交换 62 和 21

图 8.12 建立大顶堆的过程

g) 比较第二个元素与其子树结点，因　　h) 比较第四个元素与其子树结点，　　　　i) 大顶堆建立
为58>39且58>21，所以交换58与21　　　因为47>21，所以交换47与21

图8.12　建立大顶堆的过程（续）

建立大顶堆的算法描述如下：

```
void CreateHeap(SqList * H,int n)
/* 建立大顶堆 */
{
    int i;
    for(i=n/2;i>=1;i--)              /* 从序号 n/2 开始建立大顶堆 */
        AdjustHeap(H,i,n);
}
void AdjustHeap(SqList * H,int s,int m)
/* 调整 H.data[s...m]的关键字，使其成为一个大顶堆 */
{
    DataType t;
    int j;
    t=( * H).data[s];               /* 将根结点暂时保存在 t 中 */
    for(j=2 * s;j<=m;j * =2)
    {
        if(j<m&&( * H).data[j].key<( * H).data[j+1].key)  /* 沿关键字较大的孩子结点向
下筛选 */
            j++;                    /* j为关键字较大的结点的下标 */
        if(t.key>( * H).data[j].key)  /* 如果孩子结点的值小于根结点的值，则不进行交换 */
            break;
        ( * H).data[s]=( * H).data[j];
        s=j;
    }
    ( * H).data[s]=t;               /* 将根结点插入正确位置 */
}
```

3. 调整堆

建立好一个大顶堆后，当输出堆顶元素后如何调整剩下的元素，使其构成一个新的大顶堆？其实，这也是一个建堆的过程，由于除了堆顶元素外，剩下的元素本身就具有 $a[i].$key$\geq a[2 * i].$key 且 $a[i].$key$\geq a[2 * i+1].$key$\left(i=1,2,\cdots,\left\lfloor\dfrac{n}{2}\right\rfloor\right)$ 的性质，且关键字按照由大到小逐层排列，因此，调整剩下的元素构成新的大顶堆只需要从上往下进行比较，找出最大的关键字并将其放在根结点的位置，就又构成了新的堆。

具体实现：当堆顶元素输出后，可以将堆顶元素放在堆的最后，即将第一个元素与最后一个元素交换 $a[1]<->a[n]$，则需要调整的元素序列就是 $a[1\cdots n-1]$。从根结点开始，如果其左、右子树结点元素值大于根结点元素值，则选择较大的一个进行交换。即如果 $a[2]>a[3]$，

则将 a[1] 与 a[2] 比较；如果 a[1]>a[2]，则将 a[1] 与 a[2] 交换，否则不交换；如果 a[2]<
a[3]，则将 a[1] 与 a[3] 比较；如果 a[1]>a[3]，则将 a[1] 与 a[3] 交换，否则不交换。重复
执行此操作，直到叶子结点不存在，就完成了堆的调整，构成了一个新堆。

　　例如，一个大顶堆的关键字序列为 (87,64,53,51,23,21,48,32)，当输出 87 后，调整剩余
的关键字序列为一个新的大顶堆的过程如图 8.13 所示。

图 8.13　输出堆顶元素后，调整堆的过程

　　如果重复地输出堆顶元素，即将堆顶元素与堆的最后一个元素交换，然后重新调整剩余的
元素序列使其构成一个新的大顶堆，直到没有需要输出的元素为止。这样就完成了一个排序的
过程，调整堆算法描述如下。

```
void HeapSort(SqList * H)
/* 对顺序表 H 进行堆排序 */
{
    DataType t;
    int i;
    CreateHeap(H,H->length);          /* 创建堆 */
    for(i=( * H).length;i>1;i--)      /* 将堆顶元素与最后一个元素交换,重新调整堆 */
    {
        t=( * H).data[1];
        ( * H).data[1]=( * H).data[i];
        ( * H).data[i]=t;
        AdjustHeap(H,1,i-1);          /* 将( * H).data[1..i-1]调整为大顶堆 */
    }
}
```

　　例如，一个大顶堆的元素的关键字序列为 (87,64,49,51,49,21,48,32)，完整的堆排序过
程如图 8.14 所示。

　　堆排序是一种不稳定的排序算法。堆排序的时间主要耗费在建立堆和不断调整堆的过程
中。一个深度为 h、元素个数为 n 的堆，其调整算法的比较次数最多为 $2(h-1)$ 次，而建立一

个堆，其比较次数最多为 $4n$。一个完整的堆排序过程总共的比较次数为 $2(\lfloor \log_2(n-1) \rfloor + \lfloor \log_2(n-2) \rfloor + \cdots + \lfloor \log_2 \rfloor) < 2n\log_2 n$，因此，堆排序在最坏情况下的时间复杂度为 $O(n\log_2 n)$。堆排序适合应用于待排序的数据量较大的情况。

图 8.14　一个完整的堆排序过程

m) 调整使前两个元素构成一个堆　　　n) 堆顶元素与第二个元素交换　　　　o) 堆排序完毕

数组	1	2	3	4	5	6	7	8
	32	21	48	49	49	51	64	87

数组	1	2	3	4	5	6	7	8
	21	32	48	49	49	51	64	87

数组	1	2	3	4	5	6	7	8
	21	32	48	49	49	51	64	87

图 8.14　一个完整的堆排序过程（续）

8.4　交换排序

交换排序的基本思想是：通过依次交换逆序的元素实现排序。本节主要介绍两种常用的交换排序算法：冒泡排序和快速排序。

8.4.1　冒泡排序

冒泡排序（Bubble Sort）的基本思想：从第一个元素开始，依次比较两个相邻的元素，如果两个元素逆序，则进行交换，即如果 L. data$[i]$. key>L. data$[i+1]$. key，则交换 L. data$[i]$ 与 L. data$[i+1]$。假设元素序列中有 n 个待比较的元素，第一趟排序结束后，就会将元素序列中关键字最大的元素移到序列的末尾，即第 n 个位置。第二趟排序结束后，就会将关键字次大的元素移动到第 $n-1$ 个位置。以此类推，经过 $n-1$ 趟排序后，元素序列构成一个有序的序列。这样的排序类似于气泡慢慢向上浮动，因此称为冒泡排序。

例如，一组元素序列的关键字为 $(56,22,67,32,59,12,89,26)$，对该关键字序列进行冒泡排序，第一趟排序过程如图 8.15 所示。

序号	1	2	3	4	5	6	7	8
初始状态	[56	22	67	32	59	12	89	26]
第一趟排序：将第一个元素与第二个元素交换	[22	56	67	32	59	12	89	26]
第一趟排序：a[2].key <a[3].key，不需要交换	[22	56	67	32	59	12	89	26]
第一趟排序：将第三个元素与第四个元素交换	[22	56	32	67	59	12	89	26]
第一趟排序：第四个元素与第五个元素交换	[22	56	32	59	67	12	89	26]
第一趟排序：将第五个元素与第六个元素交换	[22	56	32	59	12	67	89	26]
第一趟排序：a[6].key <a[7].key，不需要交换	[22	56	32	59	12	67	89	26]
第一趟排序：将第七个元素与第八个元素交换	[22	56	32	59	12	67	26	89]
第一趟排序结果	22	56	32	59	12	67	26	[89]

图 8.15　第一趟排序过程

从图 8.15 容易看出，第一趟排序结束后，关键字最大的元素被移动到序列的末尾。按照这种方法，冒泡排序的全过程如图 8.16 所示。

序号	1	2	3	4	5	6	7	8
初始状态	[56	22	67	32	59	12	89	26]
第一趟排序结果:	22	56	32	59	12	67	26	[89]
第二趟排序结果:	22	32	56	12	59	26	[67	89]
第三趟排序结果:	22	32	12	56	26	[59	67	89]
第四趟排序结果:	22	12	32	26	[56	59	67	89]
第五趟排序结果:	12	22	26	[32	56	59	67	89]
第六趟排序结果:	12	22	[26	32	56	59	67	89]
第七趟排序结果:	12	[22	26	32	56	59	67	89]
最后排序结果:	12	22	26	32	56	59	67	89

图 8.16　冒泡排序的全过程

从图 8.16 不难看出，在第五趟排序结束后，其实该元素序列已经有序，第六趟和第七趟排序就不需要进行比较了。因此，在设计算法时，可以设置一个标志为 flag。如果在某一趟循环中，所有元素已经有序，则令 flag=0，表示该序列已经有序，不需要再进行后面的比较了。

冒泡排序的算法描述如下：

```
void BubbleSort(SqList  * L,int n)
/ * 冒泡排序 * /
{
    int i,j,flag;
    DataType t;
    for(i=1;i<=n-1&&flag;i++)              / * 需要进行 n-1 趟排序 * /
    {
        flag=0;
        for(j=1;j<=n-i;j++)                / * 每一趟排序都需要比较 n-i 次 * /
            if(L->data[j].key>L->data[j+1].key)
            {
                t=L->data[j];
                L->data[j]=L->data[j+1];
                L->data[j+1]=t;
                flag=1;
            }
    }
}
```

容易看出，冒泡排序的空间复杂度为 $O(1)$。在进行冒泡排序的过程中，假设待排序的元素序列为 n 个，则需要进行 $n-1$ 趟排序，每一趟都需要进行 $n-i$ 次比较，其中 $i=1,2,\cdots,n-1$。因此，整个冒泡排序需要比较的次数为 $\sum\limits_{i=1}^{n-1} i = \dfrac{n(n-1)}{2}$，移动次数为 $3\times\dfrac{n(n-1)}{2}$，冒泡排序的时间复杂度为 $O(n^2)$。冒泡排序是一种稳定的排序算法。

8.4.2 快速排序

扫码看视频

快速排序（Quick Sort）算法是冒泡排序的一种改进，与冒泡排序类似，只是快速排序是将元素序列中的关键字与指定的元素进行比较，将逆序的两个元素进行交换。快速排序的基本算法思想是：设待排序的元素序列的个数为 n，分别存放在数组 data[$1\cdots n$]中，令第一个元素作为枢轴元素，即将 a[1]作为参考元素，令 pivot = a[1]。初始时，令 $i = 1$，$j = n$，然后按照以下方法操作：

1）从序列的 j 位置往前，依次将元素的关键字与枢轴元素比较。如果当前元素的关键字大于或等于枢轴元素的关键字，则将前一个元素的关键字与枢轴元素的关键字比较，否则将当前元素移动到位置 i，即比较 a[j].key 与 pivot.key。如果 a[j].key ≥ pivot.key，则连续执行 j-- 操作，直到找到一个元素使 a[j].key < pivot.key，则将 a[j]移动到 a[i]中，并执行一次 i++ 操作。

2）从序列的 i 位置开始，依次将该元素的关键字与枢轴元素比较。如果当前元素的关键字小于枢轴元素的关键字，则将后一个元素的关键字与枢轴元素的关键字比较，否则将当前元素移动到位置 j，即比较 a[i].key 与 pivot.key，如果 a[i].key < pivot.key，则连续执行 i++，直到遇到一个元素使 a[i].key ≥ pivot.key，则将 a[i]移动到 a[j]中，并执行一次 j-- 操作。

3）循环执行步骤 1）和 2），直到出现 $i \geq j$，则将元素 pivot 移动到 a[i]中。此时，整个元素序列在位置 i 被划分成两个部分，前一部分元素的关键字都小于 a[1].key，后一部分元素的关键字都大于或等于 a[1].key，即完成了一趟快速排序。

按照以上方法在每一个部分继续进行以上划分操作，直到每一个部分只剩下一个元素不能继续划分为止，这样，整个元素序列就构成了以关键字非递增的排列。

例如，一组元素序列的关键字为(37,19,43,22,<u>22</u>,89,26,92)，根据快速排序算法思想，第一趟快速排序的过程如图 8.17 所示。

	序号	1	2	3	4	5	6	7	8
第一个元素作为枢轴元素pivotkey = a[1].key	初始状态	[37 ↑i=1	19	43	22	<u>22</u>	89	26	92] ↑j=8
因为pivotkey>a[7].key，所以将a[7]保存到a[1]		[26 ↑i=1	19	43	22	<u>22</u>	89	□	92] ↑j=7
因为a[3].key>pivotkey，所以将a[3]保存到a[7]		[26	19	□ ↑i=3	22	<u>22</u>	89	43	92] ↑j=7
因为pivotkey>a[5].key，所以将a[5]保存到a[3]		[26	19	<u>22</u> ↑i=3	22	□ ↑j=5	89	43	92]
因为low=high，将pivotkey保存到a[low]即a[5]中		[26	19	<u>22</u>	22	37 i=5↑j=5	89	43	92]
第一趟排序结果：以37为枢轴将序列分为两段		[26	19	<u>22</u>	22]	37	[89	43	92]

图 8.17 第一趟快速排序的过程

从图 8.17 容易看出，当第一趟快速排序完毕之后，整个元素序列被枢轴的关键字 37 划分为两个部分，前一部分元素的关键字都小于 37，后一部分元素的关键字都大于或等于 37。其实，快速排序的过程就是以枢轴为中心将元素序列划分的过程，直到所有的序列被划分为单独的元素，快速排序完毕。快速排序的过程如图 8.18 所示。

序号	1	2	3	4	5	6	7	8
第一个元素作为枢轴元素pivotkey=a[1].key 初始状态	[37	19	43	22	22	89	26	92]
37作为枢轴元素，第一趟排序结果：	[26	19	22	22]	37	[89	43	92]
26作为枢轴元素，第二趟排序结果：	[22	19	22]	26	37	[89	43	92]
22作为枢轴元素，第三趟排序结果：	[19]	22	[22]	26	37	[89	43	92]
89作为枢轴元素，第四趟排序结果：	19	22	22	26	37	[43]	89	[92]
最终排序结果：	19	22	22	26	37	43	89	92

图 8.18　快速排序的过程

进行一趟快速排序，即将元素序列进行一次划分的算法描述如下：

```
int Partition(SqList *L,int low,int high)
/*对顺序表 L.r[low..high]的元素进行一趟排序，使枢轴前面元素的关键字小于枢轴元素的关键
字，枢轴后面元素的关键字大于或等于枢轴元素的关键字，并返回枢轴位置*/
{
    DataType t;
    KeyType pivotkey;
    pivotkey=(*L).data[low].key;             /*将表的第一个元素作为枢轴元素*/
    t=(*L).data[low];
    while(low<high)                          /*从表的两端交替地向中间扫描*/
    {
        while(low<high&&(*L).data[high].key>=pivotkey)   /*从表的末端向前扫描*/
            high--;
        if(low<high)                         /*将当前 high 指向的元素保存在 low 位置*/
        {
            (*L).data[low]=(*L).data[high];
            low++;
        }
        while(low<high&&(*L).data[low].key<=pivotkey)   /*从表的始端向后扫描*/
            low++;
        if(low<high)                         /*将当前 low 指向的元素保存在 high 位置*/
        {
            (*L).data[high]=(*L).data[low];
            high--;
        }
    }
    (*L).data[low]=t;                        /*将枢轴元素保存在 low=high 的位置*/
    return low;                              /*返回枢轴所在位置*/
}
```

快速排序算法通过多次递归调用一次划分算法（即一趟排序算法）来实现快速排序，其算法描述如下：

```
void QuickSort(SqList *L,int low,int high)
/*对顺序表 L 进行快速排序*/
{
```

```
        int pivot;
        if(low<high)                       /* 如果元素序列的长度大于 1 */
        {
            pivot=Partition(L,low,high);   /* 将待排序序列 L.r[low..high]划分为两部分 */
            QuickSort(L,low,pivot-1);       /* 对左边的子表进行递归排序,pivot 是枢轴位置 */
            QuickSort(L,pivot+1,high);      /* 对右边的子表进行递归排序 */
        }
    }
```

容易看出,快速排序是一种不稳定的排序算法,其空间复杂度为 $O(\log_2 n)$。

在最好的情况下,每趟排序均将元素序列正好划分为相等的两个子序列,这样快速排序的划分过程就使元素序列构成一个完全二叉树的结构,分解的次数等于树的深度(即 $\log_2 n$),因此快速排序总的比较次数为 $T(n) \leqslant n+2T(n/2) \leqslant n+2\times(n/2+2\times T(n/4))=2n+4T(n/4) \leqslant 3n+8T(n/8) \leqslant \cdots \leqslant n\log_2 n+nT(1)$。因此,在最好的情况下,时间复杂度为 $O(n\log_2 n)$。

在最坏的情况下,待排序的元素序列已经是有序序列,则第一趟需要比较 $n-1$ 次,第二趟需要比较 $n-2$ 次,以此类推,共需要比较 $n(n-1)/2$ 次,因此时间复杂度为 $O(n^2)$。

在平均情况下,快速排序的时间复杂度为 $O(n\log_2 n)$。

8.4.3　交换排序的应用举例

【例 8.2】 一组元素的关键字序列为 $(37,22,43,32,19,12,89,26,48,92)$,使用冒泡排序和快速排序对该元素进行排序,并输出冒泡排序和快速排序的每趟排序结果,其算法描述如下。

```
#include<stdio.h>
#include<stdlib.h>
#define MaxSize 50
typedef int KeyType;
typedef struct                /* 数据元素类型 */
  {
    KeyType key;              /* 关键字 */
  }DataType;
typedef struct                /* 顺序表类型 */
  {
    DataType data[MaxSize];
    int length;
  }SqList;
void InitSeqList(SqList *L,DataType a[],int n);
void DispList(SqList L);
void DispList2(SqList L,int pivot,int count);
void DispList3(SqList L,int count);
void HeapSort(SqList *H);
void BubbleSort(SqList *L,int n);
void QuickSort(SqList *L);
void DispList2(SqList L,int pivot,int count)
  {
    int i;
    printf("第%d 趟排序结果:[",count);
    for(i=1;i<pivot;i++)
```

```
            printf("%-4d",L. data[i]. key);
        printf("]");
        printf("%3d ",L. data[pivot]. key);
        printf("[");
        for(i=pivot+1;i<=L. length;i++)
            printf("%-4d",L. data[i]. key);
        printf("]");
        printf("\n");

}
void DispList3(SqList L,int count)
/*输出表中的元素*/
{
    int i;
    printf("第%d 趟排序结果:",count);
    for(i=1;i<=L. length;i++)
        printf("%4d",L. data[i]. key);
    printf("\n");
}
void main()
{
    DataType a[]={37,22,43,32,19,12,89,26,48,92};
    int n=10;
    SqList L;
    /*冒泡排序*/
    InitSeqList(&L,a,n);
    printf("冒泡排序前:");
    DispList(L);
    BubbleSort(&L,n);
    printf("冒泡排序结果:");
    DispList(L);
    /*快速排序*/
    InitSeqList(&L,a,n);
    printf("快速排序前:");
    DispList(L);
    QuickSort(&L);
    printf("快速排序结果:");
    DispList(L);
}
void InitSeqList(SqList *L,DataType a[],int n)
/*顺序表的初始化*/
{
    int i;
    for(i=1;i<=n;i++)
    {
        L->data[i]=a[i-1];
    }
    L->length=n;

}
void DispList(SqList L)
/*输出表中的元素*/
```

```
    {
        int i;
        for(i=1;i<=L.length;i++)
            printf("%4d",L.data[i].key);
        printf("\n");
    }
/*冒泡排序算法*/
void BubbleSort(SqList *L,int n)
/*冒泡排序*/
    {

        int i,j,flag=1;
        DataType t;
        static int count=1;
        for(i=1;i<=n-1&&flag;i++)                    /*需要进行n-1趟排序*/
        {
            flag=0;
            for(j=1;j<=n-i;j++)                      /*每一趟排序需要比较n-i次*/
                if(L->data[j].key>L->data[j+1].key)
                {
                    t=L->data[j];
                    L->data[j]=L->data[j+1];
                    L->data[j+1]=t;
                    flag=1;
                }
            DispList3(*L,count);
            count++;
        }
    }
/*快速排序算法*/
void QSort(SqList *L,int low,int high)
/*对顺序表L进行快速排序*/
    {

        int pivot;
        static count=1;
        if(low<high)                                 /*如果元素序列的长度大于1*/
        {
            pivot=Partition(L,low,high);             /*将待排序序列L.r[low..high]划分为两部分*/
            DispList2(*L,pivot,count);               /*输出每次划分的结果*/
            count++;
            QSort(L,low,pivot-1);                    /*对左边的子表进行递归排序,pivot是枢轴位置*/
            QSort(L,pivot+1,high);                   /*对右边的子表进行递归排序*/
        }
    }
void QuickSort(SqList *L)
/*对顺序表L进行快速排序*/
    {
        QSort(L,1,(*L).length);
    }
```

程序运行结果如图8.19所示。

```
D:\数据结构\例8-02\Debug\例8-02.exe                    —     □     ×
冒泡排序前：   37  22  43  32  19  12  89  26  48  92
第1趟排序结果：  22  37  32  19  12  43  26  48  89  92
第2趟排序结果：  22  32  19  12  37  26  43  48  89  92
第3趟排序结果：  22  19  12  32  26  37  43  48  89  92
第4趟排序结果：  19  12  22  26  32  37  43  48  89  92
第5趟排序结果：  12  19  22  26  32  37  43  48  89  92
第6趟排序结果：  12  19  22  26  32  37  43  48  89  92
冒泡排序结果：   12  19  22  26  32  37  43  48  89  92
快速排序前：   37  22  43  32  19  12  89  26  48  92
第1趟排序结果：[26  22  12  32  19 ] 37 [89  43  48  92 ]
第2趟排序结果：[19  22  12 ] 26 [32  37  89  43  48  92 ]
第3趟排序结果：[12 ] 19 [22  26  32  37  89  43  48  92 ]
第4趟排序结果：[12  19  22  26  32  37  48  43 ] 89 [92 ]
第5趟排序结果：[12  19  22  26  32  37  43 ] 48  89  92
快速排序结果：   12  19  22  26  32  37  43  48  89  92
请按任意键继续. . .▄
```

图 8.19　程序运行结果

8.5　归并排序

归并排序（Merging Sort）的基本思想是：将两个或两个以上的元素有序序列组合，使其成为一个有序序列。其中最为常用的是 2 路归并排序。

2 路归并排序的主要思想：假设元素的个数是 n，将每个元素都作为一个有序的子序列，然后将相邻的两个子序列两两合并，得到 $\left\lceil \dfrac{n}{2} \right\rceil$ 个长度为 2 的有序子序列。继续将相邻的两个有序子序列两两合并，得到 $\left\lceil \dfrac{n}{4} \right\rceil$ 个长度为 4 的有序子序列。以此类推，重复执行以上操作，直到有序序列合并为 1 个为止。这样就得到了一个有序序列。

一组元素序列的关键字序列为 $(37, 19, 43, 22, 57, 89, 26, 92)$，2 路归并排序的过程如图 8.20 所示。

图 8.20　2 路归并排序过程

容易看出，2 路归并排序的过程其实就是不断地将两个相邻的子序列合并为一个子序列的过程。其合并算法描述如下：

```
void Merge(DataType s[ ], DataType t[ ], int low, int mid, int high)
/*将有序的 s[low...mid]和 s[mid+1..high]归并为有序的 t[low..high] */
{
    int i,j,k;
```

```
            i=low,j=mid+1,k=low;
            while(i<=mid&&j<=high)          /* 将 s 中的元素由小到大地合并到 t */
            {
                if(s[i].key<=t[j].key)
                {
                    t[k]=s[i++];
                }
                else
                {
                    t[k]=s[j++];
                }
                k++;
            }
            while(i<=mid)                    /* 将剩余的 s[i..mid]复制到 t */
                t[k++]=s[i++];
            while(j<=high)                   /* 将剩余的 s[j..high]复制到 t */
                t[k++]=s[j++];
        }
```

以上是合并两个子表的算法，可通过递归调用以上算法合并所有子表，从而实现 2 路归并排序。其 2 路归并算法描述如下：

```
    void MergeSort(DataType s[],DataType t[],int low, int high)
    /* 2 路归并排序,将 s[low...high]归并排序并存储到 t[low...high]中 */
    {
        int mid;
        DataType t2[MaxSize];
        if(low==high)
            t[low]=s[low];
        else
        {
            mid=(low+high)/2;         /* 将 s[low...high]分为 s[low...mid]和 s[mid+1...high] */
            MergeSort(s,t2,low,mid);  /* 将 s[low...mid]归并为有序的 t2[low...mid] */
            MergeSort(s, t2, mid+1, high);  /* 将 s[mid+1...high]归并为有序的 t2[mid+
    1...high] */
            Merge(t2, t, low, mid, high);   /* 将 t2[low...mid]和 t2[mid+1..high]归并到
    t[low...high] */
        }
    }
```

归并排序的空间复杂度为 $O(n)$。由于 2 路归并排序过程中所使用的空间过大，因此，它主要被用在外部排序中。2 路归并排序算法需要多次递归调用自己，其递归调用的过程可以构成一个二叉树的结构，它的时间复杂度为 $T(n) \leqslant n+2T(n/2) \leqslant n+2\times(n/2+2\times T(n/4))=2n+4T(n/4) \leqslant 3n+8T(n/8) \leqslant \cdots \leqslant n\log_2 n+nT(1)$，即 $O(n\log_2 n)$。2 路归并排序是一种稳定的排序算法。

8.6　基数排序

基数排序是一种与前面各种排序方法完全不同的方法，前面的排序方法是通过对元素的关键字进行比较，然后移动元素实现的。而基数排序是一种不需要对关键字进行比较的排序方法。

8.6.1 基数排序算法

基数排序（Radix Sort）主要利用多个关键字进行排序。在日常生活中，扑克牌就是一种多关键字的排序问题。扑克牌有 4 种花色，即红桃、方块、梅花和黑桃，每种花色都从 A 到 K，共 13 张牌。这 4 种花色就相当于 4 个关键字，而每种花色的 A~K 就相当于对不同的关键字进行排序。

基数排序正是借助这种思想对不同类的元素进行分类，然后对同一类中的元素进行排序，通过这样的一种过程，完成对元素序列的排序。在基数排序中，通常将对不同元素的分类称为分配，将排序的过程称为收集。

具体算法思想：假设第 i 个元素 a_i 的关键字为 key_i，key_i 是由 d 位十进制数组成的，即 $key_i = ki^d ki^{d-1} \cdots ki^1$，其中，$ki^1$ 为最低位，ki^d 为最高位。关键字的每一位数字都可作为一个子关键字。首先将元素序列按照最低的关键字进行排序，然后从低位到高位直到最高位依次进行排序，这样就完成了排序过程。

例如，一组元素序列的关键字为 $(334, 45, 21, 467, 821, 562, 342, 45)$。这组关键字的位数最多的是 3 位，在排序之前，首先将所有的关键字都看作一个 3 位数字组成的数，即 $(324, 285, 021, 467, 821, 562, 342, 045)$。对这组关键字进行基数排序需要进行 3 趟分配和收集。首先需要对该关键字序列的最低位进行分配和搜集，然后对十位的数字进行分配和收集，最后对最高位的数字进行分配和收集。一般情况下，采用链表实现基数排序。对最低位进行分配和收集的过程如图 8.21 所示。其中，数组 $f[i]$ 保存第 i 个链表的头指针，数组 $r[i]$ 保存第 i 个链表的尾指针。

图 8.21 第一趟分配和收集过程

对十位数字分配和收集的过程如图 8.22 所示。

图 8.22 第二趟分配和收集过程

对百位数字分配和收集的过程如图 8.23 所示。

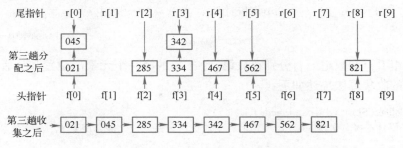

图 8.23　第三趟分配和收集过程

经过第一趟排序，即对个位数作为关键字进行分配后，关键字被分为 9 类，个位数字相同的数字被划分为一类，然后对分配后的关键字进行收集，得到以个位数字非递减排序的序列。同理，经过第二趟分配和收集后，得到以十位数字非递减排序的序列。经过第三趟分配和收集后，得到最终的排序结果。

基数排序的算法主要包括分配和收集。数据的存储采用静态链表实现，静态链表类型算法描述如下：

```
#define MaxNumKey 6              /*关键字项数的最大值*/
#define Radix 10                 /*关键字基数，此时是十进制整数的基数*/
#define MaxSize 1000
typedef int KeyType;
typedef struct
{
    KeyType key[MaxNumKey];      /*关键字*/
    int next;
}SListCell;                      /*静态链表的结点类型*/
typedef struct
{
    SListCell data[MaxSize];     /*存储元素，data[0]为头结点*/
    int keynum;                  /*每个元素的当前关键字个数*/
    int length;                  /*静态链表的当前长度*/
}SList;                          /*静态链表类型*/
typedef int addr[Radix];        /*指针数组类型*/
```

基数排序的分配算法描述如下：

```
void Distribute(SListCell data[], int i, addr f, addr r)
/*为 data 中的第 i 个关键字 key[i]建立 Radix 个子表，使同一子表中元素的 key[i]相同*/
/*f[0..Radix-1]和 r[0..Radix-1]分别指向各个子表中的第一个元素和最后一个元素*/
{
    int j, p;
    for(j=0;j<Radix;j++)         /*将各个子表初始化为空表*/
        f[j]=0;
    for(p=data[0].next;p;p=data[p].next)
    {
        j=trans(data[p].key[i]); /*将对应的关键字字符转换为整数类型*/
        if(!f[j])                /*f[j]是空表，则 f[j]指示第一个元素*/
            f[j]=p;
        else
```

```
                    data[r[j]].next=p;
            r[j]=p;              /*将 p 所指向的结点插入第 j 个子表中*/
        }
    }
```

其中，数组 $f[j]$ 和数组 $r[j]$ 分别存放第 j 个子表的第一个元素的位置和最后一个元素的位置。基数排序的收集算法描述如下：

```
    void Collect(SListCell data[ ],addr f,addr r)
    /*按 key[i]将 f[0..Radix-1]所指向各子表依次链接成一个静态链表*/
    {
        int j,t;
        for(j=0;!f[j];j++);          /*查找第一个非空子表*/
        data[0].next=f[j];
        t=r[j];                      /*r[0].next 指向第一个非空子表中的第一个结点*/
        while(j<Radix-1)
        {
            for(j=j+1;j<Radix-1&&!f[j];j++);     /*找到下一个非空子表*/
            if(f[j])                             /*将非空链表连接在一起*/
            {
                data[t].next=f[j];
                t=r[j];
            }
        }
        data[t].next=0;    /*t 指向最后一个非空子表中的最后一个结点*/
    }
```

基数排序通过多次调用分配算法和收集算法实现排序，其算法描述如下：

```
    SList RadixSort(SList L)
    /*对 L 进行基数排序，使 L 成为按关键字非递减的静态链表,L.r[0]为头结点*/
    {
        int i;
        addr f,r;
        for(i=0;i<L.keynum;i++)   /*由低位到高位依次对各关键字进行分配和收集*/
        {
            Distribute(L.data,i,f,r);     /*第 i 趟分配*/
            Collect(L.data,f,r);          /*第 i 趟收集*/
            printf("第%d 趟收集后:",i+1);
            PrintList2(L);
        }
        return L;
    }
```

容易看出，基数排序需要 $2 \times Radix$ 个队列指针，分别指向每个队列的队头和队尾。假设待排序的元素为 n 个，每个元素的关键字为 d 个，则基数排序的时间复杂度为 $O(d \times (n+Radix))$。

8.6.2　基数排序的应用举例

【例 8.3】 一组元素序列的关键字为 $(268,126,63,730,587,184)$，使用基数排序对该元素序列排序，并输出每一趟基数排序的结果。

分析：主要考查基数排序的算法思想。基数排序首先利用多个关键字进行分配，然后对每趟排序结果进行收集，通过多趟分配和收集后得到最终的排序结果。十进制数有 0~9 共 10 个数字，利用 10 个链表分别存放每个关键字各个位为 0~9 的元素，然后通过收集将每个链表连接在一起，构成一个链表，通过 3 次（因为最大关键字是 3 位数）分配和收集就完成了排序。

基数排序采用静态链表实现，算法的完整实现包括 3 个部分：基数排序的分配和收集算法、静态链表的初始化、测试代码。

1. 分配和收集算法

这部分主要包括基数排序的分配、收集。因为关键字中最大的是 3 位数，因此需要进行 3 趟分配和收集。

2. 静态链表的初始化

静态链表的初始化主要包括以下功能：

1）求出关键字最大的元素，并通过该元素值得到子关键字的个数，通过对数函数实现。

2）将每个元素的关键字转换为字符类型，不足的位数用字符"0"补齐，子关键字即元素关键字每个位的值都存放在 key 域中；

3）将每个结点通过链域连接起来，构成一个链表。

静态链表的初始化代码如下：

```
SList InitList(SList L,DataType a[ ],int n)
/*初始化静态链表 L*/
{
    char ch[MaxNumKey],ch2[MaxNumKey];
    int i,j,max=a[0].key;
    for(i=1;i<n;i++)                    /*将最大的关键字存入 max*/
        if(max<a[i].key)
            max=a[i].key;
    L.keynum=(int)(log10(max))+1;       /*求子关键字的个数*/
    L.length=n;                         /*待排序个数*/
    for(i=1;i<=n;i++)
    {
        itoa(a[i-1].key,ch,10);         /*将整型转换为字符,并存入 ch*/
        for(j=strlen(ch);j<L.keynum;j++)  /*如果 ch 的长度<max 的位数,则在 ch 前补"0"*/
        {
            strcpy(ch2,"0");
            strcat(ch2,ch);
            strcpy(ch,ch2);
        }
        for(j=0;j<L.keynum;j++)         /*将每个关键字的各个位数存入 key*/
            L.data[i].key[j]=ch[L.keynum-1-j];
    }
    for(i=0;i<L.length;++i)             /*初始化静态链表*/
        L.data[i].next=i+1;
    L.data[L.length].next=0;
    return L;
}
```

3. 测试代码

```
#include<stdio.h>
#include<malloc.h>
#include<math.h>
```

```
    #define MaxNumKey 6              /*关键字项数的最大值*/
    #define Radix 10                 /*关键字基数，此时是十进制整数的基数*/
    #define MaxSize 1000
    #define N 6
    typedef int KeyType;            /*定义关键字类型为字符型*/
    typedef struct
    {
        KeyType key[MaxNumKey];     /*关键字*/
        int next;
    }SListCell;                      /*静态链表的结点类型*/
    typedef struct
    {
        SListCell data[MaxSize];    /*存储元素，data[0]为头结点*/
        int keynum;                  /*每个元素的当前关键字个数*/
        int length;                  /*静态链表的当前长度*/
    }SList;                          /*静态链表类型*/
    typedef int addr[Radix];        /*指针数组类型*/
    typedef struct
    {
        KeyType key;                 /*关键字*/
    }DataType;
    void PrintList(SList L);
    void PrintList2(SList L);
    SList InitList(SList L,DataType d[],int n);
    int trans(char c);
    void Distribute(SListCell data[],int i,addr f,addr r);
    void Collect(SListCell data[],addr f,addr r);
    SList RadixSort(SList L);
    int trans(char c)
    /*将字符c转换为对应的整数*/
    {
        return c-'0';
    }
    void main()
    {
        DataType d[N]={268,126,63,730,587,184};
        SList L;
        L=InitList(L,d,N);
        printf("待排序元素个数是%d个，关键字个数为%d个\n",L.length,L.keynum);
        printf("排序前的元素:\n");
        PrintList2(L);
        printf("排序前元素的存放位置:\n");
        PrintList(L);
        L=RadixSort(L);
        printf("排序后元素的存放位置:\n");
        PrintList(L);
    }
    void PrintList(SList L)
    /*按数组序号形式输出静态链表*/
    {
        int i,j;
        printf("静态链表的第一个元素地址是%d\n",L.data[0].next);
        printf("序号 关键字 下一个元素地址\n");
```

```
            for(i=1;i<=L. length;i++)
            {
                    printf("%2d    ",i);
                    for(j=L. keynum-1;j>=0;j--)
                            printf("%c",L. data[i]. key[j]);
                    printf("      %d\n",L. data[i]. next);
            }
    }

    void PrintList2(SList L)
    /*按链表形式输出静态链表*/
    {
            int i=L. data[0]. next,j;
            while(i)
            {
                    for(j=L. keynum-1;j>=0;j--)
                            printf("%c",L. data[i]. key[j]);
                    printf(" ");
                    i=L. data[i]. next;
            }
            printf("\n");
    }
```

图 8.24　基数排序运行结果

程序运行结果如图 8.24 所示。

思考题

从归并排序、基数排序算法的执行过程中，如何理解每一趟排序与最终排序之间的关系？从这些排序过程中，你认为整体与部分存在怎样的辩证关系？它对我们分析与解决问题有什么帮助？

8.7　外排序

前面的排序算法需要将待排序数据加载到内存中处理，但当数据量特别大的时候，无法一次将数据加载到内存中，也就无法直接使用前面的算法进行排序。为解决数据量大时的排序问题，需要利用外存的存储空间将待排序的数据不断地在内存与外存之间进行交换，将已经排序的放在外存，将待排序的数据调入内存。这样的排序称为外排序。

8.7.1　外排序基本思想

在外排序的方法中，归并排序是最为常用的方法。这种方法的基本思想是：先把要排序的文件分段送入内存，并将这些子段调入内存进行排序，再将这些排好序的子段送入外存，称为归并段；然后将这些归并段不断地调入内存进行归并排序，使得归并段扩大，直到整个待排序文件有序。外排序由两个不同的阶段组成：

1）生成初始归并段。将存储在文件中的待排序数据分段读入内存，在内存中对每段数据进行排序，将排序后的数据存入文件中，从而得到若干初始归并段。

2）归并排序。利用归并排序算法对归并段排序，不断扩大归并段中的数据，最后形成一个归并段，完成排序。

8.7.2 生成初始归并段

生成初始归并段就是由一个待排序文件生成若干个有序文件，这些有序文件中的数据正好是待排序文件中的所有数据。

1. 均匀分段法

设待排序文件 file 的长度为 n，可用内存大小为 $m(m<<n)$。从待排序文件中读取 m 个元素到内存中，采用某种内排序方法对这些数据进行排序，写入文件 $file_1$ 中；再从 file 中读取后面的 m 个元素到内存中，并进行排序，之后写入文件 $file_2$ 中。以此类推，重复执行以上过程，直到 file 中的所有数据都处理完毕，得到 s 个有序文件 $file_1, file_2, \cdots, file_s$，称为初始归并段。前 $s-1$ 个有序文件长度均为 m，第 s 个有序文件长度小于或等于 m。

例如，某个待排序的文件有 1200 条记录（$D_1, D_2, \cdots, D_{1200}$），内存缓冲区可容纳 300 条记录，要对该文件进行排序，需要将该文件等分为 4 个数据块，每个数据块包含 300 条记录。将每块读入内存，并利用内排序法进行排序，可得到 4 个初始归并段 R_1、R_2、R_3 和 R_4。其中，R_1 包含记录 $D_1 \sim D_{300}$，R_2 包含记录 $D_{301} \sim D_{600}$，R_3 包含记录 $D_{601} \sim D_{900}$，R_4 包含记录 $D_{901} \sim D_{1200}$。

2. 置换-选择排序法

对于均匀分段法，初始归并段个数 s 的值为 $s = \lceil n/m \rceil$，其中，n 表示外部文件中的记录数，m 表示初始归并段中包含的记录数。所有的排序过程都是在内存中运行的，内存的空间大小是一定的，如果初始归并段的大小很大，内存会容纳不下，这就需要在文件中待排序记录数 n 一定时尽量减少初始归并段的大小，减少初始归并段的个数。

置换-选择排序算法的具体操作过程：

1）从待排序文件 file 中按可用内存大小 m 读入 m 个元素到内存中，归并段编号为 i。

2）从内存工作区中选出关键字最小的元素 R_{min}。

3）将 R_{min} 输出到文件 $file_i$，作为第 i 个归并段的一个元素。

4）若待排序文件不为空，则从待排序文件中读取下一个元素到内存工作区中，替换刚才输出的 R_{min}。

5）从内存工作区中所有大于或等于 R_{min} 的元素中，选择最小的元素作为新的 R_{min}，转到步骤3）执行，直到选不出新的 R_{min}，这时会得到一个初始归并段。

6）重复执行步骤2）~6），并将 i 加 1，直至内存工作区为空，此时会得到全部的初始归并段。

例如，某文件中有 16 个元素，其关键字序列为（22,86,16,75,28,36,99,50,80,6,33,65,52,19,87,72），若内存工作区只能容纳 5 个元素，那么用置换-选择排序法可产生几个初始归并段？每个初始归并段都有哪些元素？

初始归并段的生成过程如表 8.1 所示。

表 8.1 初始归并段的生成过程

读入元素	内存工作区	R_{min}	初始归并段编号	初始归并段元素
22,86,16,75,28	22,86,**16**,75,28	16	1	16
36	22,86,**36**,75,28	22	1	16,22
99	**99**,86,36,75,28	28	1	16,22,28
50	99,86,36,75,**50**	36	1	16,22,28,36

（续）

读入元素	内存工作区	R_{min}	初始归并段编号	初始归并段元素
80	99,86,**80**,75,50	50	1	16,22,28,36,50
6	99,86,80,75,**6**	75	1	16,22,28,36,50,75
33	99,86,80,**33**,6	80	1	16,22,28,36,50,75,80
65	99,86,**65**,33,6	86	1	16,22,28,36,50,75,80,86
52	99,**52**,65,33,6	99	1	16,22,28,36,50,75,80,86,99
19	**19**,52,65,33,6	6	2	6
87	19,52,65,33,**87**	19	2	6,19
72	**72**,52,65,33,87	33	2	6,19,33
	72,52,65,87	52	2	6,19,33,52
	72,65,87	65	2	6,19,33,52,65
	72,87	72	2	6,19,33,52,65,72
	87	87	2	6,19,33,52,65,72,87

得到两个初始归并段，其长度分别为 9 和 7，元素序列分别为 $(16,22,28,36,50,75,80,86,99)$ 和 $(6,19,33,52,65,72,87)$。置换-选择排序的初始归并段的长度不仅与内存工作区的大小有关，还与文件中数据元素的次序有关。若内存工作区大小为 m，输入元素的关键字随机排列，则初始归并段的大小约为 m 的 2 倍。

8.7.3　处理归并段形成有序文件

1. k 路平衡归并排序

k 路平衡归并可以有效地减少时间的开销。对于 2 路平衡归并，在初始时，如果归并段是 m 个，则将构成的归并树的层数是 $\lceil \log_2 m \rceil + 1$，需要进行 $\lceil \log_2 m \rceil$ 趟归并才能完成排序。而对于 k 路归并，就是将 k 个归并段进行归并，则将构成 $\lceil \log_k m \rceil + 1$ 层的归并树，也就是需要进行 $\lceil \log_k m \rceil$ 趟的归并。2 路平衡归并中，每一趟都会使归并段个数减少为一半，若归并段为奇数个，则用长度为 0 的虚段补充。例如，如果 $k=4$，则 16 个归并段的归并过程如图 8.25 所示。

图 8.25　具有 16 个归并段的 4 路平衡归并过程

对于 k 路归并，在进行内排序的过程中，为了确定要输出的记录，需要在 k 个记录中寻找关键字最小的记录，逐个比较需要比较 $k-1$ 次，此时代价就会比较大。为了减少比较的代价，可以利用选择树进行 k 路归并。

例如，若两个初始归并段中的元素分别为 $(22,36,80,90)$ 和 $(15,30,71,85)$，使用 2 路平衡归并分别读取初始归并段中的第一个元素到内存工作区，然后选择其中最小的一个输出到文件中，并读取刚刚输出的元素所在归并段中的元素到内存工作区，选择其中较小的元素输出。重复执行以上过程，直到所有元素处理完毕，这样初始归并段中的元素就完成了排序，归并过程如图 8.26 所示。

图 8.26　2 路平衡归并排序的过程

k 路平衡归并排序过程与 2 路平衡归并排序过程类似。对于 k 路平衡归并排序来说，k 越大，元素读写次数越少，内外存交换时间越少。

2. 利用选择树排序

对于 k 路平衡归并排序，在进行内部排序的过程中，每找出一个最小的元素，都需要比较 $k-1$ 次，当元素较多时，代价就会非常大。为了减少比较的代价，可利用选择树进行 k 路平衡归并。

选择树是一种完全二叉树。在该完全二叉树中，叶子结点存放各个归并段的当前待排序的元素，非叶子结点则表示对应孩子结点中最小的一个，从叶子结点开始，依次将当前互为兄弟结点中关键字最小的一个存入双亲结点，则根结点的关键字就是当前归并段中最小的一个关键字，即为将要输出的记录。一个 8 路平衡归并排序的选择树如图 8.27 所示。

这种选择树类似于体育淘汰比赛，每个小组的获胜者参加下一轮的比赛，而根结点就表示整个比赛的冠军，因为根结点永远代表全胜者，所以将这种选择树称为胜者树。图 8.27 所示的是一个 8 路平衡归并的胜者树，根结点表示当前 8 个归并段中记录最小的关键字（即 11），是归并段 R_3 中的记录。当该记录输出后，归并段 R_3 中的下一条记录将进入胜者树，继续选择下一个关键字最小的记录。

不难看出，在输出第一个关键字最小的记录时，需要建立胜者树，比较次数为 $k-1$，即"非叶子结点的个数"次的比较。在输出第 $2 \sim n$ 个元素时，只需要进行 $\lceil \log_2 m \rceil - 1$ 次的比较，也就是只需要将上次最小关键字所在的那个分支中的结点元素比较即可。

与胜者树相对应的还有称为败者树的二叉树。与胜者树相反，在败者树中，将兄弟结点中关键字较大的一个存入双亲结点中，而将较小的关键字继续进行比较，在根结点上附加一个结点，将最终的优胜者存放在其中。一个 8 路平衡归并排序的败者树如图 8.28 所示。

图 8.27　8 路平衡归并排序的选择（胜者）树

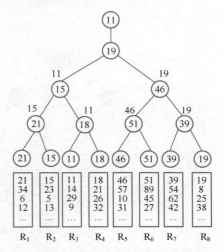

图 8.28　8 路平衡归并排序的败者树

在图 8.28 中，每个结点旁边的数字表示当前层次中较小的关键字，该败者树的最小的关键字是 11。

败者树是树形选择排序的一种变体，通过败者树，可以在 k 个归并段中选择最小关键字，所需要的关键字比较次数更少。假设有 8 个归并段，初始时，可将每个归并段中的第一个元素分别作为叶子结点。败者树的初始状态如图 8.29 所示。

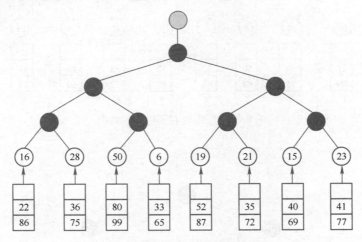

图 8.29　败者树的初始状态

对于左子树部分，从叶子结点出发，分别比较同一个双亲结点的兄弟结点，较大者作为双亲结点，较小者继续向上与其他分支选择的较小元素进行比较，如图 8.30 所示。右子树比较情况如图 8.31 所示。败者树第一趟比较过程如图 8.32 所示。

在败者树中，结点中存放的不是关键字的值，而是元素所在归并段的编号。从败者树中可以看出，最小的元素是 6，来自归并段 4。

输出关键字最小的元素后，由于最小的元素来自于归并段 4，则将归并段 4 中的下一个元素（即 33）放入对应的叶子结点，继续以上比较过程，得到的败者树如图 8.33 所示。

图 8.30 败者树左子树比较情况

图 8.31 败者树右子树比较情况

图 8.32 败者树第一趟比较过程

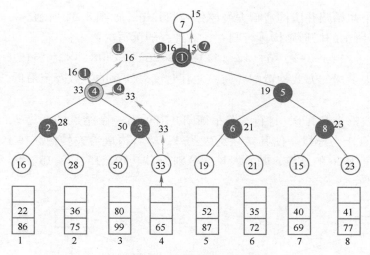

图 8.33　得到的败者树

在败者树中，当输出当前归并段中最小的关键字的元素后，后面进行的比较次数减少了许多。只需要将归并段的下一个关键字 key 存入叶子结点，并将 key 与其双亲结点的关键字进行比较，将两者中较大的一个存入双亲结点，将较小的一个继续与上一层的双亲结点进行比较即可。重复执行以上操作，直到根结点。

容易看出，败者树的比较次数要比胜者树的次数少得多，它减少了与兄弟结点的比较。但是，在进行内排序的过程中，如果采用败者树进行内排序，当 k 增大时，内存工作区也要相应地增加，但内存工作区大小是固定的，这就需要将内存交换的记录块的长度减小。这样就增加了内存与外存之间交换的次数，会造成时间的耗费过大，因此，k 值不能任意增大。

3. 最佳归并树

不管是均匀分段还是置换-选择排序，都需要对初始归并段进行归并排序，那么归并顺序是否会影响到排序的效率呢？例如，通过置换-选择排序得到 9 个初始归并段，其长度分别为 12、26、19、15、7、18、3、9、30，采用 3 路平衡归并可能出现的情况如图 8.34 所示。

图 8.34　采用 3 路平衡归并可能出现的情况

其中，图中的叶子结点表示初始归并段，叶子结点的权值就是相应的记录长度，非终端结点表示归并后的临时文件。

在平衡归并过程中，每个记录都需要单独进行一次对外存的读写，则图 8.34 所示的归并过程需要对外存分别进行 2 次读写，因此归并排序的读写的次数为(9+30+12+18+3+17+2+6+24)×2×2＝484。

对于该 3 叉树来说，访问外存的次数恰好是树的带权路径长度的 2 倍。因此，减少访问外存的次数就是使 k 路归并对应的 k 叉树的带权路径长度最短，这就是要构造 k 叉树的哈夫曼树。

利用以上9个初始归并段构造哈夫曼树作为归并树，如图8.35所示。

对于图8.35所示的树形结构进行归并，对外存的读写次数为：

$$\{(3+7+9)\times3+(12+15+18+19+26)\times2+30\times1\}\times2=534$$

通过构造哈夫曼树的方式构造归并树，使其对读写外存的次数降至最低，这样的归并树称为最佳归并树。

若初始归并段的个数为8，进行3路平衡归并时就有一个结点的度为2，这就需要附加一个权值为0的结点作为虚段，使其结点的度为3，然后构造哈夫曼树。在上面的归并段长度中，去掉一个长度为26的结点，归并段长度分别为12、19、15、7、18、3、9、30，则最佳归并树如图8.36所示。

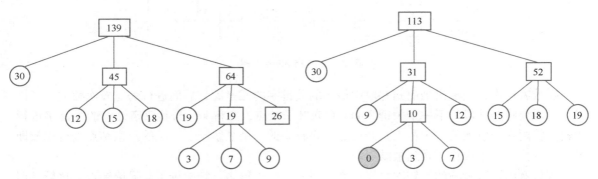

图8.35　哈夫曼树作为3路平衡归并树　　　　图8.36　附加虚段的最佳归并树

虚段的设置只是为了方便构造哈夫曼树，构造完成后虚段就可以去掉。

构造有m个初始归并段的最佳归并树时，是否附设虚段的条件如下：

若$t=(m-1)\%(k-1)\neq0$，则需附设$k-x-1$个虚段，每个虚段的长度为0，这样可使每次都对k个段进行归并，否则不需要附设虚段。

8.8　小结

在计算机的非数值处理中，排序是一种非常重要且最为常用的操作。根据排序使用内存储器和外存储器的情况，可将排序分为内排序和外排序两种。在待排序的数据量不是特别大的情况下，一般采用内排序，反之采用外排序。衡量排序算法的主要性能是时间复杂度、空间复杂度和稳定性。

根据排序所采用的方法，内排序可分为插入排序、选择排序、交换排序、归并排序和基数排序。其中，插入排序可以分为直接插入排序、折半插入排序和希尔排序。直接插入排序的算法实现最为简单，其算法的时间复杂度在最好、最坏和平均情况下都是$O(n^2)$，空间复杂度为$O(1)$，是一种稳定的排序算法。希尔排序的平均时间复杂度是$O(n^{1.5})$，空间复杂度为$O(1)$，是一种不稳定的排序算法。

选择排序可分为简单选择排序、堆排序。简单选择排序算法的时间复杂度在最好、最坏和平均情况下都是$O(n^2)$，而堆排序的时间复杂度在最好、最坏和平均情况下都是$O(n\log_2 n)$。两者的空间复杂度都是$O(1)$，都是不稳定的排序算法。

交换排序可分为冒泡排序和快速排序。冒泡排序在最好的情况下，即在已经有序的情况下，时间复杂度为 $O(n)$。其他情况下时间复杂度为 $O(n^2)$，空间复杂度为 $O(1)$，它是一种稳定的排序算法。快速排序在最好和平均情况下，时间复杂度为 $O(n\log_2 n)$，在最坏情况下的时间复杂度为 $O(n^2)$。其空间复杂度为 $O(\log_2 n)$，它是一种不稳定的排序算法。

归并排序可将两个或两个以上的元素有序序列组合，使其成为一个有序序列。其中最为常用的是 2 路归并排序。归并排序在最好、最坏和平均情况下，时间复杂度均为 $O(n\log_2 n)$，其空间复杂度为 $O(1)$，它是一种稳定的排序算法。

基数排序是一种与前面各种排序方法完全不同的排序方法，前面的排序方法是通过对元素的关键字进行比较，然后移动元素实现的。而基数排序则不需要进行对关键字进行比较。基数排序在任何情况下，时间复杂度均为 $O(d(n+rd))$，空间复杂度为 $O(rd)$，也是一种稳定的排序算法。

各种排序算法的综合性能比较如表 8.2 所示。

表 8.2　各种排序算法的综合性能比较

排序方法	平均时间复杂度	最坏时间复杂度	辅助空间	稳定性
直接插入排序	$O(n^2)$	$O(n^2)$	$O(1)$	稳定
希尔排序	$O(n^{1.5})$	—	$O(1)$	不稳定
冒泡排序	$O(n^2)$	$O(n^2)$	$O(1)$	稳定
快速排序	$O(n\log_2 n)$	$O(n^2)$	$O(\log_2 n)$	不稳定
简单选择排序	$O(n^2)$	$O(n^2)$	$O(1)$	不稳定
堆排序	$O(n\log_2 n)$	$O(n\log_2 n)$	$O(1)$	不稳定
归并排序	$O(n\log_2 n)$	$O(n\log_2 n)$	$O(n)$	稳定
基数排序	$O(d(n+rd))$	$O(d(n+rd))$	$O(rd)$	稳定

从时间耗费上来看，快速排序、堆排序和归并排序最佳，但是快速排序在最坏情况下的时间耗费不如堆排序和归并排序。归并排序需要使用大量的存储空间，比较适合外部排序。堆排序适合数据量较大的情况，直接插入排序和简单选择排序适合数据量较小的情况。基数排序适合数据量较大且关键字的位数较小的情况。

从稳定性上来看，直接插入排序、冒泡排序、归并排序和基数排序是稳定的，希尔排序、快速排序、简单选择排序、堆排序都是不稳定的。稳定性主要取决于排序的具体算法，通常情况下，对两个关键字相邻进行比较的排序方法都是稳定的，反之是不稳定的。

在外排序过程中，对 m 个初始归并段进行归并时，可采用置换–选择排序算法减少初始归并段；在将初始归并段归并为有序文件的过程中，可采用构造最佳归并树的方式减少读写外存的次数。

习　题

一、选择题

1. 若需要在 $O(n\log_2 n)$ 的时间内完成对数组的排序，且要求排序是稳定的，则可选择的排序方法是（　　）。

　　A. 快速排序　　　　B. 堆排序　　　　C. 归并排序　　　　D. 直接插入排序

2. 下列排序方法中，（　　）方法是不稳定的。

A. 冒泡排序　　　B. 选择排序　　　C. 堆排序　　　D. 直接插入排序

3. 一个序列中有 10000 个元素，若只想得到其中的前 10 个最小元素，则最好采用（　　）方法。

A. 快速排序　　　B. 堆排序　　　C. 插入排序　　　D. 归并排序

4. 一组待排序序列为(46,79,56,38,40,84)，则利用堆排序的方法建立的初始堆为（　　）。

A. 79,46,56,38,40,80　　　　　B. 84,79,56,38,40,46

C. 84,79,56,46,40,38　　　　　D. 84,56,79,40,46,38

5. 快速排序方法在（　　）情况下最不利于发挥其长处。

A. 要排序的数据量太大　　　　B. 要排序的数据中有多个相同值

C. 要排序的数据已基本有序　　D. 要排序的数据个数为奇数

6. 排序时扫描待排序记录序列，顺次比较相邻的两个元素的大小，逆序时就交换位置，这是（　　）的基本思想。

A. 堆排序　　　B. 直接插入排序　　　C. 快速排序　　　D. 冒泡排序

7. 在任何情况下，时间复杂度均为 $O(n\log n)$ 的不稳定的排序方法是（　　）。

A. 直接插入　　　B. 快速排序　　　C. 堆排序　　　D. 归并排序

8. 在对 n 个元素的序列进行排序时，堆排序所需要的附加存储空间是（　　）。

A. $O(\log_2 n)$　　　B. $O(1)$　　　C. $O(n)$　　　D. $O(n\log_2 n)$

9. 用某种排序方法对线性表(25,84,21,47,15,27,68,35,20)进行排序时，元素序列的变化情况如下：

1) 25, 84, 21, 47, 15, 27, 68, 35, 20

2) 20, 15, 21, 25, 47, 27, 68, 35, 84

3) 15, 20, 21, 25, 35, 27, 47, 68, 84

4) 15, 20, 21, 25, 27, 35, 47, 68, 84

则所采用的排序方法是（　　）。

A. 选择排序　　　B. 希尔排序　　　C. 归并排序　　　D. 快速排序

10. 设有 1024 个无序的元素，希望用最快的速度挑选出其中前 5 个最大的元素，最好选用（　　）。

A. 冒泡排序　　　B. 选择排序　　　C. 快速排序　　　D. 堆排序

11. 已知关键字序列 5、8、12、19、28、20、15、22 是小根堆，插入关键字 3，调整后得到的小根堆是（　　）。

A. 3、5、12、8、28、20、15、22、19

B. 3、5、12、19、20、15、22、8、28

C. 3、8、12、5、20、15、22、28、19

D. 3、12、5、8、28、20、15、22、19

二、综合分析题

1. 写出用直接插入排序对关键字序列{54,23,89,48,64,50,25,90,34}排序过程的每一趟结果。

2. 设待排序序列为{10,18,4,3,6,12,1,9,15,8}，请写出希尔排序每一趟的结果。增量序列为5、3、2、1。

3. 已知关键字序列{418,347,289,110,505,333,984,693,177}，按递增排序，求初始堆

（画出初始堆的状态）。

4. 有一关键字序列（265,301,751,129,937,863,742,694,076,438），写出希尔排序的每趟排序结果。（取增量为 5、3、1）

5. 对关键字序列（72,87,61,23,94,16,05,58）进行堆排序，使之按关键字递减次序排列（最小堆），请写出排序过程中得到的初始堆和前三趟的序列状态。

6. 对含有 $n(n>0)$ 个记录的文件进行外部排序，采用置换-选择排序生成初始归并段时需要使用一个工作区，工作区中能保存 m 个记录，请回答下列问题，

（1）如果文件中有 19 个记录，其关键字是 51,94,37,92,14,63,15,99,48,56,23,60,31,17,43,8,90,166,100；当 $m=4$ 时，可以生成几个初始归并段，各是什么？

（2）对任意的 m 个记录（$n>m>0$），生成的第一个初始归并段的长度最大值和最小值分别是多少？

三、算法设计题

1. 给定两个有序表 A =（4,8,34,56,89,103）和 B =（23,45,78,90），编写一个算法，将其合并为一个有序表 C。

2. 采用链表作为存储结构，请编写冒泡排序算法，对元素的关键字序列（25,67,21,53,60,103,12,76}进行排序。

3. 采用非递归算法实现快速排序算法，对元素的关键字序列（34,92,23,12,60,103,2,56}进行排序。

4. 利用链表对给定元素的关键字序列（45,67,21,98,12,39,81,53）进行选择排序。

5. 利用链表对给定元素的关键字序列（87,34,22,93,102,56,39,21）进行插入排序。

参 考 文 献

［1］ 严蔚敏. 数据结构［M］. 北京：清华大学出版社，2018.

［2］ 耿国华. 数据结构［M］. 北京：高等教育出版社，2015.

［3］ SEDGEWICK R. 算法：第 4 版［M］. 谢路云，译. 北京：人民邮电出版社，2017.

［4］ SEDGEWICK R. 算法：C 语言实现（第 1~4 部分）［M］. 霍红卫，译. 北京：机械工业出版社，2009.

［5］ 王道论坛. 数据结构考研复习指导［M］. 北京：电子工业出版社，2020.

［6］ 朱站立. 数据结构［M］. 西安：西安电子科技大学出版社，2003.

［7］ 徐塞红. 数据结构考研辅导［M］. 北京：北京邮电大学出版社，2002.

［8］ 冼镜光. C 语言名题百则［M］. 北京：机械工业出版社，2005.

［9］ 高一凡. 数据结构算法实现与解析［M］. 西安：西安电子科技大学出版社，2003.

［10］ 李春葆. 数据结构程序设计题典［M］. 北京：清华大学出版社，2017.

［11］ 杨明，杨萍. 研究生入学考试要点、真题解析与模拟考卷［M］. 北京：电子工业出版社，2003.

［12］ HOROWITZ E, SAHNI S, ANDERSON-FREED S. 数据结构：C 语言版［M］. 李建中，张岩，李治军，译. 北京：机械工业出版社，2006.

［13］ WELSS M A. 数据结构与算法分析［M］. 陈越，译. 北京：机械工业出版社，2016.

［14］ 陈守礼，胡潇琨，李玲. 算法与数据结构考研试题精析［M］. 3 版. 北京：机械工业出版社，2015.

［15］ 陈锐. 零基础学数据结构［M］. 2 版. 北京：机械工业出版社，2014.

［16］ 李春葆，尹为民，蒋晶珏. 数据结构联考辅导教程［M］. 北京：清华大学出版社，2011.

［17］ CORMEN T H. 算法导论：第 2 版［M］. 潘金贵，译. 北京：机械工业出版社，2006.

［18］ 翁惠玉. 数据结构：思想与实现［M］. 北京：高等教育出版社，2020.

［19］ KNUTH D E. 计算机程序设计艺术 卷 1：基本算法　英文版 第 3 版［M］. 北京：人民邮电出版社，2010.